How to TEPS

텝스 실전600

독해편

How to TEPS 텝스 실전 600 독해편 전면 개정판

지은이 황수경 · 넥서스 TEPS연구소
펴낸이 임상진
펴낸곳 (주)넥서스

출판신고 1992년 4월 3일 제311-2002-2호 ⑫
10880 경기도 파주시 지목로 5
Tel (02)330-5500 Fax (02)330-5555

ISBN 978-89-98454-15-9 13740

가격은 뒤표지에 있습니다.
잘못 만들어진 책은 구입처에서 바꾸어 드립니다.

www.nexusEDU.kr
NEXUS Edu는 넥서스의 초·중·고 학습물 전문 브랜드입니다.

How to TEPS

출제 원리와 해법, 정답이 보이는 텝스 독해

텝스 실전 600

황수경 · 넥서스 TEPS연구소 지음

독해편

NEXUS Edu

오랫동안 텝스 수험생과 강사들의 사랑을 가장 많이 받았던 베스트셀러 〈How to TEPS 실전 600 독해편〉의 전면 개정판이 나왔습니다. 지난 몇 년간 꾸준한 인기에 힘입어 최신 경향이 반영된 문제와 유용한 알짜 전략들로 꽉 채운 두 번째 개정판(2nd Edition)이 출간된 것입니다.

보통 영어 시험을 볼 때, 실제 그 사람이 가진 순수한 영어 실력만을 평가한다고 보기는 어렵습니다. 시험마다 문제 구성, 난이도, 평가 체계 등이 다르기 때문에 그에 맞게 준비를 하고 시험장에 가야 합니다. 그러니 시험의 성격조차 파악하지 않고 단순히 지문을 읽고 문제를 푼다는 것은 어찌 보면 개인의 소중한 시간을 고스란히 내다 버리는 일이 됩니다.

특히 텝스는 다른 공인 영어 시험과 차별화된 고유의 문제 스타일이 있습니다. 영어 실력이 주변 사람들보다 월등한데 실제 시험에서는 상대적으로 낮은 점수를 받는다면, 이는 텝스 시험 자체를 제대로 파악하지 못했기 때문입니다. 텝스의 4개 영역이 무엇인지, Part별로는 어떤 차이가 있는지부터 알고, 문제 유형별로 분석하여 시험의 감을 잡는다면, 결국엔 원하는 결과를 얻게 될 것입니다.

총 3개 Part로 이루어진 텝스 독해는 지문 속 빈칸 채우기, 지문을 읽고 질문에 답하기(주제 찾기, 세부 내용 파악, 추론하기), 흐름에 어울리지 않는 문장 찾기 등 크게 세 가지 유형으로 이루어져 있습니다. 독해 지문은 편지나 광고 등 다양한 상황의 실용적인 지문과 과학, 문학, 예술, 철학, 역사 등을 다루는 학술적인 지문으로 나눌 수 있습니다.

〈How to TEPS 실전 600 독해편〉 전면 개정판에는 텝스 독해의 이러한 고유한 특성과 최근 기출 문제의 경향을 보여 주는 동시에 문제 유형별 전략까지 제시합니다. 독해에 꼭 필요한 15가지 문법과 문제 유형별 전략 및 주제별 빈출 어휘 학습을 통해 텝스 독해의 기본을 다질 수 있으며, 마지막에 최신 기출을 가장 잘 응용한 실전 모의고사 5회분을 풀면서 실전의 감각을 높일 수 있습니다.

탄탄한 기초 공사 없이 단기간에 원하는 점수를 받는 비법은 텝스에서도 없습니다. 하지만 효율적으로 원하는 점수를 얻고 전반적인 영어 실력까지 높이는 길은 우리가 찾을 수 있고, 없다면 만들어 낼 수도 있습니다. 아무쪼록 〈How to TEPS 실전 600 독해편〉 전면 개정판을 통해 텝스에 대한 이해를 높이고, 여러분 모두 실전에서 원하는 점수를 받을 수 있기를 바랍니다.

_넥서스 TEPS연구소

- 구성과 특징 8
- TEPS 정보 10

I TEPS 독해 전략

1. 올바른 독해를 위한 문법

Unit 01	5형식 문장 파악하기	30
Unit 02	도치된 문장 파악하기	32
Unit 03	관계 대명사 잡기	34
Unit 04	관계 부사 잡기	36
Unit 05	분사 제대로 알기	38
Unit 06	명사로 온 to부정사	40
Unit 07	수식하는 to부정사	42
Unit 08	부분 부정과 전체 부정	44
Unit 09	seem · believe 바로 알기	46
Unit 10	병렬 구조 문장 이해하기	48
Unit 11	종속 접속사 파악하기	50
Unit 12	동격의 접속사 that	52
Unit 13	so ~ that절	54
Unit 14	가정법 문장 제대로 알기	56
Unit 15	조동사 have p.p.	58

2. 독해 유형별 공략법

PART 1

Unit 01	빈칸에 알맞은 구/ 절 고르기	64
Unit 02	연결어 고르기	70

PART 2

Unit 03	주제나 목적 찾기	78
Unit 04	세부 내용 찾기	84
Unit 05	추론하기	90

PART 3

Unit 06	어울리지 않는 문장 찾기	96

3. TEPS 주제별 필수 어휘

Unit 01 실용문 102

A. 환경 · 날씨
B. 교통 · 통신
C. 직장 · 주거 · 생활
D. 여행 · 여가 · 모임
E. 쇼핑 · 패션
F. 방송 · 광고 · 출판
G. 음식

Unit 02 학술문 109

A. 경제 · 사회
B. 교육 · 학업
C. 심리 · 철학
D. 법 · 정치
E. 과학 · IT
F. 예술 · 공연 · 문학
G. 의학
H. 역사

II TEPS 실전 모의고사

Actual Test 1 122
Actual Test 2 144
Actual Test 3 166
Actual Test 4 188
Actual Test 5 210

정답 및 상세한 해설 (부록)

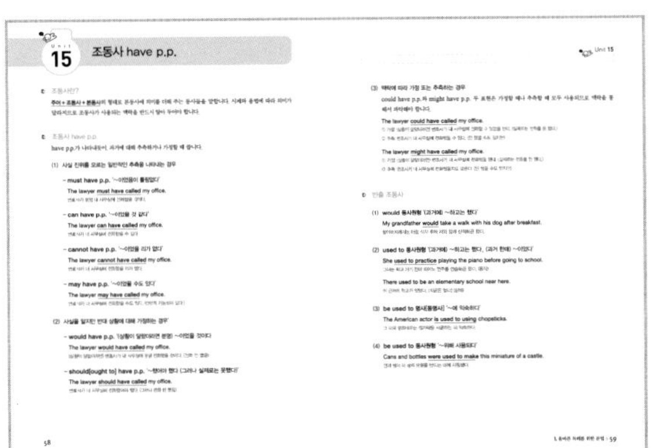

올바른 독해를 위한 문법

문장 구조 이해의 기본 바탕인 문법을 독해에 꼭 필요한 것만 선별해 15개 unit으로 정리하였습니다.

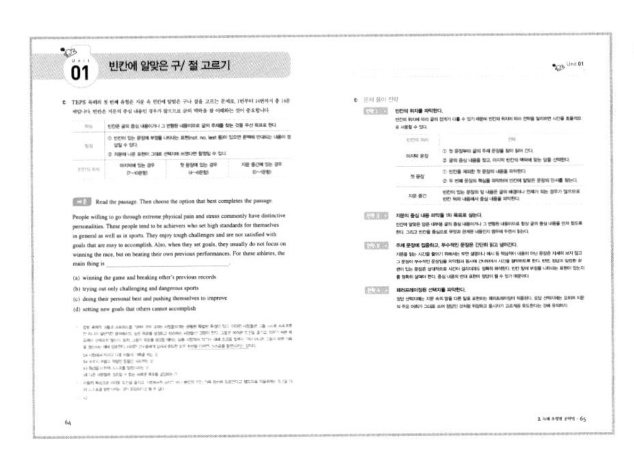

독해 유형별 공략법

TEPS 독해의 문제 유형을 6개 unit으로 나눠 각 유형에 맞는 독해 전략을 구사할 수 있도록 하였습니다.

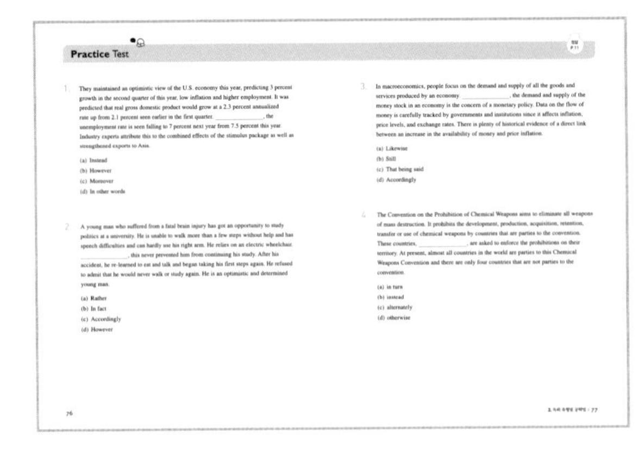

Practice Test

TEPS 독해 전략에는 실전 모의고사 5회분을 풀기 전에 몸풀기를 할 수 있도록 각 unit마다 연습 문제를 실었습니다. 문법과 독해 유형 연습으로 실전의 감을 잡을 수 있도록 구성하였습니다.

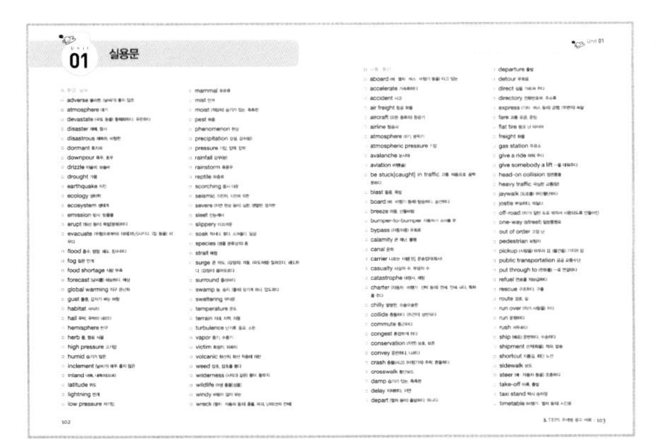

TEPS 주제별 필수 어휘

TEPS 독해 지문에서 자주 나오는 주제를 실용문과 학술문 두 개로 분류하여 빈출 어휘만을 선별해 시간 대비 효율적으로 공부할 수 있도록 정리하였습니다.

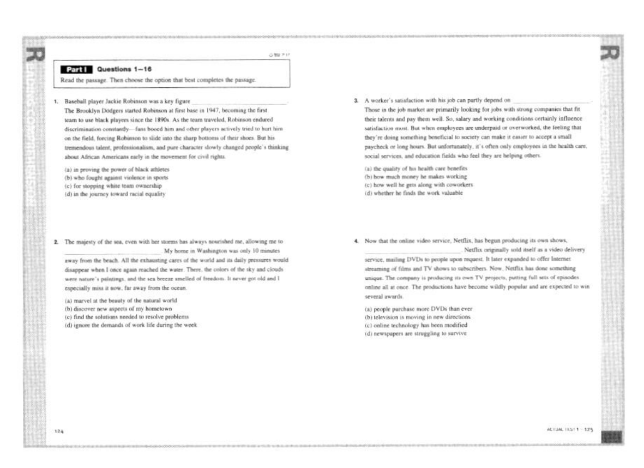

TEPS 실전 모의고사 5회분

TEPS의 최신 경향에 맞춘 문제들로 구성된 Actual Test를 총 200문제, 5회분 모의고사로 준비하여, 고득점에 다가갈 수 있도록 하였습니다.

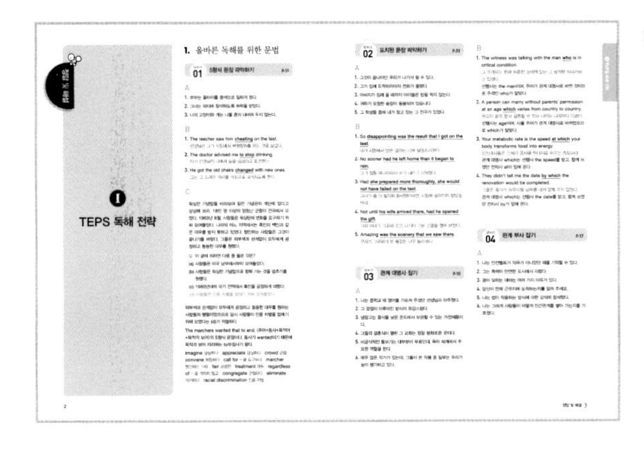

상세한 해설 수록

알기 쉬운 해석과 어휘 정리는 물론, 상세하고 친절한 해설을 수록하여 혼자 공부해도 TEPS 독해에 만반의 준비를 할 수 있도록 구성하였습니다.

TEPS란?

Test of English Proficiency developed by Seoul National University의 약자로 서울대학교 언어교육원에서 개발하고, TEPS관리위원회에서 주관하는 국가공인 영어 시험입니다. 1999년 1월 처음 시행 이후 연 약 16회 실시하고 있습니다. 정부기관 및 기업의 직원 채용이나 인사고과, 해외 파견 근무자 선발과 더불어 국내 유수의 대학과 특목고 입학 및 졸업 자격 요건, 국가고시 및 자격 시험의 영어 대체 시험으로 활용되고 있습니다.

1 / TEPS는 타 시험에 비해 많은 지문을 주고 짧은 시간 내에 풀어낼 수 있는지를 측정하는 속도화 시험으로 수험자의 내재화된 영어 능력을 평가합니다.

2 / 편법이 없는 시험을 위해 청해(Listening)에서는 시험지에 선택지가 제시되어 있지 않아 눈으로 읽을 수 없고 오직 듣기 능력에만 의존해야 합니다. 독해(Reading)에서는 한 문제로 다음 문제의 답을 유추할 수 있는 가능성을 배제하기 위해 1지문 1문항을 고수하고 있습니다.

3 / 실생활에서 접할 수 있는 다양한 주제와 상황을 다룹니다. 일상생활과 비즈니스를 비롯해 문학, 과학, 역사 등 학술적인 소재도 출제됩니다.

4 / 청해, 문법, 어휘, 독해의 4영역으로 나뉘며, 총 200문항에 990점 만점입니다. 영역별 점수 산출이 가능하며, 점수 외에 5+에서 1+까지 8등급으로 나뉩니다.

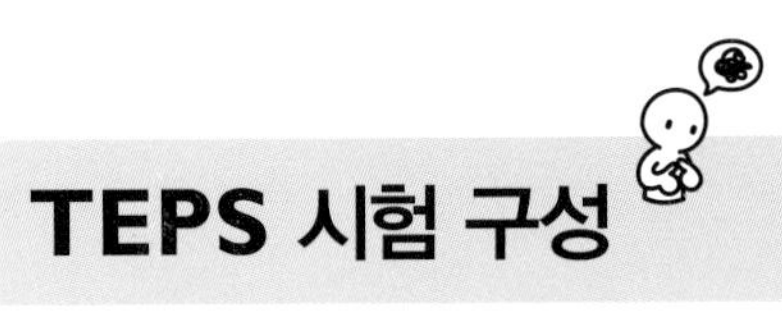

TEPS 시험 구성

영역	Part별 내용	문항수	시간/배점
청해 Listening Comprehension	Part I : 문장 하나를 듣고 이어질 대화 고르기 Part II : 3문장의 대화를 듣고 이어질 대화 고르기 Part III : 6~8 문장의 대화를 듣고 질문에 해당하는 답 고르기 Part IV : 담화문의 내용을 듣고 질문에 해당하는 답 고르기	15 15 15 15	55분 400점
문법 Grammar	Part I : 대화문의 빈칸에 적절한 표현 고르기 Part II : 문장의 빈칸에 적절한 표현 고르기 Part III : 대화에서 어법상 틀리거나 어색한 부분 고르기 Part IV : 단문에서 문법상 틀리거나 어색한 부분 고르기	20 20 5 5	25분 100점
어휘 Vocabulary	Part I : 대화문의 빈칸에 적절한 단어 고르기 Part II : 단문의 빈칸에 적절한 단어 고르기	25 25	15분 100점
독해 Reading Comprehension	Part I : 지문을 읽고 빈칸에 들어갈 내용 고르기 Part II : 지문을 읽고 질문에 가장 적절한 내용 고르기 Part III : 지문을 읽고 문맥상 어색한 내용 고르기	16 21 3	45분 400점
총계	13 Parts	200	140분 990점

TEPS 영역별 특징

청해 (Listening Comprehension) _60문항

정확한 청해 능력을 측정하기 위하여 문제와 보기 문항을 문제지에 인쇄하지 않고 들려줌으로써 자연스러운 의사소통의 인지 과정을 최대한 반영하였습니다. 다양한 의사소통 기능(Communicative Functions)의 대화와 다양한 상황(공고, 방송, 일상생활, 업무 상황, 대학 교양 수준의 강의 등)을 이해하는 데 필요한 전반적인 청해력을 측정하기 위해 대화문(dialogue)과 담화문(monologue)의 소재를 균형 있게 다루었습니다.

문법 (Grammar) _50문항

밑줄 친 부분 중 오류를 식별하는 유형 등의 단편적이며 기계적인 문법 지식 학습을 조장할 우려가 있는 분리식 시험 유형을 배제하고, 의미 있는 문맥을 근거로 오류를 식별하는 유형을 통하여 진정한 의사소통 능력의 바탕이 되는 살아 있는 문법, 어법 능력을 문어체와 구어체를 통하여 측정합니다.

어휘 (Vocabulary) _50문항

문맥 없이 단순한 동의어 및 반의어를 선택하는 시험 유형을 배제하고 의미 있는 문맥을 근거로 가장 적절한 어휘를 선택하는 유형을 문어체와 구어체로 나누어 측정합니다.

독해 (Reading Comprehension) _40문항

교양 있는 수준의 글(신문, 잡지, 대학 교양과목 개론 등)과 실용적인 글(서신, 광고, 홍보, 지시문, 설명문, 양식 등)을 이해하는 데 요구되는 총체적인 독해력을 측정하기 위해서 실용문 및 비전문적 학술문과 같은 독해 지문의 소재를 균형 있게 다루었습니다.

TEPS 영역별 유형 소개

청해 Listening Comprehension

★ PART I (15문항)

두 사람의 질의 응답 문제를 다루며, 한 번만 들려줍니다. 내용 자체는 단순하고 기본적인 수준의 생활 영어 표현으로 구성되어 있지만, 교과서적인 지식보다는 재빠른 상황 판단 능력이 필요합니다. Part I에서는 속도 적응 능력뿐만 아니라 순발력 있는 상황 판단 능력이 요구됩니다.

Choose the most appropriate response to the statement.

W I heard that it's going to be very hot tomorrow.
M ______________________

(a) It was the hottest day of the year.
(b) Be sure to dress warmly.
(c) Let's not sweat the details.
(d) It's going to be a real scorcher.

W 내일은 엄청 더운 날씨가 될 거래.
M ______________________
(a) 일 년 중 가장 더운 날이었어.
(b) 옷을 따뜻하게 입도록 해.
(c) 사소한 일에 신경 쓰지 말자.
(d) 엄청나게 더운 날이 될 거야.

정답 (d)

★ PART II (15문항)

짧은 대화 문제로, 두 사람이 A-B-A 순으로 보통의 속도로 대화하는 형식입니다. 소요 시간은 약 12초 전후로 짧습니다. Part I과 마찬가지로 한 번만 들려줍니다.

Choose the most appropriate response to complete the conversation.

M Would you like to join me to see a musical?
W Sorry no. I hate musicals.
M How could anyone possibly hate a musical?
W ______________________

(a) Different strokes for different folks.
(b) It's impossible to hate musicals.
(c) I agree with you.
(d) I'm not really musical.

M 나랑 같이 뮤지컬 보러 갈래?
W 미안하지만 안 갈래. 나 뮤지컬을 싫어하거든.
M 뮤지컬 싫어하는 사람도 있어?
W ______________________
(a) 사람마다 제각각이지 뭐.
(b) 뮤지컬을 싫어하는 것은 불가능해.
(c) 네 말에 동의해.
(d) 나는 그다지 음악에 재능이 없어.

정답 (a)

★ PART III (15문항)

앞의 두 파트에 비해 다소 긴 대화를 들려줍니다. 대신 대화와 질문을 두 번 들려 줍니다. 대화의 주제나 주로 일어나고 있는 일, 화자가 갖고 있는 문제점, 세부 내용, 추론할 수 있는 것 등에 대해 묻습니다.

Choose the option that best answers the question.

W I just went to the dentist, and he said I need surgery.
M That sounds painful!
W Yeah, but that's not even the worst part. He said it will cost $5,000!
M Wow! That sounds too expensive. I think you should get a second opinion.
W Really? Do you know a good place?
M Sure. Let me recommend my guy I use. He's great.

Q: Which is correct according to the conversation?
(a) The man doesn't like his dentist.
(b) The woman believes that $5,000 sounds like a fair price.
(c) The man thinks that the dental surgery is too costly for her.
(d) The woman agrees that the dental treatment will be painless.

W 치과에 갔는데, 의사가 나보고 수술을 해야 한대.
M 아프겠다!
W 응, 하지만 더 심한 건 수술 비용이 5천 달러라는 거야!
M 와! 너무 비싸다. 다른 의사의 진단을 받아 보는 게 좋겠어.
W 그래? 어디 좋은 곳이라도 알고 있니?
M 물론이지. 내가 가는 곳을 추천해 줄게. 잘하시는 분이야.

Q 대화에 의하면 다음 중 옳은 것은?
(a) 남자는 담당 치과 의사를 좋아하지 않는다.
(b) 여자는 5천 달러가 적당한 가격이라고 생각한다.
(c) 남자는 치과 수술이 여자에게 너무 비싸다고 생각한다.
(d) 여자는 치과 시술이 아프지 않을 것이라는 점에 동의한다.

정답 (c)

★ PART IV (15문항)

이전 파트와 달리, 한 사람의 담화를 다룹니다. 방송이나 뉴스, 강의, 회의를 시작하면서 발제하는 것 등의 상황이 나옵니다. Part III와 마찬가지로 담화와 질문을 두 번씩 들려줍니다. 담화의 주제와 세부 내용, 추론할 수 있는 것 등에 대해 묻습니다.

Choose the option that best answers the question.

Tests confirmed that a 19-year-old woman recently died of the bird flu virus. This was the third such death in Indonesia. Cases such as this one have sparked panic in several Asian nations. Numerous countries have sought to discover a vaccine for this terrible illness. Officials from the Indonesian Ministry of Health examined the woman's house and neighborhood, but could not find the source of the virus. According to the ministry, the woman had fever for four days before arriving at the hospital.

Q: Which is correct according to the news report?
(a) There is an easy cure for the disease.
(b) Most nations are unconcerned with the virus.
(c) The woman caught the bird flu from an unknown source.
(d) The woman was sick for four days and then recovered.

최근 19세 여성이 조류 독감으로 사망한 것이 검사로 확인되었고, 인도네시아에서 이번이 세 번째이다. 이와 같은 사건들이 일부 아시아 국가들에게 극심한 공포를 불러 일으켰고, 많은 나라들이 이 끔찍한 병의 백신을 찾기 위해 힘쓰고 있다. 인도네시아 보건부의 직원들은 그녀의 집과 이웃을 조사했지만, 바이러스의 근원을 찾을 수 없었다. 보건부에 의하면, 그녀는 병원에 도착하기 전 나흘 동안 열이 있었다.

Q 뉴스 보도에 의하면 다음 중 옳은 것은?
(a) 이 병에는 간단한 치료법이 있다.
(b) 대부분의 나라들은 바이러스에 대해 관심이 없다.
(c) 여자는 알려지지 않은 원인에 의해 조류 독감에 걸렸다.
(d) 여자는 나흘 동안 앓고 나서 회복되었다.

정답 (c)

문법 Grammar

★ PART I (20문항)

A와 B 두 사람의 짧은 대화를 통해 구어체 관용 표현, 품사, 시제, 인칭, 어순 등 문법 전반에 대한 이해를 묻습니다. 대화 중에 빈칸이 있고, 그곳에 들어갈 적절한 표현을 고르는 형식입니다.

Choose the best answer for the blank.

A I can't attend the meeting, either.
B Then we have no choice ______________ the meeting.

(a) but canceling
(b) than to cancel
(c) than cancel
(d) but to cancel

A 저도 회의에 참석할 수 없어요.
B 그러면 회의를 취소하는 수밖에요.
(a) 그러나 취소하는
(b) 취소하는 것보다
(c) 취소하는 것보다
(d) 취소하는 수밖에

정답 (d)

★ PART II (20문항)

Part I에서 구어체의 대화를 나눴다면, Part II에서는 문어체의 문장이 나옵니다. 서술문 속의 빈칸을 채우는 문제로 수 일치, 태, 어순, 분사 등 문법 자체에 대한 이해도는 물론 구문에 대한 이해력이 중요합니다.

Choose the best answer for the blank.

______________ being pretty confident about it, Irene decided to check her facts.

(a) Nevertheless
(b) Because of
(c) Despite
(d) Instead of

그 일에 대해 매우 자신감이 있었음에도 불구하고 아이린은 사실을 확인하기로 했다.
(a) 그럼에도 불구하고
(b) 때문에
(c) 그럼에도 불구하고
(d) 대신에

정답 (c)

★ PART III (5문항)

A-B-A-B의 대화문에서 어법상 틀리거나 문맥상 어색한 부분이 있는 문장을 고르는 문제입니다. 이 영역 역시 문법뿐만 아니라 정확한 구문 파악과 대화 내용을 이해하는 능력이 중요합니다.

Identify the option that contains an awkward expression or an error in grammar.

(a) A: What are you doing this weekend?
(b) B: Going fishing as usual.
(c) A: Again? What's the fun in going fishing? Actually, I don't understand why people go fishing.
(d) B: For me, I like being alone, thinking deeply to me, being surrounded by nature.

(a) A 이번 주말에 뭐해?
(b) B 평소처럼 낚시 가.
(c) A 또 가? 낚시가 뭐 재미있니? 솔직히 난 사람들이 왜 낚시를 하러 가는지 모르겠어.
(d) B 내 경우엔 자연에 둘러 싸여서 혼자 깊이 생각해 볼 수 있다는 게 좋아.

정답 (d) me → myself

★ PART IV (5문항)

한 문단을 주고 그 가운데 문법적으로 틀리거나 어색한 문장을 고르는 문제입니다. 문법적으로 틀린 부분을 신속하게 골라야 하므로 독해 문제처럼 속독 능력도 중요합니다.

Identify the option that contains an awkward expression or an error in grammar.

(a) The creators of a new video game hope to change the disturbing trend of using violence to enthrall young gamers. (b) Video game designers and experts on human development teamed up and designed a new computer game with the gameplay that helps young players overcome everyday school life situations. (c) The elements in the game resemble regular objects: pencils, erasers, and the like. (d) The players of the game "win" by choose peaceful solutions instead of violent ones.

(a) 새 비디오 게임 개발자들은 어린 게이머들의 흥미 유발을 위해 폭력적인 내용을 사용하는 불건전한 판도를 바꿔 놓을 수 있기를 바란다. (b) 비디오 게임 개발자들과 인간 발달 전문가들이 공동으로 개발한 새로운 컴퓨터 게임은 어린이들이 매일 학교에서 부딪히는 상황에 잘 대처할 수 있도록 도와준다. (c) 실제로 게임에는 연필과 지우개 같은 평범한 사물들이 나온다. (d) 폭력적인 해결책보다 비폭력적인 해결책을 선택하면 게임에서 이긴다.

정답 (d) by choose → by choosing

어휘 Vocabulary

★ PART I (25문항)

구어체로 되어 있는 A와 B의 대화 중 빈칸에 가장 적절한 단어를 고르는 문제입니다. 단어의 단편적인 의미보다는 문맥에서 쓰인 의미가 더 중요합니다. 한 개의 단어로 된 선택지뿐만 아니라 두세 단어 이상의 구를 이루는 선택지도 있습니다.

Choose the best answer for the blank.

A Congratulations on your ______________ of the training course.

B Thank you. It was hard, but I managed to pull through.

(a) improvement
(b) resignation
(c) evacuation
(d) completion

A 훈련 과정을 완수한 거 축하해.

B 고마워. 어려웠지만 가까스로 끝낼 수 있었어.

(a) 개선
(b) 사임
(c) 철수
(d) 완료

정답 (d)

★ PART II (25문항)

하나 또는 두 개의 문장 속의 빈칸에 가장 적당한 단어를 고르는 문제입니다. 어휘력을 늘릴 때 한 개씩 단편적으로 암기하는 것보다는 하나의 표현으로, 즉 의미 단위로 알아 놓는 것이 제한된 시간 내에 어휘 시험을 정확히 푸는 데 많은 도움이 됩니다. 후반부로 갈수록 수준 높은 어휘가 출제되며, 단어 사이의 미묘한 의미의 차이를 묻는 문제도 출제됩니다.

Choose the best answer for the blank.

Brian was far ahead in the game and was certain to win, but his opponent refused to ______________.

(a) yield
(b) agree
(c) waive
(d) forfeit

브라이언이 게임에 앞서 가고 있어서 승리가 확실했지만 그의 상대는 굴복하려 하지 않았다.

(a) 굴복하다
(b) 동의하다
(c) 포기하다
(d) 몰수당하다

정답 (a)

독해 Reading Comprehension

★ PART I (16문항)

지문 속 빈칸에 알맞은 것을 고르는 유형입니다. 글 전체의 흐름을 파악하여 문맥상 빈칸에 들어갈 내용을 찾아야 하는데, 주로 지문의 주제와 관련이 있습니다. 마지막 두 문제, 15번과 16번은 빈칸에 알맞은 연결어를 고르는 문제입니다. 문맥의 흐름을 논리적으로 파악할 수 있어야 합니다.

Read the passage. Then choose the option that best completes the passage.

Tech industry giants like Facebook, Google, Twitter, and Amazon have threatened to shut down their sites. They're protesting legislation that may regulate Internet content. The Stop Online Piracy Act, or SOPA, according to advocates, will make it easier for regulators to police intellectual property violations on the web, but the bill has drawn criticism from online activists who say SOPA will outlaw many common internet-based activities, like downloading copyrighted content. A boycott, or blackout, by the influential web companies acts to ______________________.

(a) threaten lawmakers by halting all Internet access
(b) illustrate real-world effects of the proposed rule
(c) withdraw web activities the policy would prohibit
(d) laugh at the debate about what's allowed online

페이스북, 구글, 트위터, 아마존과 같은 거대 기술업체들이 그들의 사이트를 닫겠다고 위협했다. 그들은 인터넷 콘텐츠를 규제할지도 모르는 법령의 제정에 반대한다. 지지자들은 온라인 저작권 침해 금지 법안으로 인해 단속 기관들이 더 쉽게 웹상에서 지적 재산 침해 감시를 할 수 있다고 말한다. 그러나 온라인 활동가들은 저작권이 있는 콘텐츠를 다운로드하는 것과 같은 일반적인 인터넷 기반 활동들이 불법화될 것이라고 이 법안을 비판하고 있다. 영향력 있는 웹 기반 회사들에 의한 거부 운동 또는 보도 통제는 발의된 법안이 현실에 미치는 영향을 보여 주기 위한 것이다.

(a) 인터넷 접속을 금지시켜서 입법자들을 위협하기 위한
(b) 발의된 법안이 현실에 미치는 영향을 보여 주기 위한
(c) 그 정책이 금지하게 될 웹 활동들을 중단하기 위한
(d) 온라인에서 무엇이 허용될지에 대한 논쟁을 비웃기 위한

정답 (b)

★ PART II (21문항)

글의 내용 이해를 측정하는 문제로, 글의 주제나 대의 혹은 전반적 논조를 파악하는 문제, 세부 내용을 파악하는 문제, 추론하는 문제가 있습니다.

Choose the option that correctly answers the question.

In theory, solar and wind energy farms could provide an alternative energy source and reduce our dependence on oil. But in reality, these methods face practical challenges no one has been able to solve. In Denmark, for example, a country with some of the world's largest wind farms, it turns out that winds blow most when people need electricity least. Because of this reduced demand, companies end up selling their power to other countries for little profit. In some cases, they pay customers to take the leftover energy.

Q: Which of the following is correct according to the passage?
(a) Energy companies can lose money on the power they produce.
(b) Research has expanded to balance supply and demand gaps.
(c) Solar and wind power are not viewed as possible options.
(d) Reliance on oil has led to political tensions in many countries.

이론상으로 태양과 풍력 에너지 발전 단지는 대체 에너지 자원을 제공하고 원유에 대한 의존을 낮출 수 있다. 그러나 사실상 이러한 방법들은 아무도 해결할 수 없었던 현실적인 문제에 부딪친다. 예를 들어 세계에서 가장 큰 풍력 에너지 발전 단지를 가진 덴마크에서 사람들이 전기를 가장 덜 필요로 할 때 가장 강한 바람이 분다는 것이 판명되었다. 이러한 낮은 수요 때문에 회사는 결국 그들의 전력을 적은 이윤으로 다른 나라에 팔게 되었다. 어떤 경우에는 남은 에너지를 가져가라고 고객에게 돈을 지불하기도 한다.

Q 이 글에 의하면 다음 중 옳은 것은?
(a) 에너지 회사는 그들이 생산한 전력으로 손해를 볼 수도 있다.
(b) 수요와 공급 격차를 조정하기 위해 연구가 확장되었다.
(c) 태양과 풍력 에너지는 가능한 대안으로 간주되지 않는다.
(d) 원유에 대한 의존은 많은 나라들 사이에 정치적 긴장감을 가져왔다.

정답 (a)

★ PART III (3문항)

글의 흐름상 어색한 문장을 고르는 문제로, 전체 흐름을 파악하여 지문의 주제나 소재와 관계없는 내용을 고릅니다.

Read the passage. Then identify the option that does NOT belong.

For the next four months, major cities will experiment with new community awareness initiatives to decrease smoking in public places. (a) Anti-tobacco advertisements in recent years have relied on scare tactics to show how smokers hurt their own bodies. (b) But the new effort depicts the effects of second-hand smoke on children who breathe in adults' cigarette fumes. (c) Without these advertisements, few children would understand the effects of adults' hard-to-break habits. (d) Cities hope these messages will inspire people to think about others and cut back on their tobacco use.

향후 4개월 동안 주요 도시들은 공공장소에서의 흡연을 줄이기 위해 지역 사회의 의식을 촉구하는 새로운 계획을 시도할 것이다. (a) 최근에 금연 광고는 흡연자가 자신의 몸을 얼마나 해치고 있는지를 보여 주기 위해 겁을 주는 방식에 의존했다. (b) 그러나 이 새로운 시도는 어른들의 담배 연기를 마시는 아이들에게 미치는 간접 흡연의 영향을 묘사한다. (c) 이러한 광고가 없다면, 아이들은 어른들의 끊기 힘든 습관이 미칠 영향을 모를 것이다. (d) 도시들은 이러한 메시지가 사람들에게 타인에 대해서 생각해 보고 담배 사용을 줄이는 마음이 생기게 할 것을 기대하고 있다.

정답 (c)

TEPS 등급표

등급	점수	영역	능력검정기준(Description)
1^{+}급 Level 1^{+}	901~990	전반	외국인으로서 최상급 수준의 의사소통 능력 교양 있는 원어민에 버금가는 정도로 의사소통이 가능하고 전문분야 업무에 대처할 수 있음 (Native Level of Communicative Competence)
1급 Level 1	801~900	전반	외국인으로서 거의 최상급 수준의 의사소통 능력 단기간 집중 교육을 받으면 대부분의 의사소통이 가능하고 전문분야 업무에 별 무리 없이 대처할 수 있음 (Near-Native Level of Communicative Competence)
2^{+}급 Level 2^{+}	701~800	전반	외국인으로서 상급 수준의 의사소통 능력 단기간 집중 교육을 받으면 일반분야 업무를 큰 어려움 없이 수행할 수 있음 (Advanced Level of Communicative Competence)
2급 Level 2	601~700	전반	외국인으로서 중상급 수준의 의사소통 능력 중장기간 집중 교육을 받으면 일반분야 업무를 큰 어려움 없이 수행할 수 있음 (High Intermediate Level of Communicative Competence)
3^{+}급 Level 3^{+}	501~600	전반	외국인으로서 중급 수준의 의사소통 능력 중장기간 집중 교육을 받으면 한정된 분야의 업무를 큰 어려움 없이 수행할 수 있음 (Mid Intermediate Level of Communicative Competence)
3급 Level 3	401~500	전반	외국인으로서 중하급 수준의 의사소통 능력 중장기간 집중 교육을 받으면 한정된 분야의 업무를 다소 미흡하지만 큰 지장 없이 수행할 수 있음 (Low Intermediate Level of Communicative Competence)
4^{+}급 Level 4^{+}	301~400	전반	외국인으로서 하급 수준의 의사소통 능력 장기간의 집중 교육을 받으면 한정된 분야의 업무를 대체로 어렵게 수행할 수 있음 (Novice Level of Communicative Competence)
4급 Level 4	201~300		
5^{+}급 Level 5^{+}	101~200	전반	외국인으로서 최하급 수준의 의사소통 능력 단편적인 지식만을 갖추고 있어 의사소통이 거의 불가능함 (Near-Zero Level of Communicative Competence)
5급 Level 5	10~100		

TEPS 성적표

TEPS | Test of English Proficiency developed by Seoul National University

SCORE REPORT

NAME	REGISTRATION NO.
HONG GIL DONG	0123456
DATE OF BIRTH	TEST DATE
JAN. 01. 1980	MAR. 02. 2008
GENDER	VALID UNTIL
MALE	MAR. 01. 2010

NO : RAAAA0000BBBB

TOTAL SCORE AND LEVEL

SCORE	LEVEL
768	2+

SECTION	SCORE	LEVEL	%
Listening	307	2+	77 / 59
Grammar	76	2+	76 / 52
Vocabulary	65	2	65 / 56
Reading	320	2+	80 / 61

■ your percentage ■ average

OVERALL COMMUNICATIVE COMPETENCE

89.89%

A score at this level typically indicates an advanced level of communicative competence for a non-native speaker. A test taker at this level is able to execute general tasks after a short-term training.

SECTION			PERFORMANCE EVALUATION
Listening	PART I	86%	A score at this level typically indicates that the test taker has a good grasp of the given situation and its context and can make relevant responses. Can understand main ideas in conversations and lectures when they are explicitly stated, understand a good deal of specific information and make inferences given explicit information.
	PART II	66%	
	PART III	86%	
	PART IV	66%	
Grammar	PART I	84%	A score at this level typically indicates that the test taker has a fair understanding of the rules of grammar and syntax and has internalized them to a degree enabling them to carry out meaningful communication.
	PART II	75%	
	PART III	99%	
	PART IV	21%	
Vocabulary	PART I	72%	A score at this level typically indicates that the test taker has a good command of vocabulary for use in everyday speech. Able to understand vocabulary used in written contexts of a more formal nature, yet may have difficulty using it appropriately.
	PART II	56%	
Reading	PART I	68%	A score at this level typically indicates that the test taker is at an advanced level of understanding written texts. Can abstract main ideas from a text, understand a good deal of specific information and draw basic inferences when given texts with clear structure and explicit information.
	PART II	90%	
	PART III	66%	

THE TEPS COUNCIL 

TEPS Q&A

1 / 시험 접수는 어떻게 해야 하나요?

TEPS 정기 시험은 회차별로 지정된 접수 기간 중 인터넷(www.teps.or.kr) 또는 접수처를 방문하여 접수하실 수 있습니다. 정시 접수의 응시료는 36,000원입니다. 시험 일자 10일 전부터 4일간은 추가 접수 기간인데, 추가 접수 응시료는 39,000원입니다.

2 / TEPS 관리위원회에서 인정하는 신분증은 무엇인가요?

아래 제시된 신분증 중 한 가지를 유효한 신분증으로 인정합니다.

구분	신분증
일반인, 대학생	주민등록증(발급신청확인서), 운전면허증, 기간 만료 전의 여권, 공무원증, 장애인 복지카드 *대학(원)생 학생증은 사용할 수 없습니다.
중 · 고등학생	학생증(학생증 지참 시 유의 사항 참조), 기간 만료 전의 여권, 청소년증(발급 신청 확인서), 주민등록증(발급 신청 확인서), TEPS신분확인증명서
초등학생	기간 만료 전의 여권, 청소년증(발급신청확인서), TEPS신분확인증명서
군인	주민등록증(발급신청확인서), 운전면허증, 기간만료 전의 여권, 현역간부 신분증, 군무원증, TEPS신분확인증명서
외국인	외국인등록증, 기간 만료 전의 여권, 국내거소신고증(출입국 관리사무소 발행)

*시험 당일 신분증 미지참자 및 규정에 맞지 않는 신분증 소지자는 시험에 응시할 수 없습니다.

3 / TEPS 시험 볼 때 꼭 가져가야 하는 것은 무엇인가요?

신분증, 컴퓨터용 사인펜, 수정테이프(컴퓨터용 연필, 수정액은 사용 불가), 수험표입니다.

4 / TEPS 고사장에 도착해야 하는 시간은 언제인가요?

반드시 오전 9:30까지 입실을 완료해야 합니다. 토요일 시험의 경우 오후 3:00까지 입실을 완료해야 합니다.

5 / 시험장의 시험 진행 일정은 어떻게 되나요?

시간			비고
[토] 15:00 ~ 15:10 [일] 09:30 ~ 09:40	10분	답안지 오리엔테이션	1차 신분 확인
[토] 15:10 ~ 15:17 [일] 09:40 ~ 09:47	7분	휴식	
[토] 15:17 ~ 15:27 [일] 09:47 ~ 09:57	10분	신분 확인	2차 신분 확인
[토] 15:27 ~ 15:30 [일] 09:57 ~ 10:00	3분	문제지 배부	
[토] 15:30 ~ 16:25 [일] 10:00 ~ 10:55	55분	청해	쉬는 시간 없이 진행 각 영역별 제한 시간 엄수
[토] 16:25 ~ 16:50 [일] 10:55 ~ 11:20	25분	문법	
[토] 16:50 ~ 17:05 [일] 11:20 ~ 11:35	15분	어휘	
[토] 17:05 ~ 17:50 [일] 11:35 ~ 12:20	45분	독해	

*시험 진행 시험 당일 고사장 사정에 따라 변동될 수 있습니다.
*영역별 제한 시간 내에 해당 영역의 문제 풀이 및 답안 마킹을 모두 완료해야 합니다.

6 / 시험 점수는 얼마 후에 알게 되나요?

TEPS 정기시험 성적 결과는 시험일 이후 2주차 화요일 17시에 TEPS 홈페이지를 통해 발표되며 우편 통보는 성적 발표일로부터 7~10일 가량 소요됩니다. 성적 확인을 위해서는 성적 확인용 비밀번호를 반드시 입력해야 합니다. 성적 확인 비밀번호는 가장 최근에 응시한 TEPS 정기 시험 답안지에 기재한 비밀번호 4자리입니다. 성적 발표일은 변경될 수 있으니 홈페이지 공지사항을 참고하시기 바랍니다. TEPS 성적은 2년간 유효합니다.

※자료 출처 : www.teps.or.kr

How to
TEPS

I

TEPS 독해 전략

1. 올바른 독해를 위한 문법
2. 독해 유형별 공략법
3. TEPS 주제별 필수 어휘

1. 올바른 독해를 위한 문법

독해의 기본은 문장을 정확히 해석해 내는 것입니다. 간단한 문장은 문제가 되지 않지만, 길고 복잡한 문장을 짧은 시간 안에 정확하게 해석하는 것은 쉽지 않은 일입니다. 바로 이런 경우에 문법적인 구조에 대한 이해가 빛을 발하게 됩니다. 정확한 독해에 꼭 필요한 문법을 정리한 15개의 unit으로 문법 구조를 분석해 보고, 직독직해를 연습하여 독해의 기본기를 확실히 다질 수 있을 것입니다.

읽기의 기본 규칙

영어의 문장 구조는 한국어의 문장 구조와 확연히 다르기 때문에 읽으면서 그 의미를 우리말로 구성하기란 쉽지 않습니다. 문장 속 의미의 단위대로 끊어 읽으면서 의미 단위가 어떻게 연결되어 문장을 만드는지 알면 지문 전체 맥락을 올바로 이해하는 데 큰 도움이 됩니다. 의미 단위란 몇 개의 단어들이 모여서 문장 내에서 한 가지 품사의 역할(명사, 동사, 형용사, 부사 등)을 하는 구 또는 절입니다. 이러한 의미의 단위별로 묶어 독해하는 것을 끊어 읽기라고 합니다.

구 파악하기

몇 개의 단어가 모여 문장 내에서 하나의 품사 역할을 하는 것을 구(phrase)라고 합니다.

(1) 명사구: 문장의 주어, 목적어, 보어 역할을 하며, to부정사구, 동명사구, 의문사+to부정사구 등이 있습니다.

- Across the South, rallies were held to protest other forms of segregation including keeping black people from voting. (including의 목적어)
  남부 지역 곳곳에서 흑인들이 투표하지 못하게 하는 것을 포함한 다른 유형의 차별에 저항하기 위해 집회가 열렸다.

(2) 형용사구: 전치사구, 분사구, to부정사구가 주로 이러한 역할을 합니다.

- The man talking with Jane in her office is the programmer who designed the security program run on these computers. ('~하고 있는', the man 수식)
  제인과 그녀의 사무실에서 얘기하고 있는 남자는 이 컴퓨터들에 운영되고 있는 보안 프로그램을 설계한 프로그래머다.

(3) 부사구: 전치사구, 분사구, to부정사구가 주로 이러한 역할을 합니다.

- Disappointed with the result, Ericson left the place the contest was held with his face frowning. ('~해서', 이유 설명)
  그 결과에 실망하여, 에릭슨은 대회가 열린 장소를 찌푸린 얼굴로 떠났다.

절 파악하기

〈접속사+주어+동사〉가 문장 내에서 하나의 품사 역할을 하는 것을 절(clause)이라고 합니다.

(1) 명사절: that절, what절, 의문사절이 주로 이러한 역할을 합니다.

- Some leaders are overly secretive and don't want others to know what is going on. (know의 목적어)
  몇몇 지도자들은 지나치게 비밀스럽고, 무슨 일이 진행되고 있는지 다른 사람들이 알기를 원하지 않는다.

(2) 형용사절: 관계 대명사절, 관계 부사절이 주로 이러한 역할을 합니다.

- While walking around the park, I bumped into a friend who I had not seen for a long time. (a friend 수식)
  공원을 걷던 중, 나는 오랫동안 못 만났던 친구와 마주쳤다.

(3) 부사절: 이유, 조건, 때, 양보 등을 나타내는 절이 있습니다.

- Since he is the right man for that position, we think he'll be promoted to the position of manager of the sales department. ('~ 때문에', 이유 설명)
  그가 그 자리의 적임자이기 때문에 우리는 그가 영업부 부장으로 승진할 것이라고 생각한다.

뼈대와 거품 파악하기

뼈대란 문장의 주요 성분인 명사와 동사를 말합니다. 반면, 거품이란 뼈대를 수식해 주는 부수적인 형용사와 부사를 가리킵니다. 문장의 뼈대를 잘 잡아낸다면 수식어와 함께 그 핵심 의미를 파악하기가 훨씬 쉬워집니다. 그러기 위해서는 거품(수식어구)을 괄호로 묶어 잘 걷어낼 수 있어야 합니다.

① 주절이 시작되기 전에 부사구나 부사절이 있다면 끊기
② 주절의 동사 앞에서 끊기
③ 주어와 동사 사이에 수식어구가 있다면 괄호로 묶기
④ 동사 뒤에 목적어나 보어를 찾아 끊기
⑤ 그 외 수식어구가 이어진다면 괄호로 묶기

While she / was focusing / on making sure / her husband ate crackers, //
부사절

① **her husband** (③ in his bed) / ② **was not recognizing** / ④ his own **wife**.
주절

그녀가 남편에게 크래커를 먹이는 데 집중하는 동안, 남편은 침대에 누워 자기 아내를 알아보지 못하고 있었다.

Unit 01 5형식 문장 파악하기

5형식 문장이란?

주어＋동사＋목적어＋목적격 보어의 구조를 갖는 문장을 말합니다. 문장의 기본 요소에 수식어구가 붙으면 자칫 잘못된 해석을 할 수도 있으니 해석의 패턴을 반드시 알아 놓도록 합시다. 5형식 문장은 주어는 [목적어가 목적격 보어 하도록] ~하다의 해석 패턴으로 기억해 둡니다. 목적어에 대한 설명인 목적격 보어를 알아보고 해석할 수 있어야 합니다.

His parents / allowed / [him to go out]. 그의 부모님은 [그가 외출하도록] 허락했다.
주어 동사 목적어 목적격 보어

목적격 보어의 종류

주어＋동사＋목적어＋목적격 보어의 구조에서 목적격 보어는 주로 동사의 종류와 〈목적어+목적격 보어〉의 의미적인 관계에 따라 다양하게 사용됩니다. 각각의 경우에 맞는 목적격 보어 형태를 알면 5형식 문장이 한결 쉬워집니다.

(1) 주어+call/ name/ consider+목적어+**명사** '(목적어를 **명사**로) 부르다/ 이름 짓다/ 여기다'

Many people / considered / the medicine / a reliable treatment.
많은 사람들이 그 약품을 믿을 수 있는 치료제로 여겼다.

(2) 주어+make/ get/ keep/ leave/ find/ think/ believe/ consider+목적어+**형용사**
'(목적어를 **형용사**하게) 만들다/ 내버려 두다/ 여기다'

The company / was able to make / their cars / fast and fuel-efficient.
회사는 차를 빠르고 연비가 좋게 할 수 있었다.

(3) 주어+have/ let/ make/ feel/ hear/ see/ observe/ watch/ notice+목적어+**동사원형**
'(목적어를 **동사원형**하도록) 만들다/ 느끼다/ 보다'

Their acts on the stage / made / the audience / wonder what would happen next.
무대 위 그들의 행동은 관객들로 하여금 다음에 무슨 일이 일어날지 궁금하게 만들었다.

(4) 주어+allow/ enable/ encourage/ advise/ ask/ force/ want/ tell/ order+목적어+**to부정사**
'(목적어를 **to부정사**하도록) 허락하다/ 할 수 있게 하다/ ~하게 충고[권고]하다'

Taking breaks every hour / allows / your brain / to rest and recharge.
매시간 쉬면 당신의 뇌가 쉬고 재충전할 수 있다.

(5) 주어+동사+목적어+**p.p./ -ing** '(목적어가 p.p.되도록/ -ing하는 것을) ~하다'
동사의 종류를 암기할 필요 없이 목적어와 목적격 보어와의 수동/ 능동의 관계에 집중하세요.

The mechanics / had / my old van / repaired and polished. 정비공들이 나의 낡은 밴을 수리하고 광을 냈다.

Practice Test

정답 P.2

A. 다음 문장을 해석하세요.

1. The couple got the fence painted white.

____

2. She was allowed to attend the party.

____

3. My cats and dogs don't leave me alone.

____

B. 주어진 동사를 이용하여 빈칸에 알맞은 형태로 바꾸세요.

1. The teacher saw him [cheat] ______________ on the test.

2. The doctor advised me [stop] ______________ drinking.

3. He got the old chairs [change] ______________ with new ones.

C. 다음을 읽고 알맞은 답을 고르세요.

Imagine that you are on the steps of the Lincoln Memorial, appreciating the view toward the Washington Monument. A huge crowd has convened — more than 180,000 people — from all over the country. It was August 1963, when people came to Washington to call for change. In some parts of the nation, black people were not treated the same as whites. The marchers wanted that to end. They wanted fair and equal treatment for everyone, regardless of the color of their skin.

Q: Which of the following is correct according to the passage?

(a) People gathered from the southern part of the country.

(b) People wanted to end moving towards the Washington Monument.

(c) In the 1960s, every part of the country treats black people fairly.

(d) People congregated to eliminate racial discrimination.

Unit 02

도치된 문장 파악하기

도치 구문이란?

〈주어+동사〉의 일반적인 어순이 아닌 **동사+주어**의 어순을 갖는 문장입니다. 평소 도치 문장에 대한 훈련을 해 두지 않으면, 이러한 문장을 만났을 때 바로 의미 파악을 하기가 쉽지 않습니다. 독해력 향상을 위해서 도치 구문은 반드시 넘어야 할 산입니다.

도치된 문장 유형

특정한 조건이 갖추어지면 주어와 동사의 위치가 바뀌는데, 다음 4가지로 정리할 수 있습니다.

(1) 가정법 if절에서 접속사 if를 생략하는 경우

If you should have any question, please contact us.

⇨ **Should you have** any question, please contact us. 질문이 있으시면, 저희에게 연락 주십시오.

If I had known that, I would have told you.

⇨ **Had I known** that, I would have told you. 내가 그것을 알았더라면, 너에게 말을 했을 텐데. (몰라서 말 못했다)

(2) 부정어 혼자, 또는 부사(구/절)나 목적어 등과 함께 문장 앞으로 오는 경우

I have rarely seen such a big apple.

⇨ Rarely **have I** seen such a big apple. 나는 이렇게 큰 사과는 거의 본 적이 없다.

We could not find him until midnight.

⇨ Not until midnight **could we find** him. 자정이 되어서도 우리는 그를 찾을 수 없었다.

> 부정어에 해당하는 표현
> no, not, never, hardly, rarely, seldom, few, little
> *제한을 나타내는 only가 문장 앞에 와도 도치가 일어납니다.

(3) 장소를 나타내는 부사구가 자동사와 함께 쓰여 앞으로 오는 경우

Deer and rabbits abound in this forest.

⇨ In this forest **abound deer and rabbits.** 숲 속에는 사슴과 토끼들이 많이 있다.

(4) 보어(분사, 형용사, 전치사구)가 be동사류와 함께 쓰여 앞으로 오는 경우

Being punctual is of great importance.

⇨ Of great importance **is being punctual.** 시간을 정확히 지키는 것은 굉장히 중요하다.

Practice Test

정답 P.3

A. 다음 문장을 해석하세요.

1. Only when it's done can we go out for some rest.

___

2. Hardly had he got home than the phone rang.

___

3. Not until father gets back do the kids have dinner.

___

4. Enclosed is the invoice you required.

___

5. Among those students was the friend I was looking for.

___

B. 다음 문장을 도치 문장으로 바꿔 보세요.

1. The result that I got on the test was so disappointing.

   = So ___.

2. He had no sooner left home than it began to rain.

   = No sooner ___.

3. If she had prepared more thoroughly, she would not have failed on the test.

   = Had ___.

4. He hadn't opened the gift until his wife arrived there.

   = Not until ___.

5. The scenery that we saw there was amazing.

   = Amazing ___.

Unit 03 관계 대명사 잡기

관계 대명사란?

관계 대명사는 앞에 오는 명사(선행사)를 가리키는 대명사이자, 절과 절을 이어주는 접속사의 역할을 합니다. 관계 대명사가 이끄는 절은 선행사를 수식하는 **형용사절의 역할**을 합니다. 문장에서 관계 대명사 which, of which, that, who, whose 등을 잡아내는 것이 중요합니다.

I visited a rural village (**which** is famous for its idyllic landscape).
나는 (전원적 풍경으로 유명한) 시골 마을을 방문했다.

My brother likes the girl at the bus stop (**whose** hair is red).
형은 버스 정류장에 있는 (머리색이 붉은) 소녀를 좋아한다.

〈전치사+관계 대명사〉 구조

〈전치사+관계 대명사〉는 관계 대명사가 전치사의 목적어로 사용되는 경우를 말합니다. 이러한 구문을 만나면 관계 대명사에 선행사의 의미를 넣어서 해석하면 간단합니다.

He told me about the test. + He had studied for the test for about 1 year.

⇨ He told me about the test (**for which** he had studied for about 1 year).
그는 그가 1년 정도 (그 시험을 위해) 공부해 온 **시험**에 대해 나에게 이야기해 주었다.

I want to know the age. + Jane got the doctor's degree at the age.

⇨ I want to know the age (**at which** Jane got the doctor's degree).
나는 제인이 박사 학위를 (그 나이에) 받은 **나이**를 알고 싶다.

〈some of+관계 대명사〉 구조

부분을 나타내는 **some**, **one**, **all**, **most**, **many**, **both**가 관계 대명사와 만나는 구문은 **그리고[그런데] 선행사 중의 일부는[대부분은] ~**으로 해석합니다.

There were many travelers at the airport, **some of whom** were from Italy.
공항에는 여행객이 많이 있었다. 그런데 그들 중 일부는 이탈리아에서 온 사람들이었다.

We've hired five new employees, **all of whom** are motivated and competent.
우리는 다섯 명의 신입 사원을 뽑았다. 그리고 그들은 모두 의욕에 차 있고 유능하다.

Practice Test

정답 P.3

A. 다음 문장을 해석하세요.

1. I ran into a teacher who taught me English during middle school.

2. The manner in which the decision was made was regrettable.

3. A refrigerator is an appliance in which food can be preserved at low temperatures.

4. The church at which their wedding ceremony was held was such a peaceful place.

5. Informal care, most of which is unpaid, plays a major role in the childcare system.

6. There are so many writers, some of whose work we admire.

B. 두 문장을 관계 대명사를 이용하여 한 문장으로 만드세요.

1. The witness was talking with the man. The man is in critical condition.

   ⇨

2. A person can marry without parents' permission at an age. The age varies from country to country.

   ⇨

3. Your metabolic rate is the speed. Your body transforms food into energy at the speed.

   ⇨

4. They didn't tell me the date. The renovation would be completed by the date.

   ⇨

Unit 04 관계 부사 잡기

관계 부사란?

관계 부사는 관계 대명사와 마찬가지로 선행사를 수식하는 형용사절의 역할을 합니다. 선행사에 따라 시간(when), 장소(where), 이유(why), 방법(how)의 4가지 의미가 있습니다. 의문사가 쓰였다고 관계 부사를 의문사로 오해하고 간접 의문문으로 해석하지 않도록 주의하세요.

The author visited the village (**where** she grew up during childhood).
그 작가는 어린 시절에 자랐던 **마을**을 방문했다. (where: ~한 곳)

The reporter told me the time (**when** he was supposed to be back here).
기자가 내게 그가 이곳에 돌아오기로 되어 있는 **시간**을 알려줬다. (when: ~한 때)

The CEO doesn't know the reason (**why** the meeting has been delayed).
그 최고경영자는 회의가 연기된 **이유**를 모르고 있다. (why: ~한 이유)

The way ((**how**) the craftsman carved a statue) was amazing.
그 장인이 조각상에 새기는 **방식**은 정말 놀라웠다. (how: ~한 방법)

*the way와 how는 함께 사용되지 않습니다.

선행사가 생략된 문장

관계 부사 앞의 선행사가 the place, the time, the reason 등인 경우, 관계 부사 앞의 선행사는 생략될 수 있습니다. 생략되어도 해석은 같습니다.

The police wouldn't tell us (the place) **where** the accident happened.
경찰은 그 사고가 일어난 **장소**를 우리에게 말해 주려 하지 않았다.

That's (the time) **when** the main character met the enemy in person.
그때가 바로 주인공이 적을 직접 만난 **때**이다.

Please tell me (the reason) **why** the singer left the party so early.
그 가수가 파티를 그렇게 빨리 떠난 **이유**를 알려 주세요.

Practice Test

정답 P.3

A. 다음 문장을 해석하세요.

1. I can remember when seat belts were not compulsory.

2. He grew up in a city where violence was rampant.

3. There are many reasons why dreams are forgotten.

4. Let me know when you arrive at work.

5. I attended a lecture on the way the law works.

6. I taught him how people get to build personal relationships.

B. 다음을 읽고 알맞은 답을 고르세요.

If you're one of those still looking for work, what should you do to land a job? The answer is both simple and yet not fully obvious: Show clearly how you meet the employers' needs, both in terms of your technical skills and your intangible qualities. A cardinal rule is that your technical skills get you invited for an interview, but intangible qualities get you the job offer. Employers ultimately screen applicants according to these needs and not by brightest résumé, which, therefore, doesn't guarantee that you will land the job.

Q: Which of the following is correct according to the passage when applying for a job?

(a) Writing a sharp résumé is not important at all.

(b) You should demonstrate that you have the skills for the position.

(c) People tend to focus on showing off to get a job.

(d) Employers don't always hire those with the best technical skills.

Unit 05 분사 제대로 알기

분사란?

분사는 동사에 -ing 혹은 -ed(p.p.)를 붙여 문장에서 형용사나 부사의 역할을 하는 것을 말합니다. 〈동사-ing〉 형태의 현재 분사는 **~하고 있는(능동, 진행)**의 의미로, 〈동사-ed(p.p.)〉 형태의 과거 분사는 **~되어진(수동, 완료)**의 의미로 해석할 수 있습니다.

Those **studying** students are preparing for the mathematical contest.
저기 (공부하고 있는) 학생들은 수학경시대회를 준비 중이다.

My mother bought a book **written** by a Spanish writer.
어머니께서는 (스페인 작가에 의해 쓰인) 책을 한 권 사셨다.

분사 구문

부사절(때, 이유, 조건, 양보 등)의 접속사와 주어를 생략하고, 분사 형태를 이용하여 부사구로 바꾼 것을 분사 구문이라고 합니다. 따라서 분사 구문의 해석은 문장의 논리에 따라 **때, 이유, 조건, 양보** 등으로 문맥에 맞게 선택해야 합니다. 분사 구문을 해석할 때는 몇 가지 유의해야 할 사항이 있습니다.

(1) 기본 분사 구문

When I met him yesterday, I couldn't recognize him at first.

⇨ **Meeting** him yesterday, I couldn't recognize him at first.
그를 어제 만났을 때, 처음에는 그를 알아보지 못했다.

(2) -ing 분사 구문은 능동으로, -ed(p.p.) 분사 구문은 수동으로 해석한다.

Seen from a distance, the rock looked like a human.
멀리서 보면, 그 바위는 사람처럼 보였다.

(3) 접속사가 생략되지 않아도 해석은 같다.

When seen from a distance, the rock looked like a human.
멀리서 보면, 그 바위는 사람처럼 보였다.

(4) Having -ed(p.p)는 주절보다 먼저 일어난 일로 해석한다.

Having been built 50 years ago, the warehouse looks run-down.
50년 전에 지어져서, 그 창고는 황폐해 보인다.

(5) 주절의 주어와 부사절의 주어가 다른 경우도 있다.

His parents not allowing him to attend the party, he can't be here today.
그의 부모님이 그가 파티에 참석하도록 허락을 안 해 주셔서, 그는 오늘 여기 올 수 없다.

Practice Test

정답 P.4

A. 다음 문장을 해석하세요.

1. While fixing dinner, she listened to music from the radio.

____

2. He opened the door, letting the dog into his house.

____

3. It raining heavily, we just stayed in the mountain cabin.

____

B. 다음 문장을 분사를 이용하여 분사 구문으로 만드세요.

1. The man was running on the treadmill while he was watching the screen.

→

2. Sylvia, as she had grown up in the countryside, knew well about plants and animals.

→

C. 다음을 읽고 알맞은 답을 고르세요.

Is any phone call or text worthy of risking your life – or someone else's? New statistics showed a sharp increase in the number of fatal crashes related to distracted driving. About 30% of the deaths from car crashes so far this year were due to distracted driving. "It was frustrating to see distracted drivers continue to pose a risk to road users," a researcher stated. "If people didn't get the message before, let us hope these new statistics will help drivers keep in mind a simple fact: Distracted driving is dangerous."

Q: What is the main purpose of the passage?

(a) To show how many car accidents occurred this year
(b) To let people know the fatality rate has increased this year
(c) To persuade people to drive safely and slowly while using a phone
(d) To raise awareness on the danger of using a cell phone while driving

Unit 06 명사로 온 to부정사

to부정사란?

to+동사원형의 형태로, 문장에서 명사, 형용사, 부사의 역할을 합니다. 다양한 역할을 하기 때문에 문장의 구조를 제대로 파악하고 올바른 해석을 할 수 있어야 합니다.

명사의 역할 It is important **to be punctual**. 시간을 잘 지키는 것은 중요하다. (주어: ~하는 것, ~하기)

형용사의 역할 I need a chair **to sit on**. 나는 앉을 의자가 필요하다. (a chair 수식: ~할, 해야 할)

부사의 역할 Kevin studied really hard **to pass the exam**.
케빈은 시험에 합격하기 위해 정말 열심히 공부했다. (문장 수식: ~하기 위해)

it 가주어-진주어

to부정사가 주어일 때, 대부분 to부정사는 맨 뒤로 보내고 가주어인 it을 주어 자리에 채웁니다. 가주어 it은 해석하지 않고 to부정사를 주어로 해석합니다.

It makes sense **to deal with urgent issues first.** 긴급한 문제부터 처리하는 것이 타당하다.

it 가목적어-진목적어

make, **believe**, **think**, **consider**, **find** 등의 동사가 오는 5형식 문장에서 to부정사가 목적어일 때, to부정사는 목적격 보어의 뒤로 보내고 가목적어인 it을 목적어 자리에 놓습니다.

Jack made it a rule **to work out every morning.** 잭은 매일 아침 운동하는 것을 규칙으로 삼았다.

hard vs. likely

to부정사 앞의 형용사에 따라 to부정사의 주어와 목적어가 달라질 수 있습니다.

He is **hard** to understand. (우리가) 그를 이해하기는 힘들다.
(=It is **hard** to understand him.)

He is **likely** to understand the problem. 그는 그 문제를 이해할 것 같다.
(=It is **likely** that he understands the problem.)

> hard류 형용사
> easy, nice, awkward, difficult, convenient, impossible
>
> likely류 형용사
> sure, certain, hesitant, willing, anxious, eager

Practice Test

정답 P.5

A. 다음 문장을 해석하세요.

1. She is reluctant to accept the offer from the firm.

   ____

2. It is crucial for you to focus on your goal.

   ____

3. Having a master's degree might make it easier to get a job.

   ____

4. It is certain that the candidate will be here on time.

   ____

5. It is considered unfair to give an opportunity differently according to race.

   ____

6. They consider it easy to gain access to the information.

   ____

B. 다음을 읽고 알맞은 답을 고르세요.

An unusual swan recently appeared walking along a city highway. Witnesses said the swan began its journey near Events Center in Mill Basin. It's not clear what urged the bird to travel on the road, but soon it was waddling along the side of the highway. Intrigued commuters called 911, which dispatched a scooter cop to keep an eye on the swan to make sure it didn't veer into traffic. Luckily, the bird followed the rules of the road, although it occasionally did stop for a drink at every puddle it came across. Finally it was carried to a pond next to the highway.

Q: Which of the following is correct according to the passage?

(a) People found it interesting to see a swan on a highway.
(b) The swan led to an accident while waddling along the highway.
(c) The police found the swan waddling while patrolling the highway.
(d) People knew how and why the swan got to the highway.

Unit 07

수식하는 to부정사

형용사로 온 to부정사

to부정사가 앞에 오는 명사를 수식하는 경우 **~할, ~해야 할**로 해석합니다.

My son wants some books **to read** during his hospitalization.
아들이 입원한 동안 읽을 책을 원한다.

His secretary has much work **to get done** by this Friday.
그의 비서는 이번 금요일까지 끝내야 할 일이 많다.

The instructor told us a topic **to write about** during weekend.
그 강사는 주말 동안 (그것에 대해) 써야 할 주제를 알려 주었다.

The baby's mother required water (for the baby) **to drink.**
그 아이의 엄마는 (아기가) 마실 물을 요구했다.

부사로 온 to부정사

(1) '~하기 위해'(=in order to/ so as to)

Robert bought some flowers **to give** to his wife.
로버트는 아내에게 주기 위해 꽃을 몇 송이 샀다.

(2) '~해서'(감정을 나타내는 형용사 뒤)

The CEO was so surprised **to hear the news**.
그 최고경영자는 그 소식을 듣고 매우 놀랐다.

(3) '(~의 결과로) ~하다'

The young man grew up **to be a dentist**.
그 청년은 자라서 치과 의사가 되었다.

(4) '했으나 ~하다'(only to의 형태로 쓰임)

Matilda tried so hard **only to fail the test**.
마틸다는 매우 열심히 노력했으나 시험에서 떨어졌다.

(5) '~하기에 ...한'(형용사나 부사 수식)

The movie is difficult (for us) **to understand fully**.
그 영화는 우리가 완전히 이해하기에 어렵다.

Practice Test

정답 P.5

A. 다음 문장을 해석하세요.

1. The police searched for evidence all night only to find nothing.

   ____

2. The governor ran to his office in order not to be late.

   ____

3. The lecture was informative and easy to understand.

   ____

4. The man asked me if I could give him some food to feed his dog.

   ____

5. With the sun shining, the water was warm to swim in.

   ____

6. The manager assigned the man some work to do during the weekend.

   ____

7. My boss is so picky that he is impossible to satisfy.

   ____

B. 문장의 빈칸을 주어진 동사를 이용하여 적절히 채우세요.

1. We think it interesting [learn] ______________ the vocabulary this way.
2. Do you have any movie CD [watch] ______________ tonight?
3. For the homework [do] ______________, you are advised to look up the dictionary.
4. The castle is thought [build] ______________ 100 years ago.
5. My teacher is always reminding us [concentrate] ______________ during the class.

Unit
08 부분 부정과 전체 부정

문맥이 중요한 not의 범위

부정문이 TEPS 독해의 정답과 오답을 가르는 포인트가 되는 경우가 많아, 부정의 범위를 확실히 해석하는 연습이 중요합니다. not이 수식하는 범위에 따라 뒤에 오는 내용 전체를 부정할 수도, 부분만을 부정할 수도 있습니다. 이런 경우는 글의 맥락을 파악하면서 해석해야 합니다.

The student **wasn't listening** all the time. He was always being distracted.

그 학생은 항상 귀를 기울이지 않고 있었다. 그는 항상 집중을 못하고 있었다. (전체 부정)

The panel **wasn't listening all the time**. Sometimes she seemed to be thinking of something else.

그 패널이 항상 귀를 기울이는 것은 아니었다. 때때로 그녀는 다른 생각을 하고 있는 듯했다. (부분 부정)

부분 부정 문장

부분 부정의 표현으로는 **not+all[every/ both/ always/ necessarily/ definitely]** 등이 있으며 **모두[둘 다/ 항상/ 반드시] ~한 것은 아니다(일부는 그렇고, 일부는 그렇지 않다)**로 해석합니다.

The rich are **not always** happy. 부자라고 언제나 행복한 것은 아니다.

The director does**n't** like **both** of the movies. 그 감독이 두 영화를 다 좋아하는 것은 아니다.

The contestant could**n't** solve **all** the problems. 그 참가자가 모든 문제를 푼 것은 아니다.

전체 부정 문장

전체 부정이란 말 그대로 **모두가 ~아니다**라는 의미로 해석합니다. **not+any[either], no, none, nothing, neither** 등의 표현에 유의합니다.

I do**n't** know **any** of them. 나는 그것들을 전부 모르겠다.
(= I know **none** of them.)

I did**n't** see **either** of the movies. 나는 그 두 편의 영화를 다 안 봤다.
(= I saw **neither** of the movies.)

Practice Test

정답 P.6

A. 다음 문장을 해석하세요.

1. I don't like both of the smart phones.

 ____

2. The trainer didn't know all the students there.

 ____

3. Neither of his parents supported his decision.

 ____

B. 두 문장의 의미가 같으면 =, 같지 않으면 ≠로 표시하세요.

1. The tenant hasn't heard anything about the reconstructing.

 ______ The tenant heard something about reconstructing.

2. The agent definitely didn't tell her about it.

 ______ The agent could have told her about it.

3. The school can't accept all the applicants.

 ______ The school can accept only some of the applicants.

C. 다음을 읽고 빈칸에 알맞은 답을 고르세요.

I got an invitation in the mail today to attend the wedding of my cousin's son. It's a really sweet and impressive invitation. Unfortunately, it is also one that I will have to reluctantly decline, as we have already got a invitation to an event from our son's university on the same day. In situations like this, I heard that most people tend to simply check the 'unable to attend' box on the RSVP card. But it doesn't feel appropriate. A checkmark can't convey all my sadness. Because I don't want to hurt my cousin's feelings, it's difficult to ______________________.

(a) accept both of the invitations
(b) attend the wedding invitation
(c) complain about being hurt when invited
(d) decline in the usual manner

Unit 09 seem · believe 바로 알기

It seems that절

seem, **appear** 등의 동사는 다양한 구조로 '~인 것 같다'라는 의미입니다. that절이 아닌 to부정사를 이용해 표현할 수 있습니다.

(1) 주어 seem to 동사원형

It seems that my mother likes the TV show.

⇨ My mother seems to like the TV show. 어머니가 그 TV 프로그램을 좋아하시는 것 같다.

(2) 주어 seem (to be) 형용사

It seems that the assignment is challenging.

⇨ The assignment seems (to be) challenging. 그 과제는 어려운 것 같다.

> It seems that the newcomer **grew** up in a foreign country.
>
> ⇨ The newcomer **seems to have grown** up in a foreign country.
> 그 신참은 외국에서 자란 것 같다.
>
> that절의 시제(grew 과거)가 주절 시제(seems 현재)보다 앞서는 경우 seem to have p.p.의 형태가 됩니다.

It is believed that절

believe, **say**, **think**, **report**, **consider**, **expect**, **assume**, **know**, **suppose** 등의 동사 또한 같은 의미를 나타내면서도 다양한 구조로 쓸 수 있습니다. 어떤 동사가 사용되든지 해석은 **~라고들 한다, ~로 여겨진다** 정도로 볼 수 있고 **They[People] say that** ~의 의미를 가집니다. 대표적인 형태는 〈주어 is believed[said/ thought/ reported/ considered/ expected/ assumed/ known/ supposed] to 동사원형〉입니다.

Tom Hanks **is thought to be** one of the best actors in Hollywood.
톰 행크스는 할리우드에서 가장 훌륭한 배우 중 한 명이라고들 한다.

(= It is thought that Tom Hanks is one of the best actors in Hollywood.)

Practice Test

정답 P.6

A. 다음 문장을 해석하세요.

1. The shrink seems to know something about the matter.

____

2. They are considered to have done the job perfectly.

____

3. It is commonly believed that working out regularly is very healthy.

____

4. The book is believed to have been written around 300 B.C.

____

5. The assignment seemed like a piece of a cake to me.

____

B. 두 문장의 의미가 같으면 =, 같지 않으면 ≠로 표시하세요.

1. They are thought to have studied hard for the test.

   ______ It is thought that they studied hard for the test.

2. It appears that the castle was built more than 100 years ago.

   ______ The castle appears to have been built more than 100 years ago.

3. People say that the singer is dating his stylist.

   ______ The singer is dating his stylist.

4. They say that the anchor graduated from Harvard University.

   ______ The anchor is said to graduate from Harvard University.

5. People believe that working out every day is good for health.

   ______ Working out every day is believed to be good for health.

Unit 10 병렬 구조 문장 이해하기

병렬 구조란?

등위 접속사 **and**, **or**, **but**, **yet**으로 연결되는 구조를 병렬 구조라고 합니다. 이 등위 접속사의 앞뒤로 공통되는 부분이 생략될 수 있기 때문에 접속사 뒤가 앞의 어떤 부분과 연결되는지 파악해야 합니다. 또한 등위 접속사 앞뒤에 오는 공통적인 구조나 형태를 찾아 문장을 적절한 곳에서 끊어 읽는 것이 정확한 독해에 도움이 됩니다.

(1) 반복되는 동사구 생략

Some students went back by bus, **and** others by subway.

= Some students went back by bus, and others (went back) by subway.

어떤 학생들은 버스로 돌아갔고, 다른 학생들은 지하철로 돌아갔다.

(2) 〈동사+목적어+전치사구〉 생략

Roja met Magaret in Seoul last year, **but** I this year.

= Roja met Magaret in Seoul last year, but I (met Magaret in Seoul) this year.

로자는 작년에 서울에서 마가렛을 만났지만, 나는 올해 만났다.

(3) 동등한 형태의 병렬 구조로 끊기

등위 접속사 앞뒤의 병렬 구조를 정확히 나누면, 긴 문장이라 하더라도 내용 파악이 훨씬 간단해질 수 있습니다.

They / are designed to allow / students / to study more efficiently **and** / (to) prepare for the exam more easily.

그것들은 학생들이 더 효율적으로 공부하고, 더 쉽게 시험에 대비할 수 있도록 고안되었다.

Findings indicate / that children (from poorer families) had higher levels of / externalizing symptoms, (such as aggression and delinquency,) **and** internalizing symptoms, (such as depression, and low self-esteem,) / when they slept poorly.

연구 결과에 의하면, 가난한 가정의 아이들은 잠을 제대로 못 자면 공격성과 비행 같은 외부적 증상과 우울증이나 낮은 자존감 같은 내부적 증상을 더 많이 갖게 된다고 한다.

Practice Test

정답 P.6

A. 다음 문장을 해석하세요.

1. People like to go shopping on weekdays, but not on weekends.

2. We should have made it by 5 to meet them and prepared better for the meeting.

3. The book you bought me and the DVD I bought you have a common topic.

4. Time files so fast now that we are in our 30's and all married.

5. Anna let the stray cat get inside and have canned tuna.

B. 다음 문장에서 틀린 곳을 찾아 고치세요.

1. If he wants to succeed, he should be more hard-working and punctually.

   ⇨

2. Molina got to know the fact, and decides to tell her family about it.

   ⇨

3. Social referencing is the ability to search for and uses social signals to guide one's behavior in a new situation.

   ⇨

4. People used to hunt animals and gathered fruits for their daily diet.

   ⇨

5. They don't spend all their money but saved some of it for their future.

   ⇨

Unit 11 종속 접속사 파악하기

간접 의문문이란?

평서문에서 의문사를 주어절이나 목적절, 보어절을 이끄는 종속 접속사로 이용하는 것을 간접 의문문이라고 합니다. 일반적인 의문문과 달리 **〈의문사+주어+동사〉의 어순**이며, 의문사의 의미를 살려서 해석합니다. 단, **whether** 또는 **if**로 시작하는 경우 **~ 하는지 안 하는지**로 해석합니다.

The conductor knows **when** the bus will arrive.
안내원이 버스가 언제 도착할 것인지를 안다. (know의 목적절)

The receptionist told me **where** the conference would be held.
접수 직원이 어디에서 회의가 열리는지를 알려 주었다. (tell의 목적절)

Whether the client wants it or not doesn't matter.
의뢰인이 그것을 원하는지 안 하는지는 중요하지 않다. (주어절)

복합 관계사란?

의문사+-ever 형태의 접속사를 복합 관계사라고 합니다. 공통적으로 **~하든 간에**를 의미하며, 종류에 따라 문장에서 명사절과 부사절의 역할을 합니다.

(1)

whatever	무엇이든 간에	명사절, 부사절의 역할
whichever	어떤 것이든 간에	
whoever	누구든 간에	

Whoever comes first will get the prize.
누구든 처음 오는 사람이 이 상을 받게 될 것이다. (명사절)

Whoever comes first, I will give the prize to him.
처음 오는 사람이 누구든 간에, 나는 그에게 이 상을 줄 것이다. (부사절)

(2)

wherever	어디든 간에	부사절의 역할
whenever	언제든 간에	
however	어떻든 간에 *접속 부사	

However tired you are, you should do your duties.
얼마나 피곤하든지 간에, 당신의 의무를 다해야 합니다. (부사절)

Practice Test

정답
P.7

A. 다음 문장을 해석하세요.

1. Whichever you choose of the two agendas, I will support your decision.

   ____

2. Wherever the celebrity went, he ran into reporters.

   ____

3. My therapist advised me to go jogging every night whether hot or cold.

   ____

B. 문장 속 빈칸에 적절한 접속사로 채우세요.

1. Tell me ______________ comes with you. Is it your best friend?

2. These two are very similar, so I will choose ______________ is cheaper.

3. ______________ hard you tried, you couldn't catch up with the medalist.

C. 다음을 읽고 알맞은 답을 고르세요.

I was glad to attend the Health Network engagement session recently. I would like to tell you how thrilling it was to see the room full of over 90 local residents who are obviously interested in the future of health care. This meeting gave an opportunity for our local residents to discuss their experiences and to share personal insight that will help with making improvements. Many opinions were voiced at the meeting with regard to health care services given in this community. I would like to thank everyone who took their time to attend.

Q: What is the passage mainly about?

(a) It was a precious experience to attend the meeting to share opinions.
(b) The meeting the writer attended was not as informative as expected.
(c) It is important to express one's opinion in the meeting.
(d) People who participated in the meeting were local residents.

Unit
12 동격의 접속사 that

〈명사+that〉 동격절

동격절은 **명사+that절(완전한 절)**의 형태로 등장합니다. 해석은 **주어가 동사한다는 명사**로 합니다. 명사와 동등한 내용을 지칭하므로 that절은 명사와 동격절의 기능을 합니다. 뒤에 동격절을 자주 취하는 명사로는 **thought**, **belief**, **opinion**, **theory**, **idea**, **news**, **fact** 등이 있습니다.

Principal Karen told me **the news that** Ms. Hall had retired.
카렌 교장은 할 선생님이 은퇴했다는 소식을 내게 말해 주었다. (소식 = 할 선생님이 은퇴했다)

They have **a firm belief that** they would enter the heaven after death.
그들은 사후에 자신들이 천국에 갈 것이라는 확고한 믿음을 가지고 있다. (믿음 = 사후에 자신들이 천국에 갈 것)

It ~ that 강조 구문

주어, 목적어, 부사구[절] 등 강조하고자 하는 부분을 that 앞에 두고, 문장의 나머지 부분은 모두 that절 뒤에 둡니다. **~하는 것은 바로 (강조하는 내용)이다**로 해석할 수 있는데, 이때 that은 관계사의 기능을 하며, 따라서 that은 강조하는 것이 사람이면 who와 whom으로, 사물이면 which로, 장소이면 where, 시간이면 when으로 바꾸어 사용할 수 있습니다.

Mr. Holmes met the widow in London last week. 홈즈 씨는 지난주 런던에서 그 미망인을 만났다.

⇨ **It was** Mr. Holmes **that[who]** met the widow in London last week.
지난주 런던에서 그 미망인을 만난 사람은 바로 홈즈 씨였다. (주어 강조)

⇨ **It was** the widow **that[whom]** Mr. Holmes met in London last week.
홈즈 씨가 지난주 런던에서 만난 사람은 바로 그 미망인이었다. (목적어 강조)

⇨ **It was** in London **that[where]** Mr. Holmes met the widow last week.
홈즈 씨가 지난주 그 미망인을 만난 곳은 바로 런던이었다. (장소 강조)

⇨ **It was** last week **that[when]** Mr. Holmes met the widow in London.
홈즈 씨가 런던에서 그 미망인을 만난 때는 바로 지난주였다. (시간 강조)

It was after he graduated from college **that** Jack read the book.
잭이 그 책을 읽은 것은 그가 대학을 졸업한 뒤였다. (부사절 강조)

It was not until their boss got back to the office **that** they had lunch.
그들이 점심을 먹은 것은 사장이 사무실로 돌아온 뒤였다. (부사절 강조)

Practice Test

정답 P.7

A. 다음 문장을 해석하세요.

1. The accountant knows the fact that the boss embezzles company funds.

2. It is when it rains softly that my dog likes to go for a walk.

3. He supported a theory that animals in large social groups have bigger brains.

B. 다음 문장에서 틀린 곳을 찾아 고치세요.

1. They didn't tell us the news which Nex and Chrome would merge.

   ⇨

2. It was my sister whom broke the rules we had agreed to.

   ⇨

3. It was before I finished my breakfast I heard an explosion.

   ⇨

C. 다음을 읽고 알맞은 답을 고르세요.

Australia is a peaceful, multicultural nation with great health care, quality of life, public education, civil liberties and political rights. It is for sightseeing, vacation or business that people from all around the world come to Australia. And its growing economy is also an attraction to many immigrants. Now, with the intention to boost its economy, the Australian government has opened 100,000 job positions for young, English-speaking professionals who have expertise in particular occupations needed in Australia.

Q: Which of the following is correct according to the passage?

(a) In Australia they have many job openings in nearly all fields.
(b) The Australian government hasn't been interested in luring immigrants.
(c) Australia has a good health care system, but not education.
(d) For those who seek to move to a foreign country, Australia can be an answer.

Unit 13

so ~ that절

so ~ that절은 that절의 앞뒤 구성에 따라, 결과의 의미를 갖기도 하고 목적의 의미를 갖기도 합니다.

결과의 의미

(1) '매우 ~하여 (결과적으로) ...하다' **〈주어+동사 so 형용사[부사] that절〉**

I studied **so** hard **that** I passed the exam.
나는 매우 열심히 공부하여 시험에 합격했다.

> 〈주어+동사 such (a) (형용사) 명사 that절〉
> She was such a lovely girl that everyone liked her.
> 그녀는 너무나 사랑스러운 아이여서 누구나 좋아했다.

(2) '...할 수 있을 정도로 ~하다' **〈주어+동사 so 형용사[부사] (that)절〉**

I studied **so** hard **(that)** I could pass the exam.
나는 시험에 합격할 수 있을 정도로 매우 열심히 공부했다. (that절에 조동사를 쓴다.)

(3) '~하여 (결과적으로) ...하다' **〈주어+동사 so (that)절〉**

I studied hard **so (that)** I passed the exam.
나는 열심히 공부하여 (그 결과) 시험에 합격했다. (that절에 조동사를 쓰지 않는다.)

목적의 의미

(1) '...하기 위해 ~하다' **〈주어+동사 ~ so that절〉**

I studied hard **so that** I could pass the exam.
나는 시험에 합격하기 위하여 열심히 공부했다. (that절에 조동사를 쓴다.)

(2) '...하기 위해 ~하다' **〈주어+동사 ~ in order that절〉**

I studied hard **in order that** I could pass the exam.
나는 시험에 합격하기 위하여 열심히 공부했다. (that절에 조동사를 쓴다.)

(3) '...하지 않기 위해 ~하다' **〈주어+동사 lest 주어 (should) 동사원형〉**

I studied hard **lest** I (should) fail the exam.
나는 시험에 떨어지지 않기 위하여 열심히 공부했다.

Practice Test

정답 P.8

A. 다음 문장을 해석하세요.

1. Their daughter worked so hard that she got promoted this month.

____

2. They prepared for the contest so thoroughly that they could get the first prize.

____

3. The song is such a good one that everyone here likes it.

____

4. The applicant had her hair cut so that she could look more professional.

____

5. We should have common budget and fiscal policies in order that we can reach economic unification.

____

6. Jim wrote down the numbers on his notebook lest he forget it later.

____

B. 두 문장의 의미가 같으면 =를, 다르면 ≠를 표시하세요.

1. The professor assigned homework so that students could review the material.

   _____ The professor assigned homework so students reviewed the material.

2. The test taker was so anxious about the result that she hardly slept that night.

   _____ The test taker was so anxious about the result that she could hardly sleep that night.

3. When they bumped into each other again, they were so excited that they yelled out in delight.

   _____ When they bumped into each other again, they were so excited as to yell out in delight.

Unit 14 가정법 문장 제대로 알기

가정법 문장

가정법은 사실과는 다르지만 한번 가정해 보는 내용으로, 시제에 따른 규칙과 의미를 알면 생각보다 간단히 파악할 수 있는 문장입니다.

	If절 (사실이 아님)	주절 (사실이 아님)	사실은?
가정법 과거	If 주어+동사의 과거형 현재 사실[조건] 반대 (~라면)	주어+조동사+동사원형 현재 사실[결과] 반대 (...할 텐데)	사실은 ~ 아니어서 ... 하지 못한다.
	If I had time, I would go with you. 내가 시간이 있다면, 너랑 같이 갈 텐데.		사실은 시간이 없어서 너와 함께 못 간다.
가정법 과거 완료	If 주어 had p.p. 과거 사실[조건] 반대 (~했더라면)	주어+조동사 have p.p. 과거 사실[결과] 반대 (...했을 텐데)	사실은 ~ 아니었기 때문에 ... 하지 못했다.
	If I had had time, I would have gone with you. 내가 시간이 있었다면, 너랑 같이 갔을 텐데.		사실은 시간이 없었기 때문에 너와 함께 못 갔다.
혼합 가정법	If 주어 had p.p. 과거 사실[조건] 반대	주어+조동사+동사원형 현재 사실[결과]반대	사실은 ~ 아니었기 때문에 ... (지금) 하지 못한다.
	If I had finished it, I could go with you now. 내가 그것을 끝냈더라면, 지금 너랑 같이 갈 수 있을 텐데.		사실은 그것을 못 끝냈기 때문에 지금 너와 못 간다.

가정법에서 If가 생략된 문장

일반적인 조건절과 달리 가정법의 조건절에서 If를 생략하고 분사 구문으로 만들지 않습니다. 하지만 If를 생략하고 어순을 **〈동사+주어〉로 도치**시킨 문장이 올 수 있습니다. (*Unit 2 참고) 가정법 과거에서는 일반동사의 경우 거의 도치되지 않고 be동사인 were가 도치됩니다.

Were I you, I would go with this. 내가 너라면, 이것을 선택할 텐데.

(= If I were you, I would go with this.)

Had I had time, I would have gone with you. 내가 시간이 있었다면, 너랑 같이 갔을 텐데.

(= If I had had time, I would have gone with you.)

Practice Test

정답 P.8

A. 다음 문장을 해석하세요.

1. If you had known that, you could have told me in advance.

____

2. If it were not for air, we could not live any more.

____

3. Had it not been for your help, I could not have passed the exam.

____

4. If they had not broken up, they would be here together now.

____

5. Were I with you now, I would show the pictures.

____

B. 다음을 읽고 빈칸에 알맞은 답을 고르세요.

This week, the Architecture Museum's long-awaited exhibition "Never Built: Los Angeles" opens, showing plans for the city that never came to reality. In the exhibition, we get to take a tour through the L.A. that could have existed today if these plans had been realized. In this imagined version of L.A., the city maintains its hilltop homes, and celebrity-centric Hollywood, but other elements absolutely look and feel different.

Q: What can be inferred from the passage?

(a) "Never Built: Los Angeles" cannot be opened to the public.
(b) "Never Built: Los Angeles" shows Los Angeles in its earliest years.
(c) The proposals for Los Angeles were all accepted by its government.
(d) There were different ways to build Los Angeles which weren't adopted.

Unit 15 조동사 have p.p.

조동사란?

주어+조동사+본동사의 형태로 본동사에 의미를 더해 주는 동사들을 말합니다. 시제와 용법에 따라 의미가 달라지므로 조동사가 사용되는 맥락을 반드시 알아 두어야 합니다.

조동사 have p.p.

have p.p.가 나타내듯이, 과거에 대해 추측하거나 가정할 때 씁니다.

(1) 사실 진위를 모르는 일반적인 추측을 나타내는 경우

- **must have p.p.** '~이었음이 틀림없다'

  The lawyer **must have called** my office.

  변호사가 분명 내 사무실에 전화했을 것이다.

- **can have p.p.** '~이었을 것 같다'

  The lawyer **can have called** my office.

  변호사가 내 사무실에 전화했을 수 있다.

- **cannot have p.p.** '~이었을 리가 없다'

  The lawyer **cannot have called** my office.

  변호사가 내 사무실에 전화했을 리가 없다.

- **may have p.p.** '~이었을 수도 있다'

  The lawyer **may have called** my office.

  변호사가 내 사무실에 전화했을 수도 있다. (반반의 가능성이 있다.)

(2) 사실을 알지만 반대 상황에 대해 가정하는 경우

- **would have p.p.** '(상황이 달랐더라면 분명) ~이었을 것이다'

  The lawyer **would have called** my office.

  (상황이 달랐더라면) 변호사가 내 사무실에 분명 전화했을 것이다. (전화 안 했음)

- **should[ought to] have p.p.** '~했어야 했다 (그러나 실제로는 못했다)'

  The lawyer **should have called** my office.

  변호사가 내 사무실에 전화했어야 했다. (그러나 전화 안 했음)

(3) 맥락에 따라 가정 또는 추측하는 경우

could have p.p.와 might have p.p. 두 표현은 가정할 때나 추측할 때 모두 사용되므로 맥락을 통해서 파악해야 합니다.

The lawyer **could have called** my office.
① 가정: (상황이 달랐더라면) 변호사가 내 사무실에 전화할 수 있었을 텐데. (실제로는 전화를 못 했다.)
② 추측: 변호사가 내 사무실에 전화했을 수 있다. (안 했을 수도 있지만)

The lawyer **might have called** my office.
① 가정: (상황이 달랐더라면) 변호사가 내 사무실에 전화했을 텐데. (실제로는 전화를 안 했다.)
② 추측: 변호사가 내 사무실에 전화했을지도 모른다. (안 했을 수도 있지만)

빈출 조동사

(1) **would 동사원형** '(과거에) ~하고는 했다'

My grandfather **would** take a walk with his dog after breakfast.
할아버지께서는 아침 식사 후에 개와 함께 산책하곤 했다.

(2) **used to 동사원형** '(과거에) ~하고는 했다, (과거 한때) ~이었다'

She **used to practice** playing the piano before going to school.
그녀는 학교 가기 전에 피아노 연주를 연습하곤 했다. (동작)

There **used to be** an elementary school near here.
이 근처에 학교가 있었다. (지금은 없다) (상태)

(3) **be used to 명사[동명사]** '~에 익숙하다'

The American actor **is used to using** chopsticks.
그 미국 영화배우는 젓가락을 사용하는 데 익숙하다.

(4) **be used to 동사원형** '~위해 사용되다'

Cans and bottles **were used to make** this miniature of a castle.
캔과 병이 이 성의 모형을 만드는 데에 사용됐다.

Practice Test

정답 P.9

A. 다음 문장을 해석하세요.

1. All employees ought to have finished the job last week.

2. She used to be a long distance runner when she was younger.

3. The inspector's not used to the weather here yet. He's finding it very cold.

4. I might have passed the test if I had worked harder.

5. My friend bought a lottery ticket. She could have had the winning ticket.

6. The road might have been blocked.

7. The murderer can't have escaped through this window. It is too small.

B. 다음을 읽고 알맞은 답을 고르세요.

People have passed them down over the ages. They are called old wives' tales. They're the things your mother often told you to watch out for. Many of these are related with health and medicine. Today let's examine a few of these. A typical example would be: "Don't read in the dark, it'll strain your eyes." The truth is your eyes will be fine even though you read in the dark. Your eye has an iris that acts like a camera lens. And it constricts as there's bright light and dilates as the light is dim. For example, Abraham Lincoln used to read all of his law books by candlelight and turned out all right.

Q: What is the main topic of the passage?

(a) The disadvantages when reading in the dark
(b) The examination of things you've often been warned against
(c) The valuable lessons of old wives' tales you've been told
(d) The truths that have been passed down for generations

MEMO

2. 독해 유형별 공략법

TEPS 독해 파트의 구성

파트	문제 번호	문제 수	문제 유형	문제당 푸는 시간
Part 1	1~14번	14	문맥에 맞는 내용으로 빈칸 채우기	50초 내외
	15~16번	2	문맥에 맞는 연결어 찾기	50초 내외
Part 2	17~22번	6	글의 주제나 목적 찾기	50초 내외
	23~32번	10	글의 내용과 일치하는 세부 내용 찾기	1분 10초 내외
	33~37번	5	글에서 추론할 수 있는 내용 고르기	1분 10초 내외
Part 3	38~40번	3	문맥에 어울리지 않는 문장 찾기	1분 내외
독해	1~40번	총 40문항		답안지 마킹 시간 포함 총 45분

다양한 소재의 지문

TEPS 독해의 지문은 크게 실용문과 학술문 두 가지로 나눌 수 있습니다. 분야별로 다양한 소재와 주제가 폭넓게 출제되고 있으며, 때로는 내용의 심오함으로 응시자들을 괴롭히기도 합니다. 평소에 다양한 분야의 영어 문장을 읽어 보고, 주제별로 어휘를 익히도록 합니다.

어휘력은 기본

TEPS 독해는 다른 영어 시험보다 어휘의 수준이 높은 편입니다. 특히 TEPS에 처음 입문한 초급자의 경우 어휘의 벽이 높게만 느껴지기 마련입니다. 그러나 이러한 어휘의 벽을 넘지 못하면 절대로 원하는 점수를 얻을 수 없습니다. 힘들더라도 모든 문제와 주제별 어휘 정리가 필수입니다. 어휘력 향상을 위한 TEPS 주제별 필수 어휘를 정리해 놓았으니 목록에 있는 어휘들은 반드시 암기하도록 합니다.

어휘는 반복 학습

어휘는 독해의 기본입니다. 어휘 암기의 어려운 점은 반복해서 단어에 노출되지 않으면 우리 뇌에 오래 저장될 수 없다는 것입니다. 끈기를 갖고 반복적으로 암기하고 학습한다면 머릿속에 오래 남아 어휘력을 올릴 수 있고, 독해 실력도 눈에 띄게 향상할 수 있습니다.

속독을 위한 끊어 읽기

TEPS 독해 영역은 45분 안에 40문제를 모두 풀고 답안지에 마킹까지 해야 합니다. 문제당 평균 1분 안에 풀어야 하는데 어휘와 구문의 수준, 그리고 선택지의 까다로움을 생각하면 굉장한 속독을 요구하는 시험입니다. 독해가 빨리 되지 않는다는 사람들은 TEPS 특유의 길고 복잡한 문장을 빠르고 정확하게 끊어서 직독직해하는 훈련이 필요합니다. 긴 문장을 끊어 읽기 위해서는 기본 문법도 탄탄해야 합니다. 독해 문제를 푼 후에는 지문을 다시 보면서 한 번에 파악되지 않았던 복잡한 문장을 분석하며 끊어 읽는 실력을 연마해야 합니다.

중심 내용 파악

TEPS 독해의 문제들은 대부분 지문의 주제와 깊은 연관이 있습니다. 지문의 주제 문장(main idea)과 부수 문장(supporting idea)을 구별하는 훈련을 통해 주제 문장은 집중해서 읽고, 부수 문장들은 훑어보는 식으로 시간을 효율적으로 쓰면 고득점에 한 발짝 가까워질 수 있습니다.

패러프레이징

지문을 정확히 파악했다 하더라도 패러프레이징된 선택지를 보면 초급자일수록 정답을 고르기가 어렵습니다. 그 이유는 지문에 언급된 문장을 그대로 정답 선택지에 옮겨 놓지 않고 말을 바꿔서(패러프레이징) 다르게 표현해 놓기 때문입니다. 고득점을 위해 마지막 순간까지 훈련해야 하는 것이 바로 패러프레이징입니다. 선택지는 지문의 패러프레이징을 통해 정답과 오답을 만들기 때문에 그 미묘한 말의 차이를 정확히 짚어 낼 수 있어야 합니다. 결국 답을 고를 때는 정답과 오답의 근거를 충분히 생각해야 합니다. 문제를 풀어 본 후에도 정답 선택지와 오답 선택지의 차이를 분명히 인지하고 넘어가야 합니다.

문제는 항상 제한 시간 안에 푸는 연습

TEPS는 제한된 시간 내에 빠르게 문제를 풀도록 하는 시험입니다. 여기에 대비하지 않으면 실전에서 무척 당황할 수밖에 없습니다. 매번 문제를 풀 때마다 최대 1분의 제한 시간을 반드시 지켜서 그 시간 안에 문제를 푸는 연습을 하세요. 연습이 거듭되면서 어휘력 향상과 함께 끊어 읽기, 중심 내용 파악, 패러프레이징 실력이 쌓이고, 처음에는 턱없이 부족했던 제한 시간이 점점 부담이 되지 않는 뿌듯한 경험을 하게 될 것입니다.

Unit 01

빈칸에 알맞은 구/ 절 고르기

TEPS 독해의 첫 번째 유형은 지문 속 빈칸에 알맞은 구나 절을 고르는 문제로, 1번부터 14번까지 총 14문제입니다. 빈칸은 지문의 중심 내용인 경우가 많으므로 글의 맥락을 잘 이해하는 것이 중요합니다.

<table>
<tr><td>핵심</td><td colspan="3">빈칸은 글의 중심 내용이거나 그 변형된 내용이므로 글의 주제를 찾는 것을 우선 목표로 한다.</td></tr>
<tr><td>함정</td><td colspan="3">① 빈칸이 있는 문장에 부정을 나타내는 표현(not, no, lest 등)이 있으면 문맥에 반대되는 내용이 정답일 수 있다.
② 지문에 나온 표현이 그대로 선택지에 쓰였다면 함정일 수 있다.</td></tr>
<tr><td>빈칸의 위치</td><td>마지막에 있는 경우
(7~10문항)</td><td>첫 문장에 있는 경우
(4~6문항)</td><td>지문 중간에 있는 경우
(0~1문항)</td></tr>
</table>

예문 Read the passage. Then choose the option that best completes the passage.

People willing to go through extreme physical pain and stress commonly have distinctive personalities. These people tend to be achievers who set high standards for themselves in general as well as in sports. They enjoy tough challenges and are not satisfied with goals that are easy to accomplish. Also, when they set goals, they usually do not focus on winning the race, but on beating their own previous performances. For these athletes, the main thing is ______________________.

(a) winning the game and breaking other's previous records
(b) trying out only challenging and dangerous sports
(c) doing their personal best and pushing themselves to improve
(d) setting new goals that others cannot accomplish

해석 강한 육체적 고통과 스트레스를 기꺼이 겪어 내려는 사람들에게는 공통된 특별한 특성이 있다. 이러한 사람들은 그들 스스로 스포츠뿐만 아니라 일반적인 분야에서도 높은 목표를 설정하고 성공하는 사람들인 경향이 있다. 그들은 어려운 도전을 즐기고, 이루기 쉬운 목표에는 만족하지 않는다. 또한, 그들이 목표를 설정할 때에는 보통 시합에서 이기는 데에 초점을 맞추는 것이 아니라 그들의 예전 기록을 경신하는 데에 집중한다. 이러한 선수들에게 있어서 중요한 것은 최선을 다하여 스스로를 발전시키는 것이다.

(a) 시합에서 이기고 다른 이들의 기록을 깨는 것
(b) 오로지 어렵고 위험한 운동만 시도하는 것
(c) 최선을 다하여 스스로를 발전시키는 것
(d) 다른 사람들은 성취할 수 없는 새로운 목표를 설정하는 것

해설 이들의 특성으로 어려운 도전을 즐기고, 시합에서의 승리가 아닌 본인의 이전 기록 경신에 집중한다고 했으므로 이들에게는 최선을 다해 스스로를 발전시키는 것이 중요하다고 볼 수 있다.

정답 (c)

문제 풀이 전략

전략 1 ▸ **빈칸의 위치를 파악한다.**

빈칸의 위치에 따라 글의 전개가 다를 수 있기 때문에 빈칸의 위치에 따라 전략을 달리하면 시간을 효율적으로 사용할 수 있다.

빈칸의 위치	전략
마지막 문장	① 첫 문장부터 글의 주제 문장을 찾아 읽어 간다. ② 글의 중심 내용을 찾고, 마지막 빈칸의 맥락에 맞는 답을 선택한다.
첫 문장	① 빈칸을 제외한 첫 문장의 내용을 파악한다. ② 두 번째 문장의 핵심을 파악하여 빈칸에 알맞은 문장의 단서를 찾는다.
지문 중간	빈칸이 있는 문장의 앞 내용은 글의 배경이나 전제가 되는 경우가 많으므로 빈칸 뒤의 내용에서 중심 내용을 파악한다.

전략 2 ▸ **지문의 중심 내용 파악을 1차 목표로 삼는다.**

빈칸에 알맞은 답은 대부분 글의 중심 내용이거나 그 변형된 내용이므로 항상 글의 중심 내용을 먼저 찾도록 한다. 그리고 빈칸을 중심으로 무엇과 관계된 내용인지 염두에 두면서 읽는다.

전략 3 ▸ **주제 문장에 집중하고, 부수적인 문장은 간단히 읽고 넘어간다.**

지문을 읽는 시간을 줄이기 위해서는 부연 설명이나 예시 등 핵심적이 내용이 아닌 문장은 자세히 보지 않고 그 문장이 부수적인 문장임을 파악함과 동시에 건너뛰어서 시간을 절약하도록 한다. 반면, 정답과 밀접한 관련이 있는 문장은 상대적으로 시간이 걸리더라도 정확히 해석한다. 빈칸 앞에 부정을 나타내는 표현이 있는지를 정확히 살펴야 한다. 중심 내용의 반대 표현이 정답이 될 수 있기 때문이다.

전략 4 ▸ **패러프레이징된 선택지를 파악한다.**

정답 선택지에는 지문 속의 말을 다른 말로 표현하는 패러프레이징이 적용된다. 오답 선택지에는 오히려 지문의 주요 어휘가 그대로 쓰여 정답인 것처럼 위장하고 응시자가 고르게끔 유도한다는 것에 유의하자.

다음 문제를 풀면서 전략을 적용해 보자. (풀이 시간 50초)

The settlement of the Angles and Saxons into Celtic Britain was made easier by the fact that ______________________ Germanic dialects of the Great North German Plain. Thus they could more easily communicate with the natives and they did not look too dramatically different from the Celts, enabling them eventually to blend in with the local population. The first Germanic tribesmen to arrive settled mostly in Kent, while the Saxons occupied the lands south of the Thames. The Angles settled the huge area from north of the Thames to the Highlands of Scotland.

해석 고대 영국에 앵글로 색슨족의 정착은 그들이 북독일 평원의 게르만족의 방언과 연관된 언어를 썼다는 사실 때문에 더 쉽게 이루어졌다. 따라서 그들은 더 쉽게 원주민들과 의사소통할 수 있었고 켈트족과 매우 다르게 생기지 않았기 때문에 결국 지역 주민과 섞일 수 있었다. 색슨족이 템스 강 남부 영토를 점령한 반면 첫 게르만족 구성원들은 거의 켄트 지역에 정착했다. 앵글로 색슨족은 템스 강 북부부터 스코틀랜드 고지까지 광대한 지역에 정착했다.

Step 1 ▸ **빈칸은 첫 문장에 있다.**

"고대 영국에 앵글로 색슨족의 정착은 ~라는 사실 때문에 더 쉽게 이루어졌다."

⇨ 첫 문장을 해석하고 정착이 쉬워진 핵심 이유를 묻는 문제라는 것을 파악할 수 있다. 이것이 중심 내용이다.

Step 2 ▸ **빈칸 뒤의 맥락을 알자.**

"그들은 쉽게 서로 의사소통할 수 있고, 매우 다르게 생기지 않았다."

⇨ 보다 쉽게 정착하게 된 이유를 설명하므로 정답의 근거가 된다.

Step 3 ▸ **나머지 지문은 건너뛰자.**

중반 이후는 어떤 부족이 어느 지역에 정착했는지 등 부수적인 내용이 이어진다. 역접의 접속사 등 문맥 전환을 위해 쓰는 표현이 없다면 나머지 지문은 빠르게 훑으면서 시간을 절약하도록 한다.

Step 4 ▸ **이제 선택지를 분석하자.**

(a) they knew little about ‖ 잘 몰랐다는 것은 지문과 반대의 내용이다. (오답)

(b) they spoke closely related ‖ 연관된 언어를 썼다는 내용이 빈칸 뒤의 문장과 이어진다. (정답)

(c) they oppressed the use of ‖ 언어 사용을 억압했다는 내용은 없다. (오답)

(d) they liked the sounds of ‖ 독일 방언의 소리(sound)를 좋아하여 서로 잘 어울릴 수 있다고 주장한 내용은 없다. (오답)

문제의 함정

1. 빈칸 앞뒤에 not, no, lest 등의 부정을 나타내는 표현이 오면 주의해야 합니다. 여러분이 파악한 중심 내용이 정답이 아니라 부정어와 엮이는 경우, 그 반대의 표현이 답이 되기 때문입니다. 아래 예문을 보면 빈칸 앞의 but과 no가 정답을 찾는 중요 포인트가 됩니다.

The 1950s featured a great push for equality. King, a minister himself, was a leader in the fight for civil rights. He preached the power of love over hate. He urged people to challenge unfair legal systems and actions, but to do so peacefully. King said black people should work with white people to obtain equality. Not everyone agreed with him, but there was no ______________________.

정답 doubt that his was a powerful voice

오답 hope that everyone would be treated fairly

1950년대 평등 사상을 주창했던 왕에 대해 이야기하며 빈칸을 포함한 마지막 문장에서 "모두가 왕의 의견에 동의한 것은 아니지만 ~가 없었다"고 한다. but there was no와 연결되는 자연스러운 내용은 '그의 의견이 영향을 미쳤다는 데에 대한 의심'이라는 내용일 것이다. 빈칸 앞에 no가 있기 때문인데, '의심'이라는 표현은 겉으로 보기에는 주제가 아닌 듯 보이지만 실제로 문맥을 연결하면 "그의 의견이 영향을 미쳤다는 데에 대한 의심의 여지가 없다"로 주제문이 될 수 있는 것이다. 오답에 쓰인 표현 treated fairly는 글의 중심 내용인 equality와 밀접한 표현이지만 이 문맥에는 알맞지 않다.

2. 지문의 핵심 단어를 포함했으나 지문의 일부 내용만 담고 있는 선택지도 오답의 함정입니다.

주제 the advantages and disadvantages of watching TV

정답 some effects of watching TV

오답 the strong points of watching TV

TV 시청의 장단점이 중심 내용일 때, 장점만 언급하는 선택지는 오답이다. TV 시청의 장단점을 모두 포괄하는 말은 'TV 시청의 영향'으로 볼 수 있다.

3. 선택지 패러프레이징에도 유의해야 합니다. 패러프레이징이란 같은 의미의 말을 다른 말로 바꾸어서 표현하는 것입니다. 지문에 쓰인 단어는 아니지만 같은 내용을 전달하는 것이므로 정답으로 잘 활용됩니다.

★ 동의어나 관련 어휘를 이용하는 경우

I should reschedule the flight. ⇨ I need to alter the itinerary.

★ 부정어와 그 반의어를 이용하는 경우

The working schedule is flexible. ⇨ The working hours are not fixed.

★ 범위를 넓히거나 구체화하는 경우

He has lost his uncle. ⇨ His relative has passed away.

Practice Test

1. The Lunar Spectrum Probe is ______________________________. It's the first atmospheric spectral spacecraft designed by NASA and the first one to use a modular body. It's 7 feet high, 5 feet deep and 5 feet wide, and powered by several solar cells. It will carry four different scientific instruments, three to measure things about the lunar exosphere and one for laser communication. Scientists hope that the probe will add greatly to the information gathered from previous such craft.

   (a) a spaceship run by solar cells designed to help with satellite communications
   (b) a space shuttle designed to carry astronauts to the moon
   (c) the first unmanned spacecraft that NASA invented as a lunar probe
   (d) a robotic orbital mission that is going to circle the moon

2. Self-esteem is the way you look at yourself. Those with healthy self-esteem love themselves and value their achievements. While everyone sometimes loses some of their confidence, ______________________________ almost always feel unhappy or unsatisfied with themselves. They can remedy this but it requires attention and daily practice to boost their self-esteem. Go see a doctor for information and advice if you're having difficulty improving your self-esteem or if low self-esteem is leading to problems such as depression.

   (a) those with healthy self-esteem
   (b) those with low self-esteem
   (c) those without attention on self-esteem
   (d) those without information on self-esteem

3. A painting which lay for six decades in an attic after the owner was told it was a fake Van Gogh was ______________________, making it the first full-size canvas to be discovered since 1928. Experts at the Van Gogh Museum authenticated the 1888 landscape "Sunset at Montmajour" with the help of Vincent Van Gogh's letters, chemical analysis of the pigments and X-rays of the canvas. The museum director who found the painting called the discovery a once-in-a-lifetime experience.

(a) pronounced the real thing
(b) discovered by an artist
(c) restored for exhibition
(d) bought for an art patron

4. In 1950, the Korean War occurred when the soldiers from North Korea poured across the 38th parallel. This attack was actually the first military action of the Cold War. By July, the American army had entered the war. For American officials, it was a war against the forces of international communism. After some back-and-forth across the 38th parallel, the fighting stalled and casualties mounted. Meanwhile, American officials worked anxiously to fashion some sort of armistice with the North Koreans. The alternative, they feared, ______________________ with Russia and China–or even, as some warned, World War III.

(a) could result in civilian casualties
(b) would lead to the end of a relationship
(c) could contribute to a compromise
(d) would be a wider war

Unit 02

연결어 고르기

TEPS 독해의 두 번째 유형은 지문 속 빈칸에 알맞은 연결어를 고르는 문제로, 15번부터 16번까지 총 2문제입니다. 알맞은 연결어를 고르기 위해서는 글의 논리적인 흐름을 잘 이해하는 것이 중요합니다.

핵심	지문 속 빈칸의 앞 문장과 뒷 문장 간의 관계 파악을 우선 목표로 한다.			
함정	앞뒤 문장만 읽어도 정답이 나오는 문제가 있는가 하면, 그 두 문장으로는 어떤 맥락의 논리적 관계인지 모를 수도 있다. 이럴 경우에는 글의 첫 문장부터 읽을 수밖에 없다.			
연결 관계	첨가 '게다가'	역접 '그러나'	인과 '따라서'	순서 '그 후'

예문 Read the passage. Then choose the option that best completes the passage.

There may be several types of bad bosses, but one that really seems offensive is that of power-hungry leaders. Those leaders do not share leadership or power with their employees. ________________, they try to hold all the power of their positions for themselves. They consider power as a fixed sum—if one person has more, than others have less.

(a) Instead
(b) However
(c) Even so
(d) Nevertheless

해석 나쁜 지도자의 유형에는 여러 가지가 있을 수 있지만, 많은 이들에게 정말 불쾌하게 보이는 것은 권력에 굶주린 지도자이다. 그러한 지도자들은 절대로 리더십이나 권력을 직원들과 나누지 않는다. 오히려 그들의 지위에서의 모든 권력을 자신에게만 가지고 있으려고 노력한다. 그들은 권력을 누군가 더 가지면 다른 이들은 덜 갖는 고정된 합계로만 생각한다.

(a) 오히려
(b) 그러나
(c) 그렇기는 하지만
(d) 그럼에도 불구하고

해설 가장 불쾌한 유형의 지도자들은 권력을 나누려 하지 않고 자신만 모든 권리를 갖고 있으려고 한다는 내용이므로, 'A는 X가 아니다. 오히려 A는 Y이다'가 문맥상 어울린다. 따라서 앞의 내용을 정정하는 연결어가 알맞다.

정답 (a)

새로운 내용을 첨가하는 연결어

In addition	게다가 (앞의 내용에 또 내용을 첨가할 때)
Moreover 빈출!	
Furthermore	
Besides	
Also	
On top of that	
What is more	
Indeed 빈출!	실제로 (앞의 내용에 대해 자세한 내용을 덧붙여 강조할 때)
In fact	
Meanwhile 빈출!	(그리고) 동시에, 그동안에
At the same time 빈출!	
In the meantime 빈출!	그동안에
In particular	특히
To be sure	확실히
Admittedly	명백히
Granted	~이므로
Alternately 빈출!	혹은 (그게 아니면)

비슷한 내용을 반복하는 연결어

In other words	즉, 다시 말하면
Namely	
That is	
For example 빈출!	예를 들어
For instance	
For one thing	우선 한 가지 예를 들면

앞 내용에 반대되는 내용을 잇는 연결어

Even so 빈출!	그럼에도 불구하고
For all that 빈출!	
However	
Nevertheless 빈출!	
Still	
That (being) said 빈출!	

앞 내용과 대조를 이루는 연결어

Actually	실제로는 (앞의 내용과 반대 내용을 강조)
In effect	
In fact 빈출!	
However	그러나
On the other hand 빈출!	다른 한편으로는
In contrast 빈출!	그와는 반대로
Conversely	정반대로, 역으로
At the same time 빈출!	(그러나) 동시에
Meanwhile 빈출!	
After all	(예상과는 달리) 결국에는
Of course	(앞의 내용과 달리) 물론

비교를 나타내는 연결어

Likewise 빈출!	마찬가지로 (앞의 내용과 논리는 같고 대상은 다를 때)
Similarly	

앞 내용을 정정하는 연결어

Instead 빈출!	오히려 (A는 X가 아니다. 오히려(그게 아니라, 그 반대로) A는 Y이다.)
On the contrary 빈출!	
Rather 빈출!	

앞 내용을 일축하는 연결어

Anyhow	어쨌든
At any rate	
In any case	

인과관계에 의한 결과를 나타내는 연결어

Accordingly 빈출!	따라서
As a result 빈출!	
Consequently 빈출!	
For this(that) reason	
In conclusion	
Hence 빈출!	
Therefore	
Thus	

인과관계에 상관없이 결과를 나타내는 연결어

Eventually	결국, 끝내
In turn	(앞의 일에 대한) 결과로
Ultimately 빈출!	결국, 마침내, 궁극적으로

가정적인 결과를 나타내는 연결어

In that case	그런 경우
Otherwise	그렇지 않으면

순서를 나타내는 연결어

Next	그 후
Subsequently 빈출!	
Then	
Thereafter	

결론적인 마지막 사실을 나타내는 연결어

Finally 빈출!	마침내, 결국
In the end	

기타 연결어

Up to now	지금까지
In short	요약하자면
In brief	
In summary	
To sum up	
All in all	대체로

순접과 역접에 모두 사용 가능한 연결어

1. at the same time

① '(그리고) 동시에' (순접의 연결)

He has tried to save as much as possible. **At the same time**, he has checked his spending habits to reduce his cost of living.

그는 되도록 많이 저축하려고 노력했다. (그리고) 동시에 그는 생활비 감축을 위해 그의 소비 습관을 점검해 왔다.

② '(그러나) 동시에' (역접의 연결)

The newly designed instrument has many advantages. **At the same time**, it also has side effects.

새로 고안된 기구는 많은 장점을 가지고 있다. (그러나) 동시에 부작용도 있다.

2. in fact

① '실제로' (앞의 내용에 자세한 내용을 덧붙여 강조)

The demand for printed newspapers has decreased since the emergence of online newspapers. **In fact**, a survey shows the number of people who read an online newspaper was twice as high as with printed versions.

인쇄된 신문에 대한 수요가 온라인 신문의 등장 이후로 감소해 왔다. 실제로 조사 결과 온라인 신문을 읽는 사람의 수가 인쇄된 것을 보는 사람보다 두 배 많다는 것이 드러났다.

② '실제로는' (앞의 내용과 반대 내용을 강조)

Many people think it the most important thing to work out when wanting to lose weight. **In fact**, it is of utmost importance to eat properly.

많은 사람들이 살을 빼려고 할 때 운동이 가장 중요하다고 생각한다. (그러나) 실제로는 제대로 먹는 것이 가장 중요하다.

Practice Test

1. They maintained an optimistic view of the U.S. economy this year, predicting 3 percent growth in the second quarter of this year, low inflation and higher employment. It was predicted that real gross domestic product would grow at a 2.3 percent annualized rate up from 2.1 percent seen earlier in the first quarter. ________________, the unemployment rate is seen falling to 7 percent next year from 7.5 percent this year. Industry experts attribute this to the combined effects of the stimulus package as well as strengthened exports to Asia.

   (a) Instead
   (b) However
   (c) Moreover
   (d) In other words

2. A young man who suffered from a fatal brain injury has got an opportunity to study politics at a university. He is unable to walk more than a few steps without help and has speech difficulties and can hardly use his right arm. He relies on an electric wheelchair. ________________, this never prevented him from continuing his study. After his accident, he re-learned to eat and talk and began taking his first steps again. He refused to admit that he would never walk or study again. He is an optimistic and determined young man.

   (a) Rather
   (b) In fact
   (c) Accordingly
   (d) However

정답
P.11

3. In macroeconomics, people focus on the demand and supply of all the goods and services produced by an economy. ________________, the demand and supply of the money stock in an economy is the concern of a monetary policy. Data on the flow of money is carefully tracked by governments and institutions since it affects inflation, price levels, and exchange rates. There is plenty of historical evidence of a direct link between an increase in the availability of money and price inflation.

(a) Likewise
(b) Still
(c) That being said
(d) Accordingly

4. The Convention on the Prohibition of Chemical Weapons aims to eliminate all weapons of mass destruction. It prohibits the development, production, acquisition, retention, transfer or use of chemical weapons by countries that are parties to the convention. These countries, ________________, are asked to enforce the prohibitions on their territory. At present, almost all countries in the world are parties to this Chemical Weapons Convention and there are only four countries that are not parties to the convention.

(a) in turn
(b) instead
(c) alternately
(d) otherwise

Unit 03 주제나 목적 찾기

TEPS 독해의 세 번째 유형은 글의 주제나 목적을 고르는 문제로, 17번부터 22번까지 총 6문제입니다. 지문의 세부 내용을 일일이 해석할 필요가 없다는 점에서 문제당 풀이 시간은 40~50초로 비교적 짧은 시간에 풀도록 합니다.

<table>
<tr><td>핵심</td><td colspan="4">글의 주제를 찾으면 되기 때문에 글에서 주제가 나오는 패턴을 익히고, 패러프레이징된 부분을 정확히 따진다.</td></tr>
<tr><td>함정</td><td colspan="4">① 언급된 내용이 선택지에 존재한다고 하더라도 일부의 내용만을 나타내고 있다면 오답입니다. 반드시 모든 내용을 포함하는 것이 정답이다.
② 지문에 나온 표현이 일부 그대로 선택지에 쓰였다면 오히려 함정일 수 있다.</td></tr>
<tr><td>논리적 연결 관계</td><td>A Type
중심 생각
+
부수 내용</td><td>B Type
세부 내용 1
세부 내용 2
세부 내용 3
+
(중심 생각)</td><td>C Type
일반적인 통념
역접어
+
반론
+
(중심 생각)</td><td>D Type
전제/ 배경
전환어
+
중심 생각
+
부수 내용</td></tr>
</table>

예문 Read the passage and the question. Then choose the option that best answers the question.

The ideal outcome for your children is that they find a place in life which feels right to them especially based on their skills, their temperaments and their passions. And what often interferes with finding one's right place in life is a preoccupation with being the best. A focus on just winning also makes people more likely to get frustrated or discouraged and quit. Focusing instead on what suits their interests and strengths, they're more likely to get both the financial capability to support themselves and the spiritual strength to cope with bumpy times.

Q: What is the main idea of the passage?

(a) Parents should encourage their kids to be good people.
(b) Parents should always focus on their kids being the best.
(c) Parents should not help their kids when they fail.
(d) Parents should help their kids find and pursue their own interests.

해석 자녀들에게 이상적인 결과는 그들이 특히 자신의 기술과 기질, 열정에 근거하여 자신에게 맞게 느껴지는 삶의 자리를 찾는 것이다. 그리고 종종 자기 자리를 찾는 데 방해가 되는 것은 최고가 되는 것에 대한 집착이다. 또한, 승리에만 집중하면 사람은 더욱 좌절하고 낙담하여 그만둘 가능성이 높아진다. 대신에 자신의 관심과 강점에 잘 맞는 부분에 집중하게 되면, 그들은 생활할 수 있는 경제력과 힘든 시간을 이겨낼 수 있는 강한 정신력 둘 다를 갖게 될 가능성이 높다.

(a) 부모는 아이들이 좋은 사람이 되도록 격려해야 한다.
(b) 부모는 항상 아이들이 최고가 되는 것에 집중해야 한다.
(c) 부모는 자녀가 실패했을 때 도와주면 안 된다.
(d) 부모는 아이들이 자신의 관심을 찾고 추구할 수 있게 도와야 한다.

해설 첫 문장에서 주장(주제)을 이야기하고, 그 이후에 첫 문장에 대한 예시와 상술을 하는 A type의 글이다. 첫 문장에서 "이상적인 결과는 그들이 자신의 기술과 기질, 열정에 근거하여 자신에게 맞게 느껴지는 삶의 자리를 찾는 것이다."라고 주장하고 있고, 나머지 문장들은 같은 내용에 대한 뒷받침이므로 가장 알맞은 보기는 (d)이다. (b)는 하지 말라고 한 내용이다.

정답 (d)

문제 풀이 전략

전략 1 ▸ **글의 첫 문장, 혹은 두 번째 문장을 읽고 주제를 추론한다.**

확정된 주제는 아니라는 점을 인지하고 추론한다.

전략 2 ▸ **이후 문장들의 역할을 파악한다.**

주제 추론 후 그 이후 문장들을 주어와 동사 중심으로 보고 중요 문장(새 정보) 혹은 넘어갈 수 있는 문장(나왔던 정보) 여부를 판단하면서 각 문장의 역할을 중심으로 독해한다.

전략 3 ▸ **각 문장의 타입별로 다음과 같이 처리한다.**

파악한 주제에 대한 부연 설명, 상세화, 예시 등인 경우	A Type	해석하지 않고 넘어간다.
새로운 내용을 덧붙이는 경우	B Type	처음 파악한 주제와 병렬적으로 연결하여 두 내용을 결합한다.
내용이 전환, 역접이 되는 경우	C Type D Type	앞의 내용은 전제였고, 이를 바탕으로 주제가 나온다. 주제가 전환된다는 것을 명심해야 한다.

타입별 지문의 특성

	특성
A Type	① 첫 문장에서 주장, 필요, 새로운 사실을 언급한다. → **주제!** ② 이후 문장에는 새로운 내용이 없고 첫 주제문의 세부 사항들로 구성된다.
B Type	① 주제문이 있거나 없을 수도 있다. ② 주제문은 각 세부 사항의 내용을 합쳐야 한다. 일부만 언급하는 선택지는 오답이다.
C Type	① 첫 문장에서 일반적인 통념을 언급한다. People (usually/ often/ commonly) think/ say/ believe that ~ It is[has been] commonly believed/ thought/ said that ~ ② 역접 후 통념에 대한 반론이 나온다. → **주제!**
D Type	① 앞에서보다 일반적인 패턴을 이야기한다. ② 뒤쪽에서 그에 관련되어 조금 더 세분화된 범위로 한정시켜서 이야기한다. → **주제!**

문제의 함정

1. B타입은 특히 주제의 일부만 포함하는 오답이 있다.

   주제 the cause and symptoms of flu 감기의 원인과 증상
   오답 the symptoms of flu 감기의 증상

2. C타입의 앞에 언급되는 통념은 결코 주제가 될 수 없다.

3. 정답은 보통 지문의 어휘를 그대로 쓰지 않고 패러프레이징된다.

4. 마지막에 선택지가 두세 개 남은 경우가 있다.
   각 선택지의 핵심 단어를 지문의 주제와 비교하면, 핵심이 분명해져서 정답의 근거와 오답의 이유가 더 명확해진다.

Practice Test

1. Jane Russell, famous for her roles in classic films of the 1950s, was discovered by an American director at the age of 19. During her years in Hollywood, the star of the silver screen had been married to pro football player. Later, their marriage of 24 years, ended in divorce. She then married an actor—who died four months later of a heart attack. The third and last marriage was to a developer in 1978. He died in 1999 of heart failure.

   Q: What is the passage mainly about?
   (a) Jane Russell's movie career
   (b) How Jane Russell got divorced
   (c) How Jane Russell became a star
   (d) Jane Russell's marriage life

2. Greece has been renowned as a great place to relax and travel. The most popular place in the country is the capital of Greece—Athens, which is one of the oldest and most beautiful capitals in the world. Monuments of culture, various temples, and great museums each year attract thousands of tourists here. Such beautiful places as the Acropolis and the Temple of Nike have long been symbols of ancient Greece and a place for visitors to feel history. In Athens alone, there are more than 200 museums and galleries. And the other main attraction of Greece is, absolutely, its beautiful islands, which feature famous resorts with excellent infrastructure.

   Q: What is the main point of the passage?
   (a) Greece has many wonderful museums.
   (b) People can enjoy relaxing and sightseeing in Greece.
   (c) Greece is famous for its natural scenery.
   (d) Tourists in Greece can appreciate modern facilities.

3. Developments in molecular biology are contributing to new insights in every field such as genetics, cell biology, and neuroscience. These findings help us address the grave challenges of biodiversity conservation, global climate change, and human health. Environmental biology is also at the heart of new ways of relating to other living organisms. Meanwhile, biomedicine is progressing to the point of raising new hopes of dealing with the old problems which have plagued mankind.

Q: What is the passage mainly about?

(a) The history of biology

(b) The merits of biology

(c) The questions of biology

(d) The difficulty of biology

4. People commonly know that asthma symptoms could get more difficult to cope with when the person is stressed. However, another factor has been identified lately. Dr. Jackson and her colleagues studied 325 children and teens with asthma. The researchers examined each person's primary address and estimated their diesel emissions exposure based on where they lived. Especially in children with asthma, being exposed to vehicle pollutants was related to more frequent asthma symptoms.

Q: What is the main point of the passage?

(a) Children and teens have more frequent asthma symptoms than adults.

(b) Traffic-related air pollution increases the number of total asthma patients.

(c) Where the asthmatic children live is a key factor in reducing their stress.

(d) The asthma symptoms can get worse for children exposed to diesel and dust.

Unit 04 세부 내용 찾기

TEPS 독해의 네 번째 유형으로, 23번부터 32번까지 총 10문제입니다. 세부 사항을 묻는 문제들이므로 모든 선택지의 내용을 정확히 판단할 수 있어야 한다는 점에서, 비교적 시간이 걸리는 문제입니다.

핵심	세부적인 내용들을 모두 파악해야 하므로, 독해의 정확성과 패러프레이징 능력이 관건이다.
함정	① 세부 사항 찾기 문제는 시간이 더 걸린다는 점을 미리 생각하여, 다른 유형을 풀 때 미리 시간을 단축해 놓을 필요가 있다. ② 특히 오답의 가능성이 높거나 패러프레이징으로 정답이 될 수 있는 부분들에 대해 훈련한다.

예문 Read the passage and the question. Then choose the option that best answers the question.

Economic indicators are like a snapshot of the economy's health. For examination of the economic situation, an economist could check the basic indicators by looking at gross domestic product (GDP), unemployment rate or the consumer price index (CPI). The policy-making body of a country, therefore, examines and considers many economic indicators prior to determining any policy or issuing directives.

Q: Which is correct according to the passage?

(a) Economic policies are signs that an economy is healthy.
(b) Gross domestic product is one of the economic indicators.
(c) The policy-making body of a country is an economic research center.
(d) People make economic policy before examining economic indicators.

해석 경제 지표는 경제라는 건강의 스냅 사진과 같다. 경제 상황을 살피기 위해 경제학자는 국내 총생산, 실업률, 소비자 물가 지수 같은 기본적 지표를 살핌으로써 경제 상황을 점검한다. 한 나라의 정책 결정 기관은 정책을 결정하거나 지시를 내림에 앞서서 많은 경제 지표들을 조사하고 고려한다.

(a) 경제 정책은 경제가 건강한지를 보여 주는 표식이다.
(b) 국내 총생산은 경제 지표 중 하나이다.
(c) 한 나라의 정책 결정 기관은 경제 연구소이다.
(d) 경제 지표를 살펴보기 전에 경제 정책을 결정한다.

해설 경제 지표의 예로 국내 총생산, 소비자 물가 지수, 실업률을 들고 있으므로 가장 알맞은 보기는 (b)이다. 경제 지표를 살펴보기 전에 경제 정책을 결정하는 것이 아니라, 반대로 경제 정책을 결정하기 전에 경제 지표를 살펴본다고 하므로 (d)는 옳지 않다.

정답 (b)

문제 풀이 전략

전략 1 ▸ 오답으로 잘 나오는 부분을 중심으로 밑줄을 긋는다.

오답 주의 항목들

① 숫자는 단위에 주의한다.

② 시간, 장소는 전치사에 주의한다.

③ 원인, 결과는 주어-목적어 관계, 태, 원인, 결과의 표시어를 주의한다.

④ 부분, 전체의 범위, 범주를 주의한다.
children under 6 ≠ boys under 6

⑤ all, every, always는 오답일 확률이 높다.

⑥ the only, 최상급, 비교급은 오답일 확률이 높다.

전략 2 ▸ 지문을 읽어 내려 가며 선택지의 내용과 비교한다.

전략 3 ▸ 틀린 내용이라고 확신이 들면 하나씩 소거해 간다.

전략 4 ▸ 정답은 반드시 지문 내용과 연관 지어 본다. 언급 안 된 오답을 답으로 하지 않도록 주의한다.

★ 한 번 더 확인하기
선택지의 답과 지문의 내용을 연결 지을 수 있어야 한다. 만약 연결 지을 수 있는 문장, 어구가 없다면 오답일 확률이 높다.

정답 선택 전략은 패러프레이징

선택지 중 오답 가능성 높은 선택지를 소거하는 연습과 정답을 다시 한 번 확인하는 연습을 하세요.

1. 오답 패러프레이징의 예시

① The sales volume has risen by 25%. 판매량이 25%로 증가했습니다.
≠ The rate of increase has risen by 25%. 증가율이 25%로 올랐습니다.

② in decline ≠ has been stronger
하락세인 강세인

③ a high rate of illiteracy ≠ almost all of them are illiterate
높은 문맹률 거의 다가 문맹이다

④ A is much like B. ≠ A is the same as B.
A는 B와 매우 유사하다. A는 B와 같다.

⑤ almost identical ≠ the same
거의 동일한 똑같은

⑥ applied to animals ≠ limited only for insects
동물에 적용한다 곤충에만 적용한다

⑦ one third ≠ almost all
3분의 1 거의 다

⑧ negative effects ≠ beneficial effects
부정적 영향 유익한 영향

⑨ natural increase in population ≠ migration
인구의 자연 증가 이주로 인한 증가

⑩ until 1980 ≠ since 1980
1980년까지 1980년부터

2. 정답 패러프레이징의 예시

① about 25 % of the people = about a quarter of the people
약 25%의 사람들 약 1/4의 사람들

② famine = starvation
기근 기근

③ sometimes = not always
때때로 항상 그런 것은 아닌

④ A is on a high hill, overlooking the city. A는 언덕 위에 도시를 내려 보는 곳에 있다.
= A is placed on a higher place than the city. A는 도시보다 위쪽에 있다.

⑤ There are people who can benefit from it. 그것으로부터 이익을 받는 사람들이 있다.
= Not all people can benefit from it. 모두가 그것으로부터 이익을 받는 것은 아니다.

⑥ flexible = open to many changes
유동적인 변화에 열려 있는

⑦ each state = every state
각 주에 모든 주에

⑧ different = not the same
다른 같지 않은

⑨ A was produced by B. = B was to blame for A.
A는 B에 의해 이루어진다. A에 대해서는 B의 탓이다.

⑩ Surprisingly, it turned to be in high demand. 놀랍게도 그것에 대한 수요가 높은 것으로 드러났다.
= Strong demand was unexpected. 그것에 대한 높은 수요는 예견치 못한 것이었다.

Practice Test

1. A "supermoon," where the moon passes by Earth in its closest orbit, was seen yesterday. During this phenomenon, the moon looked 14 percent bigger and 30 percent brighter than a normal full moon. Media reports said observers enjoyed looking at the moon in its full phase and when it is closest to Earth, it's at just 356,989km away. Astronomers said this phenomenon occurred because the moon revolves around the earth along an oval-shaped orbit and hence the moon's distance from the Earth is different each month.

Q: Which of the following is correct according to the passage?

(a) A supermoon can be observed when the Earth is close to the sun.

(b) The distance between the moon and the sun caused the supermoon.

(c) The moon rotates around the Earth in an elliptical orbit.

(d) The supermoon appeared 30 percent larger than a normal one.

2. May and June are the hottest months of the year in Singapore and Singaporeans will have to wait until late September to enjoy cooler weather. The weather forecast said that temperatures for the past week reached as high as 34°C last Saturday, and are expected to range between 30 and 33°C this weekend. Last month, temperatures climbed up to as high as 34.9°C on April 28, well over last year's record. The highest temperature this year was 36.2°C.

Q: Which of the following is correct according to the passage?

(a) The hot weather will continue after late September.

(b) Last year's highest temperature was higher than that of this year.

(c) May and June are usually the hottest months of the year worldwide.

(d) During the next few weeks people in Singapore will experience hot weather.

정답
P.13

3. Section A shows you data on the production, supply, and distribution of agricultural commodities. All the data is sourced from the United States Department of Agriculture. It is usually updated once a month. The data is classified by commodity, country, and variable. A supply and distribution/use table is a typical method of accounting for the total supply of a commodity. Supply and use tables are almost always on the basis of the marketing year for the commodity because that is the period in which the supply and use will balance.

Q: Which of the following is correct about section A according to the passage?

(a) It contains data about agricultural and engineering variables.
(b) Its database derives from that provided by a government institution.
(c) Its information is updated about every other month.
(d) Its supply and use tables are based on the calendar year.

4. Oil Information System (OIS) is famous for its comprehensive sources for petroleum pricing and news information. Its staff includes more than 60 information specialists, including the most seasoned editors in the business, combining over 150 years of industry experience. They cover the market and report breaking news stories as well as provide keen analysis on what the trends imply and how they could affect prices and purchasing decisions. Our clients work in various sectors like the leading oil companies, hundreds of distributors, government agencies and commercial buyers.

Q: Which of the following is correct about OIS according to the passage?

(a) It features news and analysis for government and industry.
(b) It covers only petroleum pricing and news information.
(c) It has provided news about petroleum for 100 years.
(d) Its customers are limited to the private sector.

Unit

05 추론하기

TEPS 독해의 다섯 번째 유형은 추론할 수 있는 것을 고르는 문제로, 33번부터 37번까지 총 5문제입니다. 모든 선택지의 내용을 정확히 판단하면서도, 간접적으로 드러나는 추론 가능한 내용들도 답으로 골라낼 수 있어야 한다는 점에서 난이도가 높습니다.

핵심	세부적인 내용들을 모두 파악해야 하므로 독해의 정확성과 패러프레이징 능력이 관건이다. 직접적, 명시적으로 드러나지 않았더라도 내용상 추론해 낼 수 있는 내용이면 답이 될 수 있는 부분에 대한 연습이 필요하다.
함정	① 추론 문제는 세부 사항 문제와 같이 시간이 더 걸린다는 점을 미리 생각하여, 다른 유형을 풀 때 미리 시간을 단축해 풀어서 이 유형을 풀 시간을 마련해 놓는다. ② 정답의 유형과 오답의 유형에 대한 충분한 이해가 있어야 한다. ③ 추론하여 답이 될 수 있는 범위들에 대한 이해가 있어야 한다.

예문 Read the passage and the question. Then choose the option that best answers the question.

Researchers are still estimating the effects of the 180 million gallons of oil that flooded into the Gulf after the explosion of BP's oil rig. In the following months, wildlife managers, rescue teams, scientists and researchers observed lots of immediate effects on wildlife. More than 7,000 birds, sea turtles, and marine species were found injured or dead in the six months after the spill. But the long-term damage that would be caused by the oil spill may not be exactly known for the next few years. And it will take even longer to understand the long term impacts.

Q What can be inferred from the passage?

(a) BP intentionally blew up the oil rig without regard to the environment.
(b) There are about 7,000 kinds of birds, sea turtles, and marine species in the Gulf.
(c) The short-term effects of the oil spill remain to be seen.
(d) Researchers will continue to examine the impact of the oil spill.

해석 연구자들은 비피 사의 석유 굴착 장치의 폭발 후에 걸프 지역에 흘러들어 간 1억 8천만 갤런의 석유의 영향에 대해 아직 평가하고 있다. 몇 달 후에 야생동물 돌봄이, 구조원, 과학자들과 연구자들은 야생에 미친 많은 즉각적인 영향들을 관찰했다. 7천 마리 이상의 새와 바다거북, 해양 동물들이 유출 이후 6개월 만에 다치거나 죽은 채로 발견되었다. 그러나 석유에 의한 장기적인 영향은 몇 년이 지나도 정확히 나타나지 않을 수가 있다. 석유 재앙의 장기적인 영향을 이해하는 데에는 훨씬 더 긴 시간이 걸릴 것이다.

(a) 비피 사는 환경을 고려하지 않고 고의적으로 석유 굴착 장치를 폭발시켰다.
(b) 걸프 지역에는 7천 종 정도의 새, 바다거북, 해양 동물들이 있다.
(c) 석유 유출이 미치는 단기적 영향은 아직 두고 보아야 한다.
(d) 연구자들은 석유 유출의 영향을 계속해서 조사할 것이다.

해설 연구자들이 석유의 단기적 영향을 목격했고 영향에 대해 여전히 평가 중이라고 했으므로 석유의 바로 나타나지 않는 장기적인 영향을 알아보기 위해 작업할 것이라는 내용을 추론해 낼 수 있다. 석유 굴착 장치 폭발이 고의적이었는지는 언급되지 않았고, 7천 마리 이상의 새와 바다거북, 해상 동물들이 다치거나 죽었다고 했지 그만큼만 산다는 것은 아니다. 또한 글의 마지막에 석유의 단기적 효과가 아니라 장기적 효과를 아직 두고 보아야 한다고 마무리하고 있다.

정답 (d)

문제 풀이 전략

전략 1 ▸ **오답으로 잘 나오는 부분을 중심으로 밑줄을 긋는다.**

전략 2 ▸ **지문을 읽어 내려 가며 선택지의 내용과 비교한다.**

전략 3 ▸ **틀린 내용이라고 확신이 들면 하나씩 소거해 간다.**

전략 4 ▸ **정답은 반드시 지문 내용과 연관 지어 본다. 언급 안 된 오답을 답으로 하지 않도록 주의한다.**

Unit 4의 세부 내용 찾기와 전략은 비슷하다고 볼 수 있습니다. 하지만 추론 문제에서는 직접 증거가 아닌 간접 증거가 있을 수 있습니다.

As part of the initial screening process, we would like you to come to our office on January 25 at 2 p.m. for testing and a preliminary interview.

사전 선별 작업으로서, 1월 25일 2시에 오셔서 시험 및 사전 면접에 응해 주시기를 부탁드립니다.

추론 The writer has never met the receiver of the letter.
편지를 쓴 사람은 편지를 받는 사람을 만나본 적이 없다.

사전 심사를 위해 처음으로 회사에 오게 되는 것이므로 편지를 보내는 사람(직원)과 이 회사의 지원자인 수신자는 간접 증거를 통해 아직 안 만나 본 사이임을 알 수 있습니다.

다음 예시 문제를 보면서 추론 문제 **정답**의 유형을 알아보자.

Nayan and Bubu had already lived in an orphanage when the 6.8 magnitude earthquake hit Haiti in 2010. A few buildings collapsed in the compound and injured some children but none were killed. The two young men see themselves as the lucky ones. Although three years have passed, many people in Haiti still live in tents, or in worse cases, without any shelter at all. There is little food or clean water to drink or wash with. But Nayan and Bubu had been safe within the high walls of the orphanage. There they were loved and well taken care of by their surrogate family.

해석 나얀과 부부는 강도 6.8의 지진이 2010년 아이티를 덮쳤을 때 이미 고아원에서 살고 있었다. 구내의 몇몇 건물이 쓰러지고, 몇 명의 아이들이 다치긴 했지만 아무도 사망하지 않았다. 두 청년은 자신들이 행운아라고 여긴다. 3년의 시간이 지났지만 아이티의 많은 사람들은 아직도 텐트에서 살거나 더 심한 경우에는 주거지도 없이 지내고 있다. 음식이나 마시고 씻을 물도 거의 없다. 그러나 나얀과 부부는 고아원의 높은 벽 안에서 안전하게 지내 왔다. 그곳에서 그들은 위탁 가정에게 사랑과 보살핌을 받고 있다.

Step 1 ▸ **주제가 정답이 된 경우**

추론 문제의 경우라 할지라도 정답을 고르고 보면 결국은 주제를 담고 있는 경우도 종종 있다. 이 경우 지문의 내용이 통념에 반대되는 주제인 경우가 많다.

Nayan and Bubu felt secured despite the disaster. ‖ 나얀과 부부는 재앙에도 안전하다고 느꼈다.

Step 2 ▸ **세부 내용이 패러프레이징되어 정답이 된 경우**

문제는 추론할 수 있는 것을 묻고 있으나, 실질적으로 답은 간접적으로 추론해야 낼 수 있는 것이 아닌 직접적인 근거를 패러프레이즈한 것인 경우도 있다.

Even three years after the earthquake, the damage from it wasn't wholly restored. ‖ 아직도 텐트에 살고 있는 사람들이 있고 물도 부족하므로, 피해에서 완전히 복구되지 않았다고 바꿔 표현할 수 있다.

Step 3 ▸ **숨겨진 정보를 추론해 정답이 된 경우**

진정한 추론의 결과가 정답이 되는 경우다. 주어진 지문의 내용을 통해서 간접적으로 이끌어 낼 수 있는 숨겨진 정보가 정답이다. 이 경우 지문을 통해 이끌어 낼 수 있는 결론이어야지, 자의적으로 해석한 답을 골라도 된다는 것은 아니다.

Nayan had not been living with his parents when the earthquake occurred. ‖ 지진 발생 당시 고아원에 있었다는 것으로, 부모님과 살고 있지 않았다는 것을 추론해 낼 수 있다.

다음 예시 문제를 보면서 추론 문제 **오답**의 유형을 알아보자.

Nayan and Bubu had already lived in an orphanage when the 6.8 magnitude earthquake hit Haiti in 2010. A few buildings collapsed in the compound and injured some children but none were killed. The two young men see themselves as the lucky ones. Although three years have passed, many people in Haiti still live in tents, or in worse cases, without any shelter at all. There is little food or clean water to drink or wash with. But Nayan and Bubu had been safe within the high walls of the orphanage. There they were loved and well taken care of by their surrogate family.

Step 1 ▸ **자의적인 해석**

간접적 추론이 불가능한 선택지를 자의적으로 "그렇지 않을까?"라고 해석하며 답으로 고르는 경우이다. 이러한 오답을 막기 위해서는 문제를 푼 후 반드시 왜 오답이 되는지를 점검하고 넘어가야 한다.

Nayan and Bubu had felt lonely before the earthquake. ‖ 그들이 지진 전 외로웠는지 어땠는지 감정을 추론할 근거는 없다.

Step 2 ▸ **세부 내용이 패러프레이징된 경우**

언급되거나 추론할 수 있는 내용을 선택지에 표현했으나 전후 관계나 인과 관계가 반대인 오답이 출제되는 경우도 흔하다.

Nayan and Bubu got to live in an orphanage when the earthquake occurred.

‖ 그들은 지진이 나서 고아원에 살게 된 것이 아니라, 지진 발생 전에 이미 고아원에서 살고 있었다.

Step 3 ▸ **언급이 안 된 경우**

언급이 안 된 오답의 경우 내용 자체만을 놓고 보면 상당히 매력적인 경우가 대부분이다. 그러나 직, 간접적 근거가 구체적으로 존재하지 않는 경우라면 아무리 매력적인 내용이라 할지라도 절대로 답이 될 수 없다.

There had been many orphanages across Haiti when the earthquake occurred.

‖ 지진 발생 전에 아이티의 이곳저곳에 고아원들이 있었는지에 대해서는 아예 언급이 없으므로 답이 될 수 없다.

Practice Test

1. British authorities suspect Japanese organized criminals to be behind the circulation of thousands of fake tickets to a museum. The museum was alerted to the fake tickets in September when a staff member got suspicious of a ticket handed over by a Japanese tour guide. English customs officers have seized more than 4,000 forged tickets in a parcel from Japan. However, officials are wary of commenting publicly for fear of causing embarrassment. The tickets are valid for a year. Therefore, for now, there's no telling how many are in circulation and there's no way as yet of calculating the cost of this scam to the museum.

Q: What can be inferred from the passage?

(a) Britain doesn't want to come into conflict with Japan diplomatically.
(b) The loss from the counterfeit tickets has been overestimated.
(c) The museum seized a total of 4,000 fake tickets from Japanese tourists.
(d) The forged tickets don't specify the term during which they're valid.

2. A powerful typhoon hit Taiwan on Monday, dumping heavy rains and flooding parts of Taipei, where about 300,000 people were ordered to evacuate to shelters. The typhoon was packing wind speeds of 158 kilometres per hour with an unprecedented amount of rainfall and was headed shortly toward Tainan. Besides those who sought shelter in Taipei, hundreds of thousands of others were also ordered to evacuate in western Taiwan. About 82,000 houses were without electricity in western and central Taiwan.

Q: What can be inferred from the passage?

(a) The storm had sweep Tainan overnight with wind speeds over 150 km per hour.
(b) Because of this storm, about 80,000 people had to evacuate in Taiwan.
(c) Taiwan had prepared shelters in case of flood before this typhoon.
(d) The typhoon was so strong that it was the most powerful this year.

3. These days people tend to put value on the number of friends or followers online. But just remember that the life which we live online isn't usually a clear indicator of reality. In fact, we don't generally update when we're feeling lonely or upset. You can feel lonely when you look at others' photos online. So many people just focus on documenting what a good time they're having. But think of the great times you've had. Were you stopping repeatedly to take photos and update them online? No, you were just enjoying yourself.

Q: What can be inferred from the passage?

(a) The more friends you have online, the more happy you feel.
(b) People always enjoy looking at friends' pictures showing their great time.
(c) An excessive number of friends online only indicate you have no real ones.
(d) People are likely to show online only positive experiences.

4. For several decades, strawberry growers in the U.S. put the chemical pesticide into the soil to remove insects and encouraged the growth of the strawberry plants. But the chemical was found to be harmful and would be phased out by an international pact, since the Earth's ozone layer is thought to be thinning due to its use. Now, the U.S. regulators have enacted stricter rules to protect people from this pesticide that traditional berry growers use to help their plants grow better. The rules are leading the strawberry industry toward developing safer alternatives to chemical pesticides.

Q: What can be inferred from the passage?

(a) There is international pressure to stop using this chemical pesticide.
(b) The traditional way to grow strawberry was more environmentally friendly.
(c) Chemical pesticides are not used anymore by US farmers.
(d) U.S citizens forced regulators to enact a law to ban chemical pesticide.

Unit 06 어울리지 않는 문장 찾기

TEPS 독해의 마지막 유형으로, 38번부터 40번까지 총 3문제입니다. 지문의 첫 문장은 주어지는 문장이고, 두 번째 문장부터 마지막 문장까지 4개의 선택지 중에서 글의 흐름과 관련이 없는 것을 골라야 합니다.

핵심	① 첫 문장에 반드시 주제가 나오는 것은 아니지만 글의 소재는 등장하게 되어 있다. 따라서 소재 파악 후 어떠한 방식으로 풀어나가는지, 혹은 소재의 어떠한 면을 다루고 있는지를 정확히 파악한다. ② 선택지들 중에 소재 자체가 달라지거나 내용 전개 방향이 달라진 문장을 정답으로 파악한다. 소재가 달라지는 경우보다는 내용 전개 방향이 달라지는 경우가 자주 출제된다.
함정	앞 문장에 언급된 개념을 그대로 연결해서 마치 흐름이 자연스러운 것처럼 위장한다.

예문 Read the passage. Then identify the option that does NOT belong.

The Humanities Department offers classes and programs that are basic to an undergraduate liberal arts education. (a) The department focuses on qualities like communication skills, critical thinking, and understanding the history and cultures of our world. (b) We offer many essential classes and operate our own degree programs in English, History, Philosophy, Linguistics and Foreign Languages. (c) Especially Foreign Languages are critical for you, young students, living in today's globalized world. (d) Students can sign up for courses not only in your their major but also in philosophy, linguistics, and creative writing.

해석 인문학부는 학부생들의 교양 과목에 대한 기초적인 수업과 과정들을 제공합니다. (a) 인문학부는 의사소통 방식과 비판적인 사고, 그리고 우리 세계의 역사와 문화에 대한 이해와 같은 부분들을 강조합니다. (b) 우리는 영어, 역사, 철학, 언어학, 외국어 분야에서 핵심 과목들을 제공하며, 자체적인 학위 과정을 운영합니다. (c) 특히 외국어는 오늘날 세계화된 세상에 사는 젊은이들인 여러분에게 필수입니다. (d) 여러분은 자신의 전공 분야뿐만 아니라, 철학, 언어학, 창의적 글쓰기 같은 분야의 수업도 수강할 수 있습니다.

해설 첫 문장에서 인문학부가 어떤 수업을 제공하는지에 대한 이야기를 하고 있다. (a)는 인문학부 강의의 초점, (b)는 인문학부의 강의 및 과정이 이어진다. (c)는 외국어의 중요성에 대해 이야기하고 있는데, 인문학부라는 글 전체의 흐름과 맞지 않다. (d)는 인문학부에서 수강할 수 있는 과목에 대해 소개하여, 글의 흐름에 맞다.

정답 (c)

문제 풀이 전략

전략 1 ▸ 첫 문장을 읽으면서 글의 소재와 주제를 파악한다.

전략 2 ▸ 두 번째 문장 이후를 보면서 이후의 문장들에서 공통적으로 소재를 어떠한 방향으로 다루는지 파악한다.

전략 3 ▸ 글 전체 소재나 방향이 다른 내용을 찾아 정답으로 파악한다.

전략 4 ▸ 정답 문장을 제외하고 그 앞뒤 문장을 연결해 본다. 논리적 전개나 지시어, 연결어가 완벽하게 연결이 되는지를 확인하여 답을 검증한다. 이런 검증은 정답 선택 후에 반드시 해야 한다.

★ 소재가 바뀌는 경우

글의 주제 – 단백질은 우리 몸에 꼭 필요하다.

어울리지 않는 문장 – 탄수화물도 우리 몸에서 중요한 역할을 한다.

★ 내용의 전개 방향이 바뀌는 경우

글의 주제 – 나무를 심을 때의 주의사항

어울리지 않는 문장 – 나무를 심으면 미학적 측면 외에도 에너지 절감 효과가 있다.

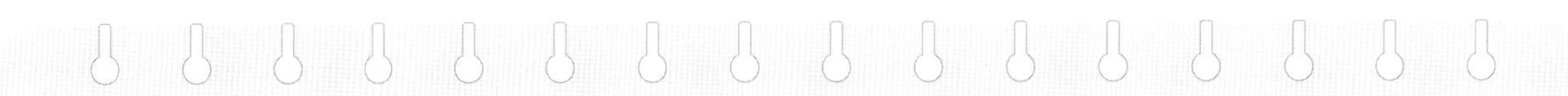

다음 예시 문제를 보면서 문제 풀이 전략을 적용해 보자.

1. Known all over the world, the works of William Shakespeare have been performed in countless places for more than 350 years. (a) However, the private history of William Shakespeare has remained somewhat a mystery. (b) Even so, Shakespeare's works have been considered the best English writings ever. (c) Researchers examine two main sources for a basic outline of his life. (d) One is his works—the plays, poems and sonnets—and the other is official documentation such as church and court records.

해석 전 세계에 알려져 있는 윌리엄 셰익스피어의 작품들은 350년 이상을 셀 수 없이 많은 곳에서 공연되어 왔다. (a) 그러나 윌리엄 셰익스피어의 사적인 역사는 어느 정도 미스테리로 남아 있다. (b) 그럼에도 불구하고, 셰익스피어의 작품은 영국 최고의 작품으로 여겨진다. (c) 연구자들은 그의 인생에 대한 기본적인 개관을 위하여 두 가지 주요 출처를 연구한다. (d) 한 가지는 희곡, 시, 소넷 등 그의 작품이고, 나머지 하나는 교회나 법정 기록 같은 공식 문서이다.

주제 윌리엄 셰익스피어의 개인적 삶에 대한 증거

정답 (b) 셰익스피어 작품에 대한 평가 → 내용 전개의 변화

두 번째 문장에서 역접 혹은 내용 전환이 되는 경우 내용 전개의 흐름이 첫 문장과 달라질 가능성이 높기 때문에 이후에 이어지는 내용이 첫 문장과 연관되는지, (a) 문장과 연관되는지를 정확히 따지면서 풀어야 한다.

2. Sometime around 380 B.C. Plato established a school of learning, known as the Academy, which he presided over until his death. (a) It is thought the school was at a park named for a fabled Athenian hero. (b) The Academy remained open until about 530 A.D., when it was closed by a Roman emperor who was worried that it was a threat to Christianity. (c) Throughout its years of operation, the Academy's curriculum included astronomy, biology, mathematics, political theory and philosophy. (d) At that time, philosophy was considered the most important subject.

해석 기원전 380년경에 플라톤은 아카데미라고 알려진 배움의 학교를 설립하여, 죽을 때까지 운영하였다. (a) 그 학교는 전설적 아테네 영웅의 이름을 딴 공원에 위치해 있었다고 한다. (b) 그 아카데미는 530년까지 운영되었는데, 그것이 기독교에 위협이 될 것이라고 걱정한 로마의 황제에 의해 폐쇄되었다. (c) 학교를 운영하는 내내, 아카데미의 교과 과정들은 천문학과 생물학, 수학, 정치 이론, 철학이 있었다. (d) 그 당시에는 철학이 가장 중요한 과목으로 여겨졌다.

주제 플라톤이 세운 교육 기관인 아카데미

정답 (d) 철학의 중요성 → 소재의 변화

3. Cell division is a process whereby a cell divides into two or more cells. (a) It is critical for the reproduction of creatures that reproduce asexually. (b) Sexually reproducing organisms form gametes through cell division. (c) The malfunction of a protein can bring about problema during cell division (d) Cell division is also the source of tissue growth and repair in multicellular organisms.

해석 세포 분열은 세포가 두 개 이상의 세포로 나누어지는 과정이다. (a) 세포 분열은 무성 생식을 하는 생명체들에 있어서는 번식의 방법으로서 중요하다. (b) 유성 생식을 하는 유기체들은 세포 분열을 통해 생식 세포를 만든다. (c) 단백질의 오작동이 세포 분열에 문제를 일으킬 수 있다. (d) 세포 분열은 또한 다세포 생물에 있어서 조직 성장과 회복의 원천이기도 하다.

주제 세포 분열의 중요성과 의미

정답 (c) 세포 분열이 잘못되는 이유 → 주제의 변화

Practice Test

정답
P.16

1. Physicists use the term inertia to explain the tendency of an object to resist a change in its motion. (a) This concept of inertia was not come upon by Newton for the first time. (b) An object at rest will stay at rest, forever, as long as nothing pushes or pulls on it. (c) An object in motion will stay in motion, moving along a straight line, forever, until something pushes or pulls on it. (d) For example, when a car hits a wall, the person inside the car keeps moving in a straight line and at a constant speed until an external force is encountered.

2. A woman was charged in a human trafficking case. (a) Nunya, 34, was arrested after she fled the home where she was forced to work 15-hour days for $200 a month after being contractually guaranteed $1,500 a month. (b) The Kenyan maid moved to Kenya at the age of 28 to work in order to support her family living in the U.S. (c) The 34-year-old maid claimed that her employers took away her passport after arriving in the U.S. (d) Five Filipina women also worked in the home where they were also forced to work long time for low pay.

3. A whistleblower generally needs not risk reprisal or jeopardize his or her career to expose illegal action or misconduct. (a) A whistleblower can anonymously provide the necessary information or documents regarding fraudulent or wasteful activities in government or business. (b) This allows the whistleblower to expose the wrongdoing, without the risk of his/her being attacked. (c) In the past we have worked with those who stay anonymous as whistleblowers. (d) So if you notice an unfair situation, please provide us with the evidence even if you withhold your identity.

3. TEPS 주제별 필수 어휘

TEPS 독해 지문

TEPS 독해의 지문은 다양한 분야의 폭넓은 소재를 다루기 때문에 다른 공인 영어 시험에 비해 어휘의 수준이 높은 편입니다. 낯선 과학 용어나 정치 용어가 자주 등장하기도 하는데, 단어를 문맥에서 유추하기에는 제한된 시간의 압박이 큽니다. 평소에 어휘력을 쌓은 사람과 아닌 사람의 차이가 현격히 드러나는 부분입니다. 독해가 빨리 되지 않는다면 자신의 어휘력과 어휘 학습을 체크해 볼 필요가 있습니다.

어휘를 안다는 것?

어휘를 학습한다는 것은 간단해 보이면서도 꽤 번거로운 일입니다. 암기한다고 생각하면 언뜻 귀찮은 일이지만 시간만 투자하면 됩니다. 하지만 어휘는 반복해서 노출되지 않으면 우리 머릿속에 오래 남아 있기 힘듭니다. 지금 한순간 암기했다고 해서 시험을 보는 중에 떠오르기란 어렵습니다. 단순 암기만으로는 어휘를 제대로 안다고 볼 수 없습니다.

어휘 학습

TEPS 독해 문제를 풀고, 모르는 단어는 반드시 체크하여 따로 정리해 두도록 합니다. 그리고 언제든 들여다보면서 시간이 걸리는 일이지만 끈기를 갖고 다양한 방법으로 익혀야 합니다. 사전의 용례를 찾아본다든가, 인터넷에서 단어가 쓰인 문장을 검색해 볼 수도 있습니다. 문제마다 정리해 놓았던 어휘들을 주제별로 분류해 보는 것도 암기의 방법입니다. 주제별로 어휘를 모아 보면 유사한 단어와 자주 나오는 단어를 한눈에 알아볼 수 있을 것입니다.

Unit

01 실용문

A. 환경 · 날씨

- □ adverse 불리한, (날씨가) 좋지 않은
- □ atmosphere 대기
- □ devastate (국토 등을) 황폐화하다, 유린하다
- □ disaster 재해, 참사
- □ disastrous 재해의, 비참한
- □ dormant 휴지의
- □ downpour 폭우, 호우
- □ drizzle 이슬비, 보슬비
- □ drought 가뭄
- □ earthquake 지진
- □ ecology 생태학
- □ ecosystem 생태계
- □ emission 방사, 방출물
- □ erupt (화산 등이) 폭발[분화]하다
- □ evacuate (위험으로부터) 대피[피난]시키다, (집 등을) 비우다
- □ flood 홍수, 범람, 쇄도, 침수하다
- □ fog 짙은 안개
- □ food shortage 식량 부족
- □ forecast (날씨를) 예보하다, 예상
- □ global warming 지구 온난화
- □ gust 돌풍, 갑자기 부는 바람
- □ habitat 서식지
- □ hail 우박, 우박이 내리다
- □ hemisphere 반구
- □ herb 풀, 향료 식물
- □ high pressure 고기압
- □ humid 습기가 많은
- □ inclement (날씨가) 매우 좋지 않은
- □ inland 내륙, 내륙의(으로)
- □ latitude 위도
- □ lightning 번개
- □ low pressure 저기압
- □ mammal 포유류
- □ mist 안개
- □ moist (적당히) 습기가 있는, 촉촉한
- □ pest 해충
- □ phenomenon 현상
- □ precipitation 강설, 강수(량)
- □ pressure 기압, 압력, 압박
- □ rainfall 강우(량)
- □ rainstorm 폭풍우
- □ reptile 파충류
- □ scorching 몹시 더운
- □ seismic 지진의, 지진에 의한
- □ severe (자연 현상 등이) 심한, 맹렬한, 엄격한
- □ sleet 진눈깨비
- □ slippery 미끄러운
- □ soak 적시다, 젖다, 스며들다, 담금
- □ species (생물 분류상의) 종
- □ strait 해협
- □ surge 큰 파도, (감정의) 격동, (파도처럼) 밀려오다, 쇄도하다, (감정이) 끓어오르다
- □ surround 둘러싸다
- □ swamp 늪, 습지, (물에) 잠기게 하다, 압도하다
- □ sweltering 무더운
- □ temperature 온도
- □ terrain 지대, 지역, 지형
- □ turbulence 난기류, 동요, 소란
- □ vapor 증기, 수증기
- □ victim 희생자, 피해자
- □ volcanic 화산의, 화산 작용에 의한
- □ weed 잡초, 잡초를 뽑다
- □ wilderness (사막과 같은) 황야, 황무지
- □ wildlife 야생 동물[생물]
- □ windy 바람이 많이 부는
- □ wreck (열차 · 자동차 등의) 충돌, 파괴, 난파(선의 잔해)

B. 교통 · 통신

- □ aboard (배 · 열차 · 버스 · 비행기 등을) 타고 있는
- □ accelerate 가속화하다
- □ accident 사고
- □ air freight 항공 화물
- □ aircraft (모든 종류의) 항공기
- □ airline 항공사
- □ atmosphere 대기, 분위기
- □ atmospheric pressure 기압
- □ avalanche 눈사태
- □ aviation 비행(술)
- □ be stuck[caught] in traffic 교통 체증으로 꼼짝 못하다
- □ blast 돌풍, 폭발
- □ board (배 · 비행기 등에) 탑승하다, 승선하다
- □ breeze 미풍, 산들바람
- □ bumper-to-bumper 자동차가 꼬리를 문
- □ bypass (자동차용) 우회로
- □ calamity 큰 재난, 불행
- □ canal 운하
- □ carrier 나르는 사람[것], 운송업자(회사)
- □ casualty 사상자 수, 부상자 수
- □ catastrophe 대참사, 재앙
- □ charter (자동차 · 비행기 · 선박 등의) 전세, 전세 내다, 특허를 주다
- □ chilly 쌀쌀한, 으슬으슬한
- □ collide 충돌하다, (의견이) 상반되다
- □ commute 통근하다
- □ congest 혼잡하게 하다
- □ conservation (자연) 보호, 보존
- □ convey 운반하다, 나르다
- □ crash 충돌(사고), (비행기의) 추락, 충돌하다
- □ crosswalk 횡단보도
- □ damp 습기가 있는, 축축한
- □ delay 지체하다, 지연
- □ depart (열차 등이) 출발하다, 떠나다
- □ departure 출발
- □ detour 우회로
- □ direct 길을 가르쳐 주다
- □ directory 전화번호부, 주소록
- □ express (기차 · 버스 등의) 급행, (우편의) 속달
- □ fare 교통 요금, 운임
- □ flat tire 펑크 난 타이어
- □ freight 화물
- □ gas station 주유소
- □ give a ride 태워 주다
- □ give somebody a lift ~을 태워주다
- □ head-on collision 정면충돌
- □ heavy traffic 극심한 교통(량)
- □ jaywalk (도로를) 무단횡단하다
- □ jostle 부딪히다, 떠밀다
- □ off-road (차가) 일반 도로 밖에서 사용되도록 만들어진
- □ one-way (street) 일방통행로
- □ out of order 고장 난
- □ pedestrian 보행자
- □ pickup (사람을) 태우러 감, (물건을) 가지러 감
- □ public transportation 공공 교통수단
- □ put through to (전화를) ~로 연결하다
- □ refuel 연료를 재보급하다
- □ rescue 구조하다, 구출
- □ route 경로, 길
- □ run over (차가 사람을) 치다
- □ run 운행하다
- □ rush 서두르다
- □ ship (배로) 운반하다, 수송하다
- □ shipment 선적(화물), 적재, 발송
- □ shortcut 지름길, 최단 노선
- □ sidewalk 보도
- □ steer (배 · 자동차 등을) 조종하다
- □ take-off 이륙, 출발
- □ taxi stand 택시 승차장
- □ timetable (비행기 · 열차 등의) 시간표

□ toll (다리 · 유료 도로의) 통행세, 장거리 전화 요금
□ traffic congestion 교통 체증
□ transfer 갈아타다, 환승하다, 환승
□ transit (사람 · 화물의) 운송, 통과, 환승
□ transportation 운송, 교통(수송)기관
□ underpass (철도 · 도로 밑을 지나는) 지하도
□ vehicle 운송 수단, 탈것, (전달의) 수단, 매체
□ vessel (대형) 배, 선박

C. 직장 · 주거 · 생활

□ adjust 조정하다, 적응하다
□ allocate 할당하다
□ alternative 대안
□ amend 변경하다
□ anticipate 예상하다
□ apply for ~에 지원하다
□ appropriate 적당한, 어울리는
□ assemble 조립하다
□ avail 쓸모가 있다
□ available 이용 가능한, (사람이) 시간이 나는
□ back somebody up ~을 지지하다, 도와주다
□ barring ~이 없다면
□ basement 지하층
□ call it a day 마무리하다
□ career 경력
□ ceremony 행사
□ chore 늘 하는 일, 잡무
□ compendium 요약, 개요
□ comprise 구성되다
□ confront 대항하다, 맞서다
□ connoisseur (예술품 · 음식 등의) 감정가
□ consistent 일관된
□ convene (모임을) 소집하다
□ deadline 마감 기한
□ detached 거리가 있는
□ detractor 헐뜯는 사람
□ drop the ball 실수로 망치다
□ employ 고용하다, 사용하다
□ encourage 격려[장려]하다
□ enhance 높이다, 강화하다
□ equip with ~을 갖추게 하다
□ evict (집 · 땅에서) 쫓아내다
□ executive 관리의, 경영의, 집행의
□ extension 구내전화
□ feasible 가능한
□ fill in ~을 대신하다
□ finesse (교묘하게) 처리하다, 수완
□ flexible 유연성[융통성] 있는
□ flounder 허우적거리다, 힘들어하다
□ grueling 힘이 드는
□ gut 용기
□ handle 처리하다
□ hectic 바쁜
□ impeccable 완벽한
□ install (기기 등을) 설치하다, 임명하다
□ interfere with ~을 방해[간섭]하다
□ iron out 해결하다
□ juggle (두 가지 일을) 병행하다
□ jump (비용이) 뛰다, 증가하다
□ keep it under one's hat 비밀로 하다
□ land (직업을) 얻다, (계약을) 획득하다
□ lingered 남아 있다, 머물다
□ lingo (특정 집단에서 사용하는) 용어
□ maintain 유지하다, 정비하다
□ maintenance 유지, 보수
□ manage 경영[관리]하다, 겨우 해내다 (to)
□ manifold 잡다한, 동시에 여러 일을 하는
□ maternity leave 출산 휴가
□ meet 마주치다
□ mourn (죽음을) 애도하다
□ notice 통지, 통보, 알아차리다
□ office supplies 사무용품

- □ operate 작동하다, 운영하다
- □ oppose 반대하다
- □ opulent 부유한, 호사스러운
- □ outfitted 갖춘
- □ permanent job 정규직
- □ perseverance 인내
- □ potential 가능성이 있는, 잠재적인
- □ premonition 예감
- □ promote 승진하다
- □ put off 연기하다
- □ qualms 양심의 가책
- □ quibbling 트집 잡는
- □ remiss (의무 등에) 태만한
- □ remote 원격의, (가능성이) 희박한
- □ represent 상징하다
- □ reprimand 질책하다
- □ residence 주택
- □ resident 거주하고 있는, 거주자
- □ resolve 해결하다
- □ retire 은퇴하다
- □ reward (행동 등에) 보상하다
- □ run a risk 위험을 무릅쓰다
- □ safety concerns 안전상의 걱정
- □ seize 붙잡다
- □ selected group 선별 그룹
- □ share 분배하다, 나누다
- □ skeptical 회의적인
- □ spare (과정을) 모면하게 하다
- □ spawn (결과를) 낳다
- □ speculation 추측
- □ speed up the process (일의) 속도를 높여 주다
- □ spendthrift 돈을 헤프게 쓰는 사람
- □ step down 물러나다
- □ stock 재고
- □ strenuous 힘든
- □ stuff 끼워 넣다
- □ subordinate 부하, 하급자
- □ suggested 제안하다
- □ sustain 지탱하다
- □ sweep (바닥을) 쓸다
- □ swindle 사기 치다
- □ time to spare (낼 수 있는) 시간
- □ transfer 이동하다, 전근(자)
- □ underscore ~을 강조하다
- □ urbane 도시풍의
- □ vacant (집이) 비어 있는
- □ vague 모호한
- □ waver 망설이다, 흔들리다

D. 여행 · 여가 · 모임

- □ accommodate 숙박을 제공하다, 수용하다, 편의를 도모하다
- □ accommodations 숙박 설비
- □ admission 입국 (허가), 입장, 입장료
- □ aisle (비행기 · 열차 · 극장 등의 좌석 사이의) 통로
- □ alter 변경하다
- □ arrange 계획을 짜다, 배열하다, 정돈하다
- □ attendant 수행원, (호텔 · 주차장 등의) 안내원, 참석자
- □ attraction 명소
- □ baggage (트렁크 · 여행 가방 등의) 수화물
- □ baggage claim area 수화물 찾는 곳
- □ boarding gate 탑승구
- □ boarding pass (비행기의) 탑승권
- □ cancel 취소하다
- □ capacity (방 · 극장 등의) 수용 능력
- □ carry-on baggage 기내 휴대 수화물
- □ checkout (호텔에서) 계산하고 나오는 절차
- □ company 동반, 같이 감
- □ complimentary service 기내 무료 서비스
- □ confirm 확인하다
- □ custom 세관, 관세
- □ customs duties 관세

- □ customs inspection 세관 검사
- □ customs office 세관
- □ draw visitors (방문객들을) 끌다
- □ drop a line 연락하다
- □ exceed the duty-free allowance 면세품 제한 기준을 넘다
- □ excursion (짧은) 여행, 소풍
- □ expire (여권 등이) 만료되다
- □ fasten 묶다, 죄다, 잠그다
- □ final destination 최종 목적지
- □ flight check-in 탑승자 수속
- □ flight 비행기, 항공편
- □ immigrant (외국으로부터의) 이민, 이주자
- □ immigration office 출입국 관리 사무소
- □ itinerary 여행 일정표
- □ jet lag (비행기 여행의) 시차에 의한 피로
- □ landmark 표시물, 유적지
- □ landscape (한눈에 보이는) 경치, 풍경
- □ mingle with (~와) 어울리다
- □ nationality 국적, 국민성
- □ out of the blue 갑작스럽게
- □ outlook (특정 장소에서 보았을 때의) 전망, 경치, (장래의) 전망
- □ reception 환영 연회, (호텔 등의) 접수처
- □ renewal 갱신, 재개
- □ reservation (호텔 · 교통편 등의) 예약
- □ respite 휴식 (기간)
- □ rural area 시골 (지역)
- □ scenery 풍경
- □ scenic 경치가 좋은
- □ security area 보안 구역
- □ set an exact time (정확한 시간을) 정하다
- □ sightseeing 관광
- □ souvenir 기념품
- □ sparsely 드문드문
- □ spend (돈 · 시간을) 쓰다
- □ split the bill (비용을) 각자 부담하다
- □ switch to ~로 갈아타다
- □ thrilled 흥분해 있는
- □ throw a party 파티를 열다
- □ tongue-in-cheek 놀림조의, 비꼬는
- □ tour 안내하다
- □ unoccupied (좌석이) 빈
- □ vacancies 빈방
- □ via ~을 경유하여
- □ via air mail 항공 우편으로
- □ youth hostel 유스호스텔

E. 쇼핑 · 패션

- □ acquisition 취득, 구매
- □ attire 옷차림, 의복
- □ bustle 부산하게 움직이다
- □ busy 붐비는
- □ clearance sale 창고 정리 세일
- □ coordinate 조화를 이루다
- □ costume 복장, 의상
- □ crowded 붐비는
- □ defective 결함이 있는
- □ delivery 배송
- □ exhausted 지친, 녹초가 된
- □ fabric 직물, 천
- □ fad 일시적인 유행
- □ fragrance 향기, 향수
- □ garment 의복 (한 점)
- □ hawking 팔러 다니는
- □ offer 제공하다
- □ old-fashioned 구식의, 유행에 뒤진
- □ outfit 구색 갖춘 옷 한 벌
- □ promote 판매를 촉진하다
- □ recede (머리가) 벗겨지다, 물러나다
- □ shabby (옷이) 낡은, 남루해진
- □ shrink (열 · 물 등에 천 등이) 줄어들다

- □ specifications 설명서, 명세서
- □ store policy 가게 규정
- □ stylish 유행의, 멋진
- □ trend 유행, 경향
- □ valuable (보석 · 귀금속 등의 값비싼) 귀중품
- □ vogue 유행
- □ wardrobe 옷장, (개인이 갖고 있는) 옷

F. 방송 · 광고 · 출판

- □ adjacent 가까운
- □ anchorperson (뉴스의) 종합 사회자
- □ announcement 공고, 발표
- □ article 기사, (계약의) 조항, 품목
- □ avid 열렬한
- □ be alleged that ~라고 주장[추정]하다
- □ be peppered with questions 질문 세례를 받다
- □ breaking news 긴급 뉴스 속보
- □ broadcast 방송하다, 방송, 방송 프로
- □ bulletin 뉴스 속보, 게시, 고시
- □ by leaps and bounds 급속히
- □ classified ad 항목별 광고
- □ classified 분류된, 기밀의
- □ comparable 견줄만한
- □ compile (책을) 편집하다, (자료를) 수집하다
- □ complimentary 공짜의, 무료의
- □ copyright 판권, 저작권
- □ detect 발견하다
- □ disclose 밝히다
- □ distinguished 유명한, 성공한
- □ edit 편집하다
- □ entice (고객 등을) 끌어들이다
- □ excerpt 발췌, 인용(구), 발췌(인용)하다
- □ expertise 전문 분야
- □ extract 발췌[추출]하다, 인용(구)
- □ feature 특집 기사, 특징, (사건 등을) 크게 다루다
- □ fervent 열성적인
- □ generous 후한
- □ high regard 높이 평가하다
- □ identification theft 신원 도용
- □ in-depth 심층의, 철저한
- □ journal (일간) 신문, 잡지, 일기
- □ journalist 보도 기자, 언론인
- □ manuscript 원고, 필사본
- □ newsstand 신문 · 잡지 판매대
- □ overview 개관, 개요
- □ periodical (일간지 이외의) 정기 간행물
- □ post (사이트에) 게시하다, 올리다
- □ press conference 기자회견
- □ press release 보도자료
- □ prominent 유명한
- □ proofread 교정을 보다
- □ publication 출판(물), 간행(물), 공표
- □ publisher 출판업자, 출판사
- □ quality 품질, 특성
- □ redeem (상품권 등을) 현금[상품]으로 바꾸다
- □ reference book 참고 도서
- □ release the news 뉴스를 발표하다
- □ reliable 믿을 수 있는
- □ revise 개정[수정]하다
- □ seasoned 노련한, 경험이 많은
- □ sheer 순전한, 섞인 것이 없는
- □ spoil 망치다
- □ subscribe 정기 구독하다
- □ translator 번역자, 통역자
- □ trigger (일을) 일으키다, 유발하다
- □ up-to-the-minute 최신 정보의
- □ viable 가능한, 성공할 수 있는
- □ voracious 열렬한

G. 음식

- □ additive 첨가물
- □ beverage (물 이외의) 음료
- □ bland 싱거운
- □ blend 혼합물, 섞다
- □ boil 끓이다, 삶다
- □ brew (커피 · 차 등을) 끓이다, (맥주 등을) 양조하다
- □ broil (불 · 석쇠에) 굽다
- □ crisp 바삭바삭한
- □ crush 으깨다, 빻다
- □ cuisine 요리, 조리법
- □ delicacy 맛있는 것, 진미
- □ devour 게걸스럽게 먹다
- □ diet 음식물, 규정식, 식이 요법
- □ distinct 뚜렷한
- □ drenched 흠뻑 젖은
- □ edible 식용의, 먹을 수 있는
- □ flavor 맛, 풍미, 조미료, 풍미를 더하다
- □ gourmet 미식가
- □ grain 곡물, 곡식
- □ grocery 식료품류, 잡화류, 식료품점
- □ gulp (음식 · 음료를) 꿀꺽 삼키다
- □ ingredient (요리의) 재료
- □ intake 섭취량, 흡입량
- □ liquor 독한 술
- □ mash 짓이기다
- □ mundane 일상적인
- □ peel (과일 · 채소 등의) 껍질을 벗기다, 껍질
- □ perishable 잘 상하는
- □ preservative 방부제
- □ quench 갈증을 풀다
- □ ravenous 게걸스러운
- □ recipe 조리법
- □ scramble 휘저으며 익히다
- □ seasoning 양념, 조미료
- □ sip 홀짝홀짝 마시다, (음료의) 한 모금
- □ sour 신, 시큼한, 시큼해지다
- □ spice 양념, 향미료, ~에 양념을 치다
- □ spicy 양념 맛이 강한
- □ stale 신선하지 않은, 상한
- □ staple food 주식
- □ starve (몹시) 허기지다, 굶주리다
- □ steam (음식을) 찌다
- □ stir (액체 등을) 휘젓다, 뒤섞다
- □ store 비축하다
- □ tart (맛이) 신, 시큼한
- □ tasty 맛있는
- □ whip (계란 흰자 · 크림 등을) 휘저어 거품을 내다

Unit 02 학술문

A. 경제 · 사회

- □ abuse 남용, 학대
- □ account 예금(액), 계좌, 설명하다
- □ accrue (이익이) 증가하다, (이자 등이) 붙다
- □ affirm 단언하다
- □ afford ~을 살 · 할 (금전적 · 시간적) 여유가 되다
- □ agitated 불안해하는, 동요한
- □ agriculture 농업
- □ allocate 할당하다
- □ analyze 분석하다
- □ annual income 연 수입
- □ appreciate 가치가 오르다, ~의 진가를 인정하다, 고맙게 여기다
- □ appreciation 가치 상승, 평가, 감상, 감사
- □ assess (세금 · 벌금 등을) 사정하다, (재산 · 수입 등을) 평가하다
- □ auction 경매
- □ average 평균, 표준, 보통(의)
- □ balance (계좌의) 잔고, 차액
- □ barter 물물교환하다
- □ belittle 과소평가하다
- □ belongings 재산, 소유물
- □ beneficiary (연금 · 보험금 등의) 수령인
- □ benefit (보험 · 사회 보장 제도의) 수당, 이익
- □ bid 경매하다
- □ bill 지폐, 청구서, 계산서
- □ bond 채권
- □ boom 갑자기 경기가 좋아지다
- □ bounce (수표 등이) 부도가 나서 되돌아오다
- □ brisk (경기가) 활기 있는, 활발한
- □ budget (정부 · 개인의) 예산(안), 경비, ~의 예산을 세우다
- □ cash card 현금 카드, 현금 인출 카드
- □ cash 현금, (수표 등을) 현금으로 바꾸다
- □ cast doubt(s) on ~에 의구심을 던지다
- □ cause 야기하다
- □ cede 이양[양도]하다
- □ certification 증명, 보증
- □ challenge 도전(하다), 요구하다
- □ change 잔돈, 거스름돈
- □ chaotic 혼돈상태인
- □ charge (돈을) 청구하다
- □ check 수표, 계산서
- □ circulation (화폐 등의) 유통, (혈액의) 순환
- □ collateral 담보(물)
- □ commodity 상품, 원자재, 생필품
- □ community 공동체, 지역사회
- □ conflict 충돌, 상충, 대립
- □ consume 소비하다
- □ consumer price index 소비자 물가지수
- □ consumer 소비자
- □ consumption 소비(량)
- □ contend 싸우다, 투쟁하다
- □ contract 계약(서), 계약하다
- □ contractor 계약인
- □ contribution 공헌, 이바지
- □ convince 납득/ 확신시키다
- □ counterfeit 위조(가짜)의
- □ coverage (보험의) 보상 범위, (신문의) 보도(취재) 범위
- □ credit rating 신용도
- □ creditor 채권자
- □ cumulative 누적하는, 누진적인
- □ currency 통화, (화폐의) 유통
- □ decline 약화되다
- □ deduction 공제
- □ default (채무 · 계약의) 불이행, 이행하지 않다
- □ deficit 적자, 부족액
- □ delinquent account 체납 계좌

- □ delinquent 채무를 이행하지 않은, 비행을 저지른
- □ deposit 예금하다, (정해진 장소에) 두다, 예금(액), 계약금
- □ depreciate (화폐 · 재산 등의) 가치가 떨어지다
- □ depression 불경기, 불황
- □ diminish 줄다, 감소하다
- □ discriminate 구별[차별]하다
- □ distribute (물건을 상점에) 배급(분배)하다
- □ distributor 도매상, 배급사
- □ domestic 국내의, 가정의
- □ dominate 좌지우지하다
- □ downturn 내림세, 하락
- □ downward (시세 등이) 하향하는
- □ economic growth 경제 성장
- □ economic 경제(학)의
- □ economical 경제적인, 절약하는
- □ economics 경제학
- □ elude 교묘히 피하다, 벗어나다
- □ embargo 통상(수출) 금지
- □ endorse (수표 · 어음 등에) 배서하다
- □ enforce 시행하다, 강요하다
- □ equitable 공정한
- □ espouse 옹호하다, 지지하다
- □ establish 설립[수립]하다
- □ estimate 견적서
- □ exact change 정확한 잔돈
- □ exchange rate 환율
- □ exclusive 배타적인
- □ expenditure 지출, 지불
- □ expiration (계약 · 기한 등의) 만기
- □ expire 만기가 되다
- □ exporter 수출업자
- □ extravagant 낭비하는, 사치스러운
- □ fake money 위조 화폐
- □ fierce (경쟁이) 치열한
- □ financial district 금융지구
- □ financial 재무[금융]의
- □ fiscal 재정의, 회계의
- □ fluctuate (물가 · 주가가) 변동하다
- □ frugal 절약하는, 검소한
- □ get rid of ~을 처분하다
- □ goods 상품, 물품
- □ hazard 위험
- □ hindrance 장애물
- □ impartial 공명정대한
- □ impose (세금을) 부과하다
- □ income 소득, 수입
- □ indebted (물질적 · 정신적으로) 빚지고 있는
- □ indicator 지시하는 것(사람), 지표
- □ indispensable 필수적인
- □ inflation 물가 폭등, 통화 팽창
- □ influence 영향, 영향을 끼치다
- □ infrastructure (도로 · 수도 · 전기 등의) 산업 기반 하부 구조
- □ insurance 보험
- □ interest rate 이자율
- □ interest 이자
- □ invest 투자하다
- □ issue 발표하다
- □ landlord 건물 소유주
- □ launch (계획에) 착수하다, (신상품을) 시장에 내다
- □ lavish 아끼지 않는, 아낌없이 주다
- □ lease (건물 · 토지 등의) 임대 계약, 임대하다
- □ legacy 유산
- □ letter of consent 동의서
- □ levy (세금을) 부과하다
- □ life insurance 생명 보험
- □ limit 제한, 제한하다
- □ liquidate 매각하다, 처분하다
- □ loan 대부(금), 대여, 대부하다, 빌려주다
- □ manifestation 징후
- □ manufacturer 제조업자, 생산자
- □ merchandise (소매점의) 상품

- □ misgiving 의혹, 불안감
- □ monetary fluctuations (통화의) 변동
- □ monetary policy 통화 정책
- □ monetary system 화폐제도
- □ monetary 화폐(통화)의, 금융상의
- □ mortgage (주택 담보) 장기 융자
- □ multilateral 다자간의, 다각적인
- □ multiply 증가[증대]하다, 곱하다
- □ multitude 다수, 군중
- □ nationalize 국유화하다
- □ net income 순수입
- □ obtain (허가서를) 받다, 얻다
- □ occupant 점유자, 거주자
- □ out of line 그릇된, 벗어난
- □ outlet 대리점, 판로, 배출구
- □ output 생산(량), 산출
- □ outstanding 미지불의, 미해결의
- □ overdue (지불) 기한이 지난, 연체된
- □ ownership (특히 법적) 소유권
- □ pension 연금
- □ personal check 개인 수표
- □ philanthropist 자선가
- □ plummet (물가가) 곤두박질치다
- □ policy 보험증서, 보험 계약서
- □ premises (건물을 포함한) 대지, 구내
- □ premium 보험료
- □ price control 가격 통제
- □ price freeze 가격 동결
- □ primary 주요한
- □ progressive 진보적인
- □ prompt 유도하다, 촉발하다
- □ property 재산, (땅 · 건물을 합친) 부동산
- □ purchase 구매(하다)
- □ raise questions 문제를 제기하다
- □ real estate 부동산
- □ recession (일시적인) 경기 후퇴, 경기 침체
- □ reduce (양 · 액수 등이) 줄다
- □ refuge 피난처
- □ remit 송금하다
- □ rent (건물) 임차료, 세내다
- □ retail 소매(의)
- □ revenue 세입
- □ rise (가격이) 오르다
- □ savings account 보통 예금
- □ savings 저축(액)
- □ scarcity 부족
- □ sector 부문, 분야
- □ sluggish (경기가) 부진한
- □ soar (물가 등이) 치솟다
- □ solution 해결책
- □ sparsely populated 인구 밀도가 낮은
- □ speculation 투기, 추측
- □ sprout 성장하다
- □ stabilize 안정시키다
- □ stable 안정된
- □ state 국가, 상태, 지위
- □ stimulate 활발하게 하다, 자극하다
- □ stock 주식, 재고(품)
- □ stockholder 주주
- □ strategy 전략, 방법
- □ struggle financially 재정적으로 고군분투하다
- □ surplus (쓰고 남은) 나머지, 과잉, 잉여
- □ surrender 보험 해약, 넘겨주다
- □ suspicious 수상한
- □ tariff 관세
- □ tax law 조세법
- □ tax-deductible 소득에서 공제할 수 있는
- □ teller (은행의) 금전 출납계원
- □ tenant (방 · 건물 · 토지 등의) 임차인
- □ tenure (재산 · 부동산의) 보유 기간
- □ thrifty 검소한, 절약하는
- □ throw the book at ~을 엄벌에 처하다

- □ tighten one's belt 절약하다
- □ trade deficit 무역 적자
- □ trade imbalance 무역 불균형
- □ trade surplus 무역 흑자
- □ trade 무역, 거래, 매매하다
- □ unnerving 불안하게 만드는
- □ valid (계약 등이) 유효한, 근거가 확실한
- □ vary (주가 등이) 변하다
- □ withdraw (예금 등을) 인출하다
- □ yield (배당금 · 이자 등을) 벌다, 생산하다

B. 교육 · 학업

- □ ability 능력
- □ aid 도움, 조력자
- □ annoy 방해하다
- □ attention 관심
- □ award (상을) 수여하다
- □ broaden (이해를) 넓히다
- □ compensate 보충하다
- □ comprehensive 포괄적인
- □ conduct (적절히) 행동하다
- □ degree 학위
- □ determine 결정[결심]하다
- □ discipline 규율
- □ disruptive 지장을 주는
- □ distracted 산만해진
- □ efficiency 효율성
- □ enroll 등록하다, 입학하다
- □ exceptional (재능이) 특출한
- □ expand one's knowledge (지식을) 늘려 주다
- □ explore 탐험[탐구]하다
- □ extension 기한 연장
- □ factor 요소
- □ figure 생각하다, 판단하다
- □ findings 발견(물), 조사 결과
- □ foster 육성하다, 조성하다
- □ get away with 처벌을 모면하다
- □ hold (학력을) 소지하다
- □ in advance 미리
- □ instruct 가르치다, 지시하다
- □ learn the hard way 어렵게 깨닫다
- □ lenient (학칙 등이) 관대한
- □ obliged ~에게 강요하다
- □ omit 빠뜨리다
- □ persevere 인내심을 갖다
- □ qualifications 자격
- □ read the riot act 엄하게 나무라다
- □ requirement 필요조건
- □ roster 출석부
- □ sedentary 주로 앉아서 하는
- □ sign up 등록하다
- □ spread oneself too thin 한꺼번에 너무 많이 하려다가 어느 하나도 제대로 못하다
- □ stringent 엄격한
- □ subject (발표의) 주제
- □ summarize 요약하다
- □ take up one's time (시간을) 빼앗다

C. 심리 · 철학

- □ affable 상냥한
- □ affinity 친화력, 친화성
- □ altruist 이타주의자
- □ apathetic 무관심한
- □ ascetic 금욕주의자
- □ aspect 측면
- □ assuage 달래다
- □ awkward 불편한
- □ banal 진부한, 평범한
- □ candid 솔직한
- □ coax 구슬리다, 달래다
- □ cogent 설득력이 있는
- □ compatible 양립할 수 있는

- □ confer 상담하다, 협의하다
- □ confide 비밀을 털어놓다
- □ congenial 마음이 맞는
- □ convivial 쾌활한
- □ covet 몹시 탐내다
- □ dampen (기를) 꺾다
- □ derisive 조롱하는
- □ donate 기부[기증]하다
- □ egoist 이기주의자
- □ egotist 자기중심적인 사람
- □ engaged 약혼한
- □ erratic 변덕스러운
- □ exclusive 배타적인
- □ extrovert 외향적인 사람
- □ feud 불화
- □ forge (관계를) 구축하다
- □ fulfill (소망을) 들어주다
- □ give in 양보하다
- □ grudge 원한
- □ habit 습관
- □ hit the ceiling 크게 화를 내다
- □ immaculate 티 하나 없이 깔끔한
- □ inarticulate 똑똑하게 말을 하지 못하는
- □ indecisive 우유부단한
- □ indefatigable 지칠 줄 모르는
- □ ingenuous 꾸밈없는, 순진한
- □ insensitive 무신경한
- □ intrepid 용맹한, 대담한
- □ introvert 내성적인 사람
- □ keep promises 약속을 지키다
- □ laconic 불필요한 말을 않는, 간결한
- □ loquacious 수다스러운, 말하기를 좋아하는
- □ magnanimous 도량이 큰, 아량이 있는
- □ obstinate 고집 센, 완고한
- □ out of one's mind 제정신이 아닌
- □ outgoing 외향적인
- □ perspicacious 통찰력이 있는
- □ petty 옹졸한
- □ pretentious 허세를 부리는
- □ put one's foot in one's mouth 실언을 하다
- □ put one's nose out of joint ~의 기분을 나쁘게 하다
- □ rack 선반
- □ recall 기억나다
- □ recluse 은둔자
- □ recognize one's face 얼굴을 알아보다
- □ reflect 반영하다, 반사하다
- □ register 인식하다
- □ reticence 과묵
- □ share ~을 같이 하다, 공유하다
- □ social 사교적인, 사회적인
- □ spare the tim 짬을 내다
- □ stoical 극기의, 금욕의
- □ sturdy 견고한, 강한
- □ suspicions 의심스러운
- □ taciturn 과묵한
- □ take solace in ~에 위안을 삼다
- □ tattered 너덜너덜한, (옷이) 해진
- □ treat 대하다
- □ upset 화를 내다
- □ verbose 장황한, 말이 너무 많은
- □ versatile 다재다능한
- □ vociferous 큰소리로 외치는, 떠들썩한
- □ voluble 말이 유창한

D. 법 · 정치

- □ absentee vote 부재자 투표
- □ accord 협정
- □ adjourn (회의를) 연기하다
- □ adjourn 중단하다
- □ admonish 권고하다
- □ agenda 의제
- □ agitate 선동하다
- □ alimony 이혼 수당
- □ ambassador 대사, 사절
- □ amend (법안을) 수정하다
- □ anarchism 무정부주의
- □ anarchy 무정부 상태
- □ apprehend 체포하다
- □ arbitration 중재, 조정
- □ aristocracy 귀족 정치
- □ arrest 체포하다
- □ associate 연합하다, 제휴하다
- □ asylum 임시 수용소, 피난처, 망명
- □ atone 속죄하다
- □ attention 집중, 관심
- □ authorities 당국, 관헌
- □ autocracy 독재정치
- □ autonomy 자율, 자치권
- □ ban 금지하다
- □ be resigned to ~에 따르다, 체념하다
- □ bureaucrat 관료, 관료주의자
- □ by-election 보궐 선거
- □ cabal (권력 · 비밀 등의) 집단
- □ cabinet 내각, 각료
- □ campaign (선거) 운동
- □ candidate 후보
- □ cardinal rule 기본적인 규칙
- □ casting vote 캐스팅 보트, (찬반의 수가 같을 때 의장이 던지는) 결정투표
- □ chairman 의장, 회장
- □ chauvinism 국수주의
- □ civil right 시민권
- □ claim 주장하다
- □ coercion 강제
- □ colony 식민지
- □ communism 공산주의
- □ completely fabricated 완전히 조작된
- □ comply (법 · 명령을) 준수하다
- □ compulsory 강제적인
- □ confirm one's identity 신분을 확인하다
- □ confront 대항하다
- □ Congress 의회
- □ constitution 헌법
- □ convene (회의를) 소집하다
- □ convict ~에게 유죄를 선고하다
- □ credentials 자격, 인증서
- □ criminal 범죄
- □ delegate 대리자, 대표, 사절
- □ democracy 민주주의
- □ deprive A of B A에게서 B를 박탈하다
- □ dictatorship 독재
- □ diplomat 외교관
- □ divide (분파로) 나누다
- □ elect 선출하다
- □ election 선거
- □ entrench 입지를 굳히다
- □ evidence 증거
- □ execute 실행[집행]하다
- □ fabricate 날조하다
- □ federal 연방의, 연방정부의
- □ feudalism 봉건제
- □ forum 공개 토론회
- □ general election 총선거
- □ general strike 총파업
- □ gerrymander 선거구를 자기 당에 유리하게 변경하다
- □ government 정부

- □ grass-roots 풀뿌리, 민중
- □ hearing 청문회, 심문
- □ hegemony 헤게모니, 패권
- □ hierarchy 계급 조직
- □ impose (규정을) 부과하다
- □ impose a harsh punishment (중형을) 내리다
- □ incident 일어난 일, 사건
- □ incumbent 현직의
- □ individual 개인, 개개의
- □ insidious 은밀한
- □ insist 주장하다
- □ instigate (사건을) 유발하다, 부추기다
- □ invasion of privacy 사생활 침해
- □ investigate 조사하다
- □ judicial branch 사법부(=judiciary)
- □ legislative branch 입법부(=legislature)
- □ legitimize 정당화하다
- □ lift an embargo (무역 금지 조치를) 해제하다
- □ mandate 통치[재임] 기간
- □ minister 장관
- □ minor 미성년자
- □ monarchy 군주제
- □ nationalism 민족주의
- □ oligarchy 과두 정치, 소수 독재 정치
- □ opposition 반대당, 야당
- □ ordain (성직자로) 임명하다
- □ permit 허가(하다)
- □ political party 정당
- □ poll 투표, 여론 조사
- □ pressure group 압력 단체
- □ prevalent 만연한
- □ privilege 특권
- □ probe 조사하다, 캐묻다
- □ proletariat 무산계급
- □ propaganda 선전
- □ provoke 야기하다
- □ public opinion 여론(=general opinion)
- □ racial discrimination 인종 차별
- □ rampant (소문이) 퍼지는
- □ ratify 비준하다, 재가하다
- □ rebel (종교 등에) 저항하다
- □ red tape 관료적 형식주의
- □ repeal (법 등을) 폐지하다
- □ representative 대표자, 국회의원
- □ rescind (법률 · 조약 등을) 폐지하다
- □ restrict 제한하다
- □ revise 수정하다
- □ revolution 혁명
- □ ruling party 여당
- □ run (선거에) 출마하다
- □ sanction 재가, 허용
- □ sanctions (규칙 위반에 대한) 제재, 처벌
- □ socialism 사회주의
- □ sovereignty 통치권, 자주권
- □ subterfuge 핑계, 속임수
- □ territory 영토
- □ totalitarianism 전체주의
- □ violate (규칙을) 어기다

E. 과학 · IT

- □ access 접근
- □ achieve 이루다, 성취하다
- □ apparent 명백한, 뚜렷한
- □ apply to ~에 적용[응용]하다
- □ approach 접근(법), 다가오다
- □ artificial 인조의
- □ astronomy 천문학
- □ biology 생물학
- □ bizarre 기이한
- □ calculate 계산하다
- □ chain reaction 연쇄 반응
- □ clone 복제하다

□ combine 결합하다
□ computerize 컴퓨터화하다
□ conduct 수행하다
□ control 제어하다
□ decentralize 분산시키다
□ detect 발견하다
□ dwarf planet 왜성
□ electromagnetic 전자기의
□ radiation 전자기 방사선
□ element 요소, 성분
□ estimate 추정하다
□ eugenics 우생학
□ examine 검사하다
□ firewall 방화벽
□ gadget 장치
□ genetic manipulation 유전자 조작
□ illustrate 설명하다, 삽화를 넣다
□ impact 영향
□ implant 이식하다
□ lab 실험실
□ malware 컴퓨터 파괴 소프트웨어
□ mapping 지도 제작
□ mathematics 수학
□ means 수단
□ measure 측정하다
□ mechanics 역학, 메커니즘
□ meteorite 운석
□ method 방법
□ mobile device 무선 기기
□ motion 운동
□ navigate 탐색하다
□ observation 관측
□ orbit 궤도
□ osmosis 삼투
□ periodic table 주기율표
□ physics 물리학
□ principle 원리
□ radiate 방출하다
□ radio frequency 무선 주파수
□ remote 원격의
□ research 연구
□ satellite 위성
□ signal 신호
□ solar system 태양계
□ solid 고체의
□ spectrum 스펙트럼, 범위
□ stem cell 줄기 세포
□ subject 피실험자
□ track 추적하다
□ transmit 전송하다

F. 예술 · 공연 · 문학

□ abbreviate 축약하다
□ abstract 추상적인
□ adversely 부정적으로
□ analyze 분석하다
□ appealing 매력적인
□ aspiration 열망
□ audience 청중, 관객
□ author 저자, (책을) 쓰다
□ be dedicated to ~에 헌신하다
□ characteristic 특징, 특질
□ cohesiveness 응집력
□ collect 수집하다
□ collection 수집품, 소장품
□ comedy 희극
□ connotation 함축(된 의미)
□ contemporary 현대의, 동시대의
□ copy 사본
□ costume 의상
□ critic 평론가
□ critical 비판적인

- □ depict 묘사하다
- □ description 묘사
- □ distinction 특별함, 차이
- □ elaborated 상술된
- □ empathize 동감하다
- □ emphasize 강조하다
- □ envision 마음속에 그리다
- □ evoke (감정 등을) 일깨우다
- □ excessive 과도한
- □ exquisite 아주 아름다운, 절묘한
- □ fascinate 매혹하다
- □ frail 부서지기 쉬운
- □ glorify 미화하다, 찬미하다
- □ groundbreaking 획기적인
- □ illustration 삽화
- □ imaginary 가상적인
- □ immerse 빠져들게 하다
- □ imply 의미[암시]하다
- □ indicate 가리키다, 나타내다
- □ infatuated 열중한, 도취한
- □ inscrutable 난해한
- □ inspiration 영감
- □ inspire 고취하다, 영감을 불어넣다
- □ instrument 도구
- □ keen (감각이) 예리한
- □ literature 문학
- □ mimicry 흉내
- □ muted (색상이) 약한
- □ ominous 불길한
- □ outspoken 노골적인
- □ portrait 묘사
- □ prolific 다작을 하는
- □ props 소품
- □ provoke 유발하다, 도발하다
- □ purify 정화하다
- □ realistic 사실적인
- □ realm 영역, 왕국
- □ repertoire 레퍼토리
- □ review 비평
- □ satirical 풍자적인
- □ star 출연하다
- □ subtle 미묘한
- □ succinct (글 등이) 간결한
- □ symbolism 상징주의
- □ tackle 다루다
- □ taste 안목
- □ tedious 지루한
- □ tragedy 비극
- □ versatile 다재다능한

G. 의학

- □ ache 아프다
- □ acute 급성의
- □ affluent 부유한
- □ allergy 알레르기
- □ anesthetic 마취제
- □ antibiotic 항생 물질
- □ arthritis 관절염
- □ artificial respiration 인공호흡
- □ asthma 천식
- □ autism 자폐증
- □ abortion 낙태
- □ carry the virus (바이러스를) 가지고 있다
- □ cast 깁스, 붕대
- □ chronic 만성의
- □ clinical test 임상 시험
- □ coma 혼수상태
- □ come down with (병에) 걸리다
- □ come to a head (못 참을 정도로) 심해지다
- □ complication 합병증
- □ depression 우울증
- □ diabetes 당뇨병

- □ diagnosis 진단
- □ dizziness 어지럼증
- □ dose 복용량
- □ euthanasia 안락사(=mercy killing)
- □ food poisoning 식중독
- □ fractured 골절된
- □ gene 유전자
- □ genetics 유전학
- □ go blind 시력을 잃다
- □ gravely ill 심각하게 아픈
- □ harm one's health (건강을) 해치다
- □ hearing aid 보청기
- □ heart attack 심장마비
- □ heartburn 가슴앓이
- □ heredity 유전
- □ high blood pressure 고혈압 (=hypertension)
- □ hygiene 위생
- □ hypotension 저혈압
- □ immunity 면역
- □ indigestion 소화 불량
- □ infection 감염
- □ inflammation 염증
- □ ingest 섭취하다
- □ injection 주사
- □ insomnia 불면증
- □ intensive care unit 중환자실
- □ lethal dose 치사량
- □ local anesthesia 국부 마취
- □ low blood pressure 저혈압(=hypotension)
- □ malignant 악성의
- □ malnutrition 영양실조
- □ medical checkup 건강 검진
- □ medication 약물 (치료)
- □ nausea 구토증
- □ noxious 해로운
- □ nutritional 영양상의 (기준)
- □ obesity 비만
- □ ointment 연고
- □ operation 수술
- □ painkiller 진통제
- □ pale 창백한
- □ paralysis 마비
- □ pass out 의식을 잃다
- □ pediatrician 소아과 의사
- □ plastic surgery 성형외과
- □ prescribe 처방하다
- □ prescription medicine 처방전 약
- □ pulse 맥박
- □ quarantine 격리, 검역하다
- □ rabies 광견병
- □ rehabilitation 재활
- □ resistant 내성이 있는
- □ respiration 호흡
- □ secretion 분비(물)
- □ sedative 진정제
- □ side effect 부작용
- □ sleeping pill 수면제
- □ sterility 불임(증)
- □ stroke 발작, 뇌졸중
- □ suffer from ~로 고생하다
- □ supplements 건강 보조제
- □ surgeon 외과 의사
- □ symptom 증상
- □ take (약을) 복용하다
- □ transfusion 수혈
- □ transplant 이식
- □ ulcer 궤양
- □ vaccination 예방 접종
- □ vegetable 식물인간

H. 역사

- □ aborigine 원주민
- □ ally 동맹국
- □ ancient 고대의
- □ archeologist 고고학자
- □ artifact 인공적인 유물
- □ colony 식민지
- □ come about 발생하다
- □ confer (명예 · 작위를) 부여하다
- □ conquer 정복하다
- □ cradle 발상지, 요람
- □ cruel 잔인한
- □ dependency 속국, 보호령
- □ enrich 풍성하게 하다
- □ era 시대
- □ excavate 발굴하다
- □ exotic 이국적인
- □ expansion 확장
- □ expel 내쫓다
- □ exploit 착취하다
- □ fortified 요새화된
- □ get credit for ~의 공적을 인정받다
- □ hieroglyphic 상형문자
- □ inception 시초, 발단
- □ influential 영향력이 큰
- □ intervene 개입하다, 끼어들다
- □ invade 침입하다
- □ legacy 유산
- □ military expedition 원정군
- □ obey 복종하다
- □ originate 시작하다
- □ oust 내쫓다, (권좌에서) 몰아내다
- □ overthrow 추방하다, 전복하다
- □ pedigree 혈통, 족보, 내력
- □ pervade 만연하다, 스며들다
- □ propagate (사상을) 보급시키다, 선전하다
- □ refugee 난민
- □ regime 정권, 체제
- □ revival 재생, 회복
- □ servant 하인
- □ superior to ~보다 뛰어난
- □ superstition 미신
- □ sweeping 전면적인
- □ terrifying 끔찍한
- □ transition 과도, 변천
- □ truce 휴전
- □ unearth 발굴하다

How to
TEPS

II

TEPS 실전 모의고사

Actual Test 1

Actual Test 2

Actual Test 3

Actual Test 4

Actual Test 5

TEPS
ACTUAL TEST 1

Reading Comprehension

DIRECTIONS

This part of the exam tests your ability to comprehend reading passages. You will have 45 minutes to complete the 40 questions. Be sure to follow the directions given by the proctor.

정답 P 17

Part I Questions 1—16

Read the passage. Then choose the option that best completes the passage.

1. Baseball player Jackie Robinson was a key figure ______________________________.
The Brooklyn Dodgers started Robinson at first base in 1947, becoming the first team to use black players since the 1890s. As the team traveled, Robinson endured discrimination constantly—fans booed him and other players actively tried to hurt him on the field, forcing Robinson to slide into the sharp bottoms of their shoes. But his tremendous talent, professionalism, and pure character slowly changed people's thinking about African Americans early in the movement for civil rights.

(a) in proving the power of black athletes
(b) who fought against violence in sports
(c) for stopping white team ownership
(d) in the journey toward racial equality

2. The majesty of the sea, even with her storms has always nourished me, allowing me to ______________________________. My home in Washington was only 10 minutes away from the beach. All the exhausting cares of the world and its daily pressures would disappear when I once again reached the water. There, the colors of the sky and clouds were nature's paintings, and the sea breeze smelled of freedom. It never got old and I especially miss it now, far away from the ocean.

(a) marvel at the beauty of the natural world
(b) discover new aspects of my hometown
(c) find the solutions needed to resolve problems
(d) ignore the demands of work life during the week

3. A worker's satisfaction with his job can partly depend on ____________________. Those in the job market are primarily looking for jobs with strong companies that fit their talents and pay them well. So, salary and working conditions certainly influence satisfaction most. But when employees are underpaid or overworked, the feeling that they're doing something beneficial to society can make it easier to accept a small paycheck or long hours. But unfortunately, it's often only employees in the health care, social services, and education fields who feel they are helping others.

(a) the quality of his health care benefits
(b) how much money he makes working
(c) how well he gets along with coworkers
(d) whether he finds the work valuable

4. Now that the online video service, Netflix, has begun producing its own shows, ____________________. Netflix originally sold itself as a video delivery service, mailing DVDs to people upon request. It later expanded to offer Internet streaming of films and TV shows to subscribers. Now, Netflix has done something unique. The company is producing its own TV projects, putting full sets of episodes online all at once. The productions have become wildly popular and are expected to win several awards.

(a) people purchase more DVDs than ever
(b) television is moving in new directions
(c) online technology has been modified
(d) newspapers are struggling to survive

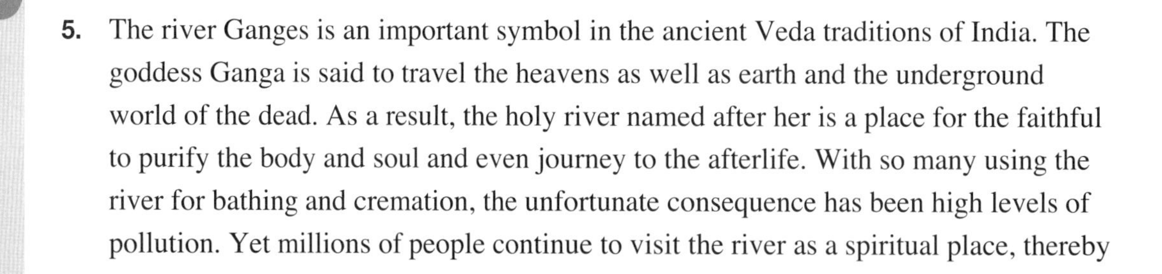

5. The river Ganges is an important symbol in the ancient Veda traditions of India. The goddess Ganga is said to travel the heavens as well as earth and the underground world of the dead. As a result, the holy river named after her is a place for the faithful to purify the body and soul and even journey to the afterlife. With so many using the river for bathing and cremation, the unfortunate consequence has been high levels of pollution. Yet millions of people continue to visit the river as a spiritual place, thereby __________________________.

(a) reviving a practice that has been ignored
(b) spreading a major religious belief system
(c) contributing to environmental problems
(d) sparking interest in a famous landmark

6. Similar to the topography of California, Chile faces the Pacific to the west and is bounded on the east by mountains. This gives the country plenty of rainfall for growing grapes for wine, particularly in the latitudes between the drier north and the colder south. The Valle Central near the capital Santiago is located in this zone. Its cold nighttime temperatures are also vital for preserving the acidity of the grapes. As this quality is sought after for wine making, growers in this region are __________________________.

(a) using greenhouses on their vineyards to meet demand
(b) making frantic efforts to recreate the acidity artificially
(c) positioned at an advantage to produce the desired goods
(d) irrigating their plants more often than is recommended

7. For the Catholic Church, the Middle Ages were a time of expansion. Military expeditions, called The Crusades, ventured from Europe toward Jerusalem to expel Muslims from "The Holy Land." The excursions were violent, and many lives were lost in the process. At the same time, Christians joined in a common purpose and learned a great deal about Islamic literature, science and technology. Though the Crusades were a cruel and unjust effort, Europe ________________________________.

(a) benefitted from its contact with other cultures
(b) proved that its church was superior to all others
(c) achieved its main objective of spreading its beliefs
(d) developed a new compassion for Muslim people

8.

To the Editor,

Your paper's opinion pieces usually ________________________________. I often enjoy reading them. But the article on the new Equal Taxation Act is not very informed. Your writers don't realize what an unfair burden this new law would be on the average American worker. It needlessly complicates an already complex tax code and slaps unfair taxes on employees. I regret to say that such views by your writers are actually turning me away from your paper.

(a) stay away from the issues and concentrate on gossip
(b) cover urgent problems and issues that our society faces
(c) run counter to my thoughts though they are interesting
(d) are based on good sense and written in interesting ways

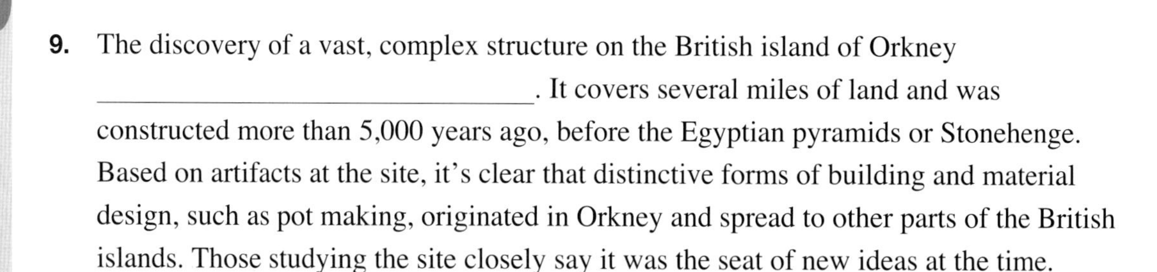

9. The discovery of a vast, complex structure on the British island of Orkney ______________________________. It covers several miles of land and was constructed more than 5,000 years ago, before the Egyptian pyramids or Stonehenge. Based on artifacts at the site, it's clear that distinctive forms of building and material design, such as pot making, originated in Orkney and spread to other parts of the British islands. Those studying the site closely say it was the seat of new ideas at the time.

(a) explains how Britain gained its power as a nation
(b) provides new insights into an influential civilization
(c) reveals new theories on the origin of British religion
(d) shows early advancements in scientific and cultural theories

10. Whereas the leader of the U.S. is an elected president, Britain's Head of State is a member of the royal family. The U.S. president is the commander-in-chief with the Congress voting to declare war. The British Queen is herself the Head of the Armed Forces and officially declares wars with the aid of Parliament. She is also the Head of the Church of England and appoints all bishops in counsel with her ministers. The U.S. and the U.K. thus, in some ways, overlap politically and yet ______________________________.

(a) oppose each other's style of government
(b) have leaders who carry similar functions
(c) keep government offices quite separate
(d) possess different leadership structures

11. As a young writer, J. D. Salinger, author of *The Catcher in the Rye* longed to be recognized for his talents. After publication of his famous coming-of-age novel, he got just what he wanted, but Salinger quickly began to despise the attention. He disliked seeing his photo on the cover of his books, burned mail from fans, moved to the country, and refused to be interviewed. But the less people could find out about him, the more they wanted to know. It was as if ________________________________.

(a) his published work had a life of its own
(b) he no longer had a reason to write
(c) his detachment fueled his celebrity
(d) he disliked the books he had authored

12. This is to inform you that our Handicraft Seminar has added another session in order to ________________________________. The original engagement on April 23 is fully booked due to overwhelming interest and demand. Hence, a second presentation is scheduled to open the following day, April 24. You are on the waiting list for this second session. The venue and time will be emailed to you as it becomes determined. The panel of speakers is expected to be identical on both dates. Thank you for your enthusiastic participation for our program.

(a) introduce the community to other experts in the field
(b) include more participants interested in the program
(c) allow more people the opportunity to give presentations
(d) extend the activities offered and provide extensive courses

13. The decentralized nature of the Internet remains the reality as chain reactions of viruses and spam emails have gone underground. Individual computers are being infected without their owners' notice and becoming so-called zombie PCs. These computers then operate in spreading various malware to other computers through the world wide web. Security firms believe that nearly half of all the spam in the world comes from zombie PCs. People are advised to update to the latest security software and firewalls lest ______________________________.

(a) they suffer the same fate without their awareness
(b) things are going to improve in an aspect of safety
(c) their computers have already been invaded by hackers
(d) the viruses can be detected and prevented from spreading

14. In democratic nations, courts often debate ______________________________. For example, if someone falsely yells, "Fire!" in a crowded movie theater, is this a form of free speech? This action could cause harm to the audience as they try to exit the building in a panic. Similarly, should citizens in a free country be allowed to make hateful comments in public about groups they unfairly dislike? There might not be an immediate risk of danger, but the government might reasonably fear that this form of speech could potentially lead to violence.

(a) which groups in society should be allowed to speak
(b) the proper level of punishment for violent acts
(c) the line between individual liberty and public safety
(d) the effects of citizens sharing opinions honestly

15. Isaac Newton's three laws of motion are essential to the basic study of physics. This set of principles is used to understand the relationship between an object and the forces that affect the object's movement. _______________, our ability to develop vehicles for transportation or examine the mechanics of the universe would not have been possible without Newton. He based some of his theory on previous work done by Galileo. His ideas also helped make sense of Kepler's laws of planetary motion.

(a) By contrast
(b) Therefore
(c) Moreover
(d) Notwithstanding

16. Drought is a natural part of the earth's environmental cycle. Since the development of the Earth's atmosphere, the planet has experienced numerous wet and dry periods. However, because nations are now so dependent on one another for goods, droughts can have harmful effects even where plenty of rain is falling. _______________, a drought in the United States can slow the production of meat and vegetables, causing prices to increase. Therefore, other countries that depend on U.S. exports face food shortages.

(a) Nevertheless
(b) Meanwhile
(c) Even so
(d) For example

Part II **Questions 17—37**

Read the passage and the question. Then choose the option that best answers the question.

17. Industry statistics are pointing to a decline in e-book sales after a peak in 2010. Adult e-book sales are down 10%, while children's e-books are down to a third of previous years. E-book sales now account for a quarter of all book sales, and it's far from dominant. People think maybe it's due to the diminishing excitement for e-books. Readers may also still enjoy the satisfaction of paper books. Moreover the price of e-books is not appreciably lower than their physical counterparts.

Q: What is the main idea of the passage?

(a) Paper books have increased in popularity.
(b) E-books are not replacing paper books.
(c) Other online media have cut into e-book sales.
(d) Price plays a major role in e-book sales.

18. Edu-Culture offers a variety of programs to help beginning language learners speak Spanish, German, and French fluently. Classes meet at night, and a small part of the course is based around textbooks. A majority of the time is spent practicing spoken language in a variety of settings, such as restaurants, airports, hospitals, or job interviews. We also include outings to cultural locations for special presentations and conversations. Students must take a test to prove they have basic skills in the secondary language in order to qualify.

Q: What is mainly being advertised?

(a) Beginning foreign language programs for children
(b) Training for job interviews in foreign countries
(c) Opportunities to learn while traveling abroad
(d) Adult education to improve language learning

19. A lab experiment in Turkey produced rabbits that give off a green glow. These bizarre mammals were implanted with genes from a jellyfish. Combining genes from two species isn't a new practice. It's been used many times for medical purposes and to increase food production. This experiment seems silly. After all, there's no good use for a glowing rabbit. But scientists say such bizarre experiments attract attention, thereby bringing in more money for research that will make a practical difference. It also provides evidence that genetic manipulation can be done safely.

Q: What is the main topic of the passage?

(a) Conducting research to grow support for science
(b) Attempts to make mammals attractive to humans
(c) The importance of safe experiments in the lab
(d) New discoveries combining land and sea creatures

20. Opinions can differ on whether taking a certain chemical substance is good or not for the human body. For those who are against it on principle, even having a drink can be the road to ruin. But if that substance is not legally or medically approved in a country, then it can be considered an abuse to take it. Ironically, even approved substances can be taken in ways that don't follow safety recommendations. Partly because they are legal to get a hold of, using prescription medicines can quickly become a bad habit that leads to addiction.

Q: What is the main point of the passage?

(a) The law should be stricter on what is legal to take.
(b) Medicines can be more dangerous than hard drugs.
(c) Anything that is addictive should be outlawed.
(d) Even legalized substances can be abused.

21. It used to be that any sort of consumer electronics was revolutionary just by being the first of its kind. Now the industry is more mature, and brands have competition in the market. For example, companies can offer lower prices and higher specs at the same time, or provide unique features. One of these that's lately promoting sales is waterproofing. The idea is to seal up the usual cable ports where wires are normally attached and instead use wireless communication. Customers might be interested in a gadget like this.

Q: What is the writer's main advice?

(a) Sell electronics cheaply but with uncommon options.
(b) Try to attract buyers with products that stand out.
(c) Be extra cautious about new and untested ideas.
(d) Avoid costly designs that are wireless and watertight

22. Scientists are now able to control cockroaches using remote devices. By connecting a tiny device into the roaches' antennae, humans can direct the bugs' movements using a computer. These "roach robots" could even save lives. For example, a tiny microphone or cameras can be added to an insect's computer backpack. Then the tiny creatures can be sent into the rubble of damaged buildings after an earthquake. The audio and visual devices could detect cries for help from those trapped after a disaster.

Q: What is the best title for the news report?

(a) Training Insects to Do Human Jobs
(b) New Robots Behave Like Cockroaches
(c) Tiny Technology to Eliminate Pests
(d) Computerized Bugs to the Rescue

23.

Dear Parents,

Welcome back to school, and I hope you all had an enjoyable winter vacation. Tomorrow and Friday will be full school days. Please don't forget to send a snack each day for the mornings. More information about the syllabus for the spring semester is attached in this letter. Starting next week, the students will be bringing home Story Kits. These are designed to nurture a love of reading, and I encourage all of you to read these with your children. Please also check the school website for my postings of homework and other news.

Mrs. Risa Jones

Q: Which of the following is correct about the school according to the letter?

(a) It regularly provides morning snacks to all students.
(b) There was homework during winter break to be handed in.
(c) Parents are encouraged to participate in child learning.
(d) Story Kits will always be available on the school website.

24. Early in his career, the American writer Truman Capote was known for his portraits of high society in New York City. Afterwards, Capote wanted to tackle weightier subjects. He traveled to a small town in Kansas to write his next book, *In Cold Blood*, a novel based on the true story of an innocent family's brutal murder, as well as the men who committed the crime. The novel, a groundbreaking blend of fiction and truth, sold out immediately, and it remains a modern classic.

Q: Which of the following is correct about Truman Capote according to the passage?

(a) His work explored widely different subjects.
(b) His career focused intensely on a single topic.
(c) He became increasingly interested in urban life.
(d) He made Americans hungry for stories about the rich.

25. When Aristophanes wrote his comedy, *The Clouds*, he intended his audience in Athens to think and laugh about themselves. The play compares and contrasts the philosophical ideas developed in the Greek world. In particular, the ideas of Socrates are shown in a humorous way. The audience in Athens by that time knew who he was. But those not from Athens did not know him. Legend says that when the outsiders asked who Socrates was during Aristophanes' plays, the philosopher stood up from his seat but did not say a word.

Q: Which of the following is correct about *The Clouds* according to the passage?

(a) Some parts of it were written by Socrates.
(b) It was highly critical of the philosophers.
(c) One of its subjects often sat in the audience.
(d) The audience could not understand its main point.

26. This weekend, Lakeside Burgers will celebrate its grand opening. The restaurant features both indoor and outdoor seating on the shore of Lake Pennington. Guests can enjoy a variety of hamburgers with different toppings, but vegetarian options are also available. You can arrive by car or by boat—those out on the lake can dock at the restaurant and come in to dine. Lakeside Burgers has also included a playground on site, so children can entertain themselves if parents decide to enjoy the view for a while.

Q: Which of the following is correct according to the advertisement?

(a) Lakeside Burgers focuses mainly on delicate dishes.
(b) The restaurant is the first to offer docking for boats.
(c) People have been eating at this location for years.
(d) The restaurant has a special parking lot on water.

27. Like animals, individual cells—the most basic unit of life—also require communication to survive. Just like other beings, a cell's success depends on its ability to gather and process information in its environment. This can include signals about the availability of nutrients and changes in temperature or light levels. Obviously, cells can't speak to one another. Rather, they rely on chemical and mechanical exchanges. In most cases, cell communication enables similar cells to join together and form tissue like blood and muscle.

Q: Which of the following is correct about cells according to the passage?

(a) They operate independently of other organisms.
(b) They are able to coordinate by sharing information.
(c) They fight each other to adapt to the change.
(d) They are constantly searching for similar cells.

28. The concept of a market economy is so general that it can describe almost any major economy in the world. In another sense, no economy is actually driven purely by market forces. Nearly all markets are affected by government institutions, but in each case it's a matter of how much and in what areas the government is involved. One reason for managing the market is to protect domestic industries critical to a nation. Therefore, governments often run certain industries or help finance them while blocking or taxing imports from foreign competitors.

Q: Which of the following is correct about the writer of the passage?

(a) The writer believes in the benefits of a market economy.
(b) The writer agrees with supporting some industries with taxes.
(c) The writer thinks a pure market economy does not exist.
(d) The writer encourages governments to control market forces.

29. Today after breakfast at the hotel, we depart for the Old Town of Lublin for a 2-hour walking tour. We will wander through the medieval streets and finally end up at Castle Hill with its beautiful view of the area. Then after having lunch together, we will visit the Lublin Museum. The rest of the afternoon is free. You might have a coffee and cake at the Sokol Cafe. Or you could wander the streets or visit Market Square. Then return to the hotel for an overnight stay.

Q: Which of the following is correct according to the instructions?

(a) Visiting the Lublin Museum is optional for the group.
(b) The trip combines various cultural activities.
(c) Participants must stay with the group all day long.
(d) Lunch will be eaten separately after the walking tour.

30. In the United Kingdom, coastal birds like puffins and terns are struggling to survive as the globe heats up and sea levels rise. The change in climate has led to alarming changes in the puffins' diet. The birds typically feast on sand eels, but these are disappearing, seeking colder waters further north as the sea grows warmer. A new species has moved in—the pipefish, which is much more bony than the sand eel. Puffins have a difficult time digesting the animal, which has led to cases of starvation.

Q: According to the passage, why has the puffin's diet changed?

(a) There are not enough bony fish to feed the birds.
(b) There are more puffins than sand eels.
(c) Marine species have shifted after habitat changes.
(d) Sea levels make it difficult for the birds to catch fish.

31. The ability to communicate with other devices is the necessary condition that puts the "smart" in smart devices. While wires and cables transmit data fastest, there are several wireless means. Satellites broadcast over long distances while invisible signals connect TVs with their remotes. Bluetooth is a technology appropriate for short-range exchange of information. It runs at a certain radio frequency. The name comes from a king of Denmark known as Blatand who united several kingdoms into one. He was known to enjoy blueberries, which caused one of his teeth to turn blue.

Q: Which of the following is correct about Bluetooth according to the passage?

(a) Satellites can be used by it for its transmission.
(b) It connects devices that are close to each other.
(c) Having it is necessary for a device to be smart.
(d) It was initially developed by a king of Denmark.

32. We can think about the Earth's relationship to the sun using something called the "energy budget." It represents how much of the sun's power is absorbed by the earth in comparison to the energy reflected back into space. When the energy coming in and going out is equal, the energy budget is balanced. But if more of the sun's radiation enters the atmosphere than the amount bouncing back, temperatures on the planet will rise. This partly explains the phenomenon of global warming.

Q: Which of the following is correct about the energy budget according to the passage?

(a) It shows how much energy the Earth needs.
(b) It compares the Earth's energy to other planets'.
(c) It detects dangerous chemicals in the atmosphere.
(d) Its changes can help predict cooling or heating.

33.

> To All Our Staff:
>
> The development team announces a new logo and brand image for the company. They've worked hard to transform our image to meet a changing business environment. They are distributing a new Standards Guide covering all media, including webpages, company documents, stationery, and business cards. Download the latest template from our website and the instructions will walk you through the switching process. An up-to-date presentation of our logo will go a long way to distinguish our brand.

Q: What can be inferred about the company according to the announcement?

(a) It wants people to see both the new and old logos.
(b) The company is trying to adapt to the market.
(c) The new logo will mostly alter its online presence.
(d) Workers can make suggestions about the new logo.

34. Pearson County police reported to a crime scene Saturday where a man was wounded by a gunshot. According to Deputy Chief Gaspar Harrison, the incident occurred at 31 Wayne Avenue around 7:15 p.m. The victim in his 20's, who has still not been identified, was rushed to the hospital in critical condition. Witnesses say that another man was seen running away from the scene. The suspect is described as a man similar in age to the victim. Police went on a manhunt, but the search is still ongoing.

Q: What can be inferred about the crime according to the news report?

(a) The police think the criminal is in his twenties.
(b) The deputy chief saw a suspect leave the scene.
(c) The attack was connected to a store robbery.
(d) Witnesses saw two men in a heated argument.

35. Czech-born artist Alphonse Mucha first became well-known when he designed a theater poster for a play starring the most famous actress in France, who liked his work so much she signed a six-year contract with him. His illustrations often depicted beautiful young women in flowing, classical gowns, usually surrounded by flowers. He also created designs for jewelry, wallpaper, and carpets. Though he didn't feel his work had the impact he desired, it greatly influenced artistic movements in France and later in the U.S. in the 1960s and 1970s.

Q: What is most likely to be discussed next?

(a) Reasons Mucha didn't feel fully satisfied with his art
(b) Evidence of Mucha's inspiration among later artists
(c) Negative reactions to Mucha's popular illustrations
(d) More detailed descriptions of Mucha's film posters

36. Our current system of government only serves those at the top, and it's arranged so that people with power can make rules that help themselves rather than others. There's proof of this in the way large corporations operate. In recent years, we've learned of numerous corporate crimes, yet no one involved is ever punished. That's because corporations give millions of dollars to lawmakers to win their favor. Meanwhile, those living in poverty are jailed in large numbers for small drug crimes, locked in a prison system that robs them of their rights.

Q: What can be inferred about the writer of the passage?

(a) He opposes corporate donations to elected officials.
(b) He believes prisons should be used for education.
(c) He has developed a plan to remedy the system.
(d) He thinks the size of companies should be monitored.

37. The 1941 film *Citizen Kane* followed a powerful newspaper owner trying to control public debate. It's considered one of the best and most influential movies in cinema history. Part of this is attributed to the techniques used to shoot the movie. The director kept the foreground and background in sharp focus for extended scenes, emphasizing smaller symbolic details in the set, which had not been done before then. He also positioned the camera from a lower angle so it looked up sharply at the characters, which cued the viewer to their power and weaknesses.

Q: What statement would the writer most likely agree with?

(a) The film glorified an iconic figure in business.
(b) The movie advanced existing camera technology.
(c) The director created a new style of filmmaking.
(d) The main character was partially misunderstood.

Part III **Questions 38–40**

Read the passage. Then identify the option that does NOT belong.

38. The Van Gogh Museum recently began making 3D copies of Van Gogh's most famous paintings to sell to art-lovers. (a) The pieces are made using the most highly evolved scanning devices, but the reproductions are far cheaper than originals. (b) Other art critics think this is an insult to Van Gough's work. (c) This means collectors can own a unique piece of art for a more affordable price. (d) By selling the pieces, the museum can earn money to develop new exhibits and maintain facilities during a tough economy.

39. Nutritionists in North America recently discovered that people who drink mate tea, a beverage common in Argentina, experience a boost in good cholesterol. (a) This discovery has promoted a spate of studies in the U.S. to find out how the tea produces this effect. (b) Initial results suggest the tea excites antioxidant enzymes in the body that promote health. (c) In South America, the drink is traditionally served in a dried gourd and consumed through a metal straw. (d) In light of this news, companies are looking for ways to incorporate the tea into other products like juice, soda, and beer.

40. Recent reports about the extent of secret surveillance have again fueled the debate on privacy versus security. (a) The 9/11 attacks provided the motivation for broad presidential powers to fight terrorism using nearly any means necessary. (b) These could include military actions, unmanned air strikes, and intelligence gathering. (c) WikiLeaks started in 2006 to expose to the public documents and videos that reveal classifiable information. (d) A computer analyst claimed that the National Security Agency, which he worked for, spies on ordinary citizens to an unlawful extent.

This is the end of the Reading Comprehension section. Please remain seated until the proctor has instructed otherwise. You are NOT allowed to turn to any other section of the test.

TEPS
ACTUAL TEST 2

Reading Comprehension

Directions

This part of the exam tests your ability to comprehend reading passages. You will have 45 minutes to complete the 40 questions. Be sure to follow the directions given by the proctor.

정답 P 30

Part I Questions 1–16

Read the passage. Then choose the option that best completes the passage.

1. One of America's most well-known condiments—Tabasco sauce—has steadily grown in popularity over the past century, perhaps because ______________________________. The spicy sauce was first produced in 1868 by Edmund Mcllhenny. His family has run the business ever since. The peppers used in Tabasco originally came from Avery Island; today, the seeds come from the same place but the peppers are grown elsewhere. And they're still hand-picked, mashed, stored in barrels, and kept for three years before arriving in grocery stores.

(a) the company sticks to tradition
(b) Americans love to flavor foods
(c) the production process evolved
(d) of its high-quality ingredients

2. In the rush of daily life, it's easy to be overwhelmed by thousands of tiny details. Certainly, details are important, but concern about tests, soccer games, or getting to school on time can take its toll. Under all the pressure, we forget to notice the beautiful things around us. But if you slow down and notice your surroundings, you'll find a lovely flower, two friends laughing, or the man helping his mother come down the stairs. It's these moments that remind us ______________________________.

(a) to leave our many responsibilities behind
(b) of all the things to accomplish in the future
(c) not to stress too much about minor things
(d) that observation leads to personal comfort

3. The Jewels of the Maya exhibit at the Camden Museum invites you to come and _______________. The world for centuries had only heard rumors of the Mayan sacred tradition and its holy treasures. It was reported that local priests in their temples of stone would communicate with the spirit world. The Spanish came close to the source of these stories when they landed in today's Colombia. This display of over 400 artifacts from that time reveals how Colombia's ancient people used music and mind-altering plants in their religious ceremonies.

(a) excavate the remains of the ancient city
(b) practice the arts and crafts of the Mayans
(c) learn about pre-Columbian technology
(d) explore the legends of ancient America

4. Scientists at Maastricht University in the Netherlands have grown beef without the cow in an effort to _______________. To make the artificial meat, muscle stem cells from the animal were cloned and grown in a lab. The process is estimated to save about 90% of the energy needed to raise the same amount of meat under the old-fashioned way. It also avoids the ethical problem of raising animals in poor conditions or having to slaughter them.

(a) produce better tasting meat products
(b) attract customers with exciting tricks
(c) be more environmental and humane
(d) save on the expense of raising cattle

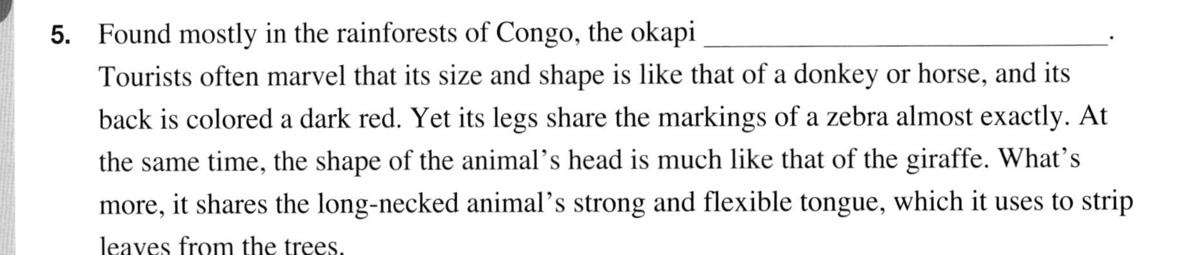

5. Found mostly in the rainforests of Congo, the okapi ____________________________. Tourists often marvel that its size and shape is like that of a donkey or horse, and its back is colored a dark red. Yet its legs share the markings of a zebra almost exactly. At the same time, the shape of the animal's head is much like that of the giraffe. What's more, it shares the long-necked animal's strong and flexible tongue, which it uses to strip leaves from the trees.

(a) is commonly studied by evolutionary biologists
(b) looks to be an unusual blend of several species
(c) combines the best traits of three different animals
(d) has been an attraction for tourists on safari

6. Before technology became available, most farming was done by individual families. In the 20th century, industrial farming emerged as new machines became available. By using mechanization, chemical pesticides, and fertilizers, companies could produce and distribute massive quantities of affordable food across the country. But, over time, people have seen how this method depletes resources and robs food of its nutritional value. In recent years, more news outlets have reported on this, and thousands of smaller farmers have emerged across the country, ____________________________.

(a) demonstrating large farms no longer work
(b) leading to an unexpected new development
(c) providing even greater amounts of food
(d) indicating a return to traditional methods

7. The success of Barack Obama's 2008 presidential campaign can be attributed to its smart use of online platforms. On YouTube, a free service, Obama posted messages about his vision for the country. These were seen by millions of people. The speed of web traffic also allowed Obama's campaign to quickly correct false statements made by his opponents. Without these tools, the campaign would have needed much more money and an army of volunteers. But because they understood the power of the Internet, they ______________________________.

(a) provided money during their campaign to change people's votes
(b) learned new insights about how voters think about their presidents
(c) effectively motivated thousands of people to vote for their candidate
(d) could debate their opponents online daily to win the election

8.

Dear Members,

Over the next few months, it's important that ______________________________. Members can assist in several ways: you can encourage friends to purchase tickets to the Back-to-School Party event; others can recruit musicians and performers; we also need a committee to oversee planning and decorations; finally, we need an experienced member to publicize the event across campus. This is our biggest project each year, and we hope it will be our most exciting festival yet. It will only succeed with your participation.

Sincerely,
Campus Life Society President

(a) all members complete the new surveys
(b) we recruit artists to volunteer for the organization
(c) you inform others about issues on campus
(d) everyone contribute to the annual celebration

9. A historic watercraft built in 2010 changed the way we ___________________________. It's called Plastiki. It was designed by David de Rothschild, who later sailed it 8,000 miles across the Pacific Ocean. Plastiki's inner structure is made from recyclable plastics and holds together thousands of plastic bottles that keep the boat afloat. De Rothschild also invented a glue made from cashews and sugar, whereas most marine glues use toxic chemicals. Rather than using gas or electricity, Plastiki is equipped with solar panels.

(a) travel long distances over the water
(b) recycle the plastics we use every day
(c) understand the cause of ocean pollution
(d) think about environmental engineering

10. Using a powerful space telescope, scientists recently noticed a large amount of light from an energetic galaxy named HFLS3. Because of its distance, the light was actually billions of years old. Its strength indicated that HFLS3 was, at the time, forming stars more than 2,000 times faster than our own Milky Way, something astronomers had never seen before. They concluded they had discovered a distant solar system that ______________________________.

(a) was too far away to be completely understood
(b) could provide endless energy for planet Earth
(c) was creating new stars at an astonishing rate
(d) contained an uncountable number of planets

11. When a government steps in to build infrastructure, it is setting in motion a fiscal policy that ______________________. These efforts can help boost activity during a slump, or accomplish projects too large and complicated for a single company to handle. Either way, the infrastructure is viewed as necessary, so public funds are mobilized by the government. Not only is the infrastructure itself useful to society but the workers employed to complete the job also benefit from the work.

(a) seeks to strengthen the economy on several fronts
(b) allows companies to share the profits they bring in
(c) provides needed natural resources in the right places
(d) takes workers away from their jobs into new projects

12. Getting away from the physical buttons of the earliest models, touchscreens have taken over on mobile devices. The first on-screen keyboards required that physical pressure be applied to the screen. As such, many phones offered a stylus, shaped like a pen, which could be used to touch and type on the screen. Today's cell phone keyboards do away with any pressure signal and rely solely on the tiny electric signals that radiate from the human body. With this form of design taking over the market, the latest phones ______________________.

(a) represent buttons on the screen with visual icons
(b) use a smaller stylus to navigate the gadget's menu
(c) use touch and voice recognition for their operations
(d) simplify the user's interaction with the digital device

13. Greek letters are used in math and science as shortcuts to interpret equations. One example is the letter pi, which represents the number needed to calculate a circle's circumference. Delta is used to note the change in a value, such as the rising slope of a line. The uppercase sigma, on the other hand, directs the calculator to add a long series of numbers. Taken together, the Greek symbols function ______________________________.

(a) efficiently to help students learn equations more quickly
(b) in various ways to communicate values and operations
(c) without many people understanding how they work
(d) to provide needed detail in mathematical theories

14. In ancient times, it was common to ______________________________. Thinkers in classical times would compare human features to a corresponding animal. Included in all this was the comparison of face shapes and body types. These were used to make predictions about human behavior. Though it fell out of favor in the Middle Ages, a revival of sorts came about in the wake of Darwinism. This modern version, in a certain sense, was more aggressive than ancient theories. Racial differences, eugenics, and criminal behavior were instead the primary focus.

(a) assign psychological attributes to physical appearance
(b) identify the differences in the appearances of men and animals
(c) define humans as the single rational creature ever made by God
(d) consider each racial group's connections to different ancestors

15. Voting by secret ballot is one way to reduce the possibility of outside pressure on voters. It developed to protect people from intimidation and pressure. It was clear that if a person couldn't keep his vote private, others would try to change his mind, sometimes using forceful methods. ________________, the secret ballot only became widespread in the West in the 19th century. Though it was used in ancient Greece, France began using it in their National Assembly in 1795. It then was adopted in British Tasmania in 1856 and then in Massachusetts in 1892.

(a) Rather
(b) Conversely
(c) Nevertheless
(d) Instead

16. Many of us worry about the potential health hazards of electromagnetic radiation from our cellphones. Conflicting reports in the media only add to the confusion. There are assurances that the frequencies used by cellphones, cell towers, and Wi-Fi are well within biologically safe levels. The argument goes that only higher energy frequencies such as UV, gamma rays, and X-rays can damage DNA. ________________, not everyone is convinced this is good science, citing reports that cells are affected throughout the electromagnetic spectrum.

(a) Even so
(b) Moreover
(c) Similarly
(d) What's more

Part II **Questions 17—37**

Read the passage and the question. Then choose the option that best answers the question.

17. Dyslexia has several component problems. One of these is called visual crowding, which makes it difficult for a reader to focus on one word at a time due to the large number of words on a page. But researchers have found that e-readers alleviate this challenge because lines can be made shorter and the text can be enlarged, thereby reducing the distractions dyslexic readers normally encounter. By using an e-reader, many with dyslexia are able to read faster and more easily understand written information.

Q: What is the passage mainly about?

(a) One of the specific challenges for dyslexic students
(b) Strategies for helping readers focus on separate words
(c) Changing the way books are formatted to be affordable
(d) A device that can assist those with learning disabilities

18. Deborah Ogren, a 45-year-old Rosindale native, will be the new face for the State of Virginia's Life Readiness Campaign. This program trains people to maintain a stable living situation and rejoin the workforce. Ogren, the one-time homeless shelter client, said she's pleased to appear in the billboard ads highlighting the successes of Rosindale's new housing program. She recently completed her education and landed her dream job with Foxwoods Shipping as a mechanic after living on the streets for many years.

Q: What is the announcement mainly about?

(a) Advertising for employment in Virginia
(b) A new face to publicize social programs
(c) Rosindale's program for the homeless
(d) How to transition from trainee to worker

19. An identity theft tactic called "smishing" is attacking cell phone users. A similar approach was used with computers, but has been adapted to take advantage of more people. Such messages claim a person's account with shopping web sites or an online bank has experienced unusual spending activity. The recipient is then asked to click a link and provide ID, password, and credit card information, which is stolen and used immediately to make purchases on other web sites. So be cautious: What looks like a protective measure could be a trick.

Q: What is the best title for the passage?

(a) Common Scam Jumps to New Device
(b) Cell Phones Most At-Risk Device for Hacking
(c) Few People Understand Identity Theft
(d) Web Is the New Location for Stealing

20. The dwarf planet Ceres, which circles the Sun between Mars and Jupiter, was initially tracked in 1801 for one month before being lost behind the glare of the Sun. Finding it again using telescopes several months later proved impossible. The body was in an uncertain orbit around the Sun, and the Earth itself is also always moving. The only way to find the planet was to use the consistent distance from the Earth to the Sun. Fortunately for astronomy, the mathematician Carl Friedrich Gauss caught on to this and correctly calculated its position. It was a crucial advancement in the field of astronomical observation.

Q: What is the main idea of the passage?

(a) Gauss created a new field of mathematics.
(b) Orbits can be mathematically predicted.
(c) Telescopes can show the distance to planets.
(d) The solar system still contains unknown bodies.

21. The basic structure is simple – each number is the result of adding the two previous numbers, starting with 0 and 1. A similar idea had already existed in ancient India when counting all the possible combinations of two items. But the world knows this technique today in its medieval form created by Leonardo of Pisa. This series of numbers is truly greater than the sum of its parts. Its attraction is that it also closely describes patterns found in the branches of a tree or the shape of seashells.

Q: What is the main topic of the passage?

(a) The cultural significance of a mathematical formula
(b) How an idea can spread from country to country
(c) A sequence of numbers which can characterize nature
(d) Applying an old method to current problems

22. Helping young children behave with kindness and compassion requires a delicate balance as a parent. Allowing children too much freedom and providing them with everything they want encourage a self-centered attitude and the expectation that all of their desires should be met all the time. On the other hand, too much discipline and harsh punishments make it difficult for children to learn self-control or gain confidence. By finding a path between these two extremes, parents will often see their child mature into a well-balanced individual.

Q: What is the main point of the passage?

(a) Self-centeredness can be an asset to young people.
(b) Providing strict direction can lead to proper behavior.
(c) Not all of a child's wishes should be satisfied by parents.
(d) Finding a balance between parenting techniques is best.

23. High-profile salesman Kevin Trudeau is being asked to pay $37 million dollars in fines for false advertising. In commercials promoting his latest book on dieting, Trudeau claimed the weight-loss plan was "easy." But the book advises people to get expensive treatments and go for long periods of time without consuming enough calories. Trudeau has yet to pay the fine and was taken to court after a judge noticed Trudeau spent hundreds of dollars on luxury goods while claiming he didn't have enough money to pay the fine.

Q: According to the passage, what is correct about Kevin Trudeau?

(a) He has been unable to earn enough money to pay the fine.
(b) His strategy for weight loss has proven to be highly effective.
(c) His spending habits have been monitored by law enforcement.
(d) He is taking steps to resolve the legal issues he faces with a judge.

24. The bee hummingbird has rarely been seen by the human eye, partly because it's only 5 centimeters long. Only high-speed cameras can capture images of the bird, which flaps its wings 80 times per second. Bee hummingbirds primarily live alone, and only form couples to mate. They build tiny nests (the size of a doll's cup) and attach them to branches using spider webs. Like bees, they pollinate various plants and are therefore essential to the plants' survival. While the birds were very common in Cuba, their numbers are now on the decline.

Q: Which of the following is correct about bee hummingbirds according to the passage?

(a) They put their eggs at the top of a tree for safety.
(b) They share similarities with insects in several ways.
(c) Their falling population is to due habitat change in Cuba.
(d) They like to form flocks to aid their protection against predators.

25. Next Saturday afternoon, join your neighbors in Garrison Park to honor a team of high school students who spent the past year improving the area in various ways. Visit with groups of teens to learn about their projects to better the neighborhood, including mural painting, tree planting, and outdoor performances. In the spirit of community, please bring your favorite dish to share with other party-goers. Children and pets are welcome. The event will conclude with an award ceremony for students.

Q: Which of the following is correct about the party according to the announcement?

(a) Local volunteers' efforts will be recognized.
(b) Attendees will help to improve the park.
(c) Food will be provided by party organizers.
(d) Students will display academic achievements.

26. Some critics of Jackson Pollock's art work would not even consider them art but think of them as worthless. Nevertheless, at $140 million dollars, his "No. 5, 1948" stood in 2006 as the world's most expensive painting sold at auction. Admirers say his drip style of painting changed the way artists thought about lines on a canvas. Rather than trying to represent anything realistic, he resorted to random, in-the-moment creation of color. While some saw his work as easy and lazy, others applauded its attention to something completely abstract.

Q: Which of the following is correct about Jackson Pollock's works according to the passage?

(a) The artworks are actually silly and useless.
(b) Pollock's works attract contrasting opinions.
(c) They combine varied artistic approaches.
(d) There is hidden symbolism in his best canvases.

27. When two types of bacteria are added to milk at a certain temperature, the result is yogurt. Today's grocery stores carry an assortment yogurt brands, types, and flavors, making it seem like a product of modern civilization. But humans have been enjoying yogurt for hundreds of years. In Central Asia, because of weather conditions and a lack of refrigeration, yogurt became a dietary staple centuries ago. Today, in the West, it's mixed with honey and fruit for a light breakfast, but in countries like Turkey, it's used in dinner dishes.

Q: Which of the following is correct about yogurt according to the passage?

(a) It requires a complicated technique to produce.
(b) It is a relatively recent addition to the food supply.
(c) It is used across the world in a variety of ways.
(d) It is found in a single culture in one part of the world.

28. A U.S. Immigration Society report from 2010 found that 45.8% of the total labor force for agriculture and fishing was comprised of immigrants. That represents approximately 569,400 of the 12.5 million workers in that sector. This is higher than the 16% of the total labor force of 128 million workers in the U.S. who are immigrants. Near the other end of the spectrum, about 5.8% of all lawyers and legal professionals in the U.S. are immigrants.

Q: Which of the following is correct according to the passage?

(a) A large percentage of immigrants are lawyers.
(b) Immigrant workers represent 16% of all U.S. workers.
(c) There are roughly 12 million immigrant workers in the U.S.
(d) Almost half of all immigrants work in agriculture or fishing.

29. Collecting magical gems in a fantasy realm called "Vision" and locating a Goddess of Destiny who can help determine one's fate. Such is the mystical journey undertaken by the young Wataru, a boy coping with the emotional difficulties of his parents' divorce. Author Miyabe Miyuki presents in her book *Brave Story* a departure from her usual genre of crime novel. It's a work that found her a wider group of readers, especially as it became a well-received animated film.

Q: Which of the following is correct about this book according to the passage?

(a) Its type of story is not common for the author.
(b) It was inspired by a graphic novel of the same name.
(c) It follows a crime in an imaginary and magical setting.
(d) It details the divorce of the author's parents years ago.

30. Management is "doing things right," whereas leadership is "doing the right things." So goes a quote from the influential corporate consultant and author, Peter Drucker. He's the one who coined the phrase "knowledge worker." He foresaw the information society and its need for lifelong learning. Yet he did not state that a company depends on its leadership for success. From his experiences, he concluded that companies function best when workers are able to freely exercise what they're trained to do.

Q: Which of the following is correct according to passage?

(a) Management depends on how well consultants are led.
(b) Drucker emphasized the importance of strong leadership.
(c) Businesses have success based primarily on a skilled workforce.
(d) The information society requires focused management.

31. In English, you may hear someone say a person is the "spitting image" of someone else, meaning they strongly resemble one another, usually with relatives. While it might seem strange to use "spit" in connection with one's appearance, it has been part of the language for hundreds of years. For example, "It's as if he were spit from his father's mouth." The idea is that two people look so alike that one must have been created from the body of the other. According to the rules of reproduction, the idiom carries a lot of truth.

Q: Which of the following is correct about the idiom according to the passage?

(a) At present, it has lost its original form.
(b) It describes how personalities are shared by relatives.
(c) It shows similarities in people with major differences.
(d) It points out those people who look almost identical.

32. The rates of graduation will now become the biggest factor in the annual school rankings from *U.S. News & World Report.* Another category that counts the number of freshmen entering a school each year will have less importance. This new method reflects the latest trends and attitudes that look more at the practical results of higher education. The top schools remain at the top, but some colleges are seeing large jumps. The Education Department is also adjusting its own rating system to focus on helping disadvantaged students.

Q: Which of the following is correct about college rankings according to the passage?

(a) The government is requesting magazines change their focus.
(b) Rates of freshman who are disadvantaged are now rising.
(c) Perspectives and values about education are shifting.
(d) The best positions have changed under the new system.

33. Rare earths are a group of seventeen relatively heavy elements in the periodic table. They are not necessarily the rarest of the elements found on Earth. They are called rare because the mineral rocks in which they are found are usually spread across vast areas. This makes mining them difficult and costly. In fact, the technology to extract them from the rocks was only developed in the 1950s. This was no accident since their demand shot up with the boom in manufacturing electronics around that time.

Q: What can be inferred from the passage?

(a) Technology developed recently allows for discovery of rare earths.
(b) These elements are mostly used to make technological devices.
(c) Large-scale mine operations would lower the cost of rare earths.
(d) New mapping abilities are making rare earths easier to locate.

34. Apply to Summer Youth Institute (SYI)—the perfect training program for high school students wanting to lead in their chosen fields. During the Institute's two-week course, participants take part in practice activities, like political campaigns, coordinating events, developing products, and solving business problems. Participants also work in groups to navigate professional issues, like how to handle complaints or respond to unhappy employees. With these activities, the Institute provides the first-hand experience many colleges and businesses look for in their applicants. Apply today!

Q: What can be inferred from the advertisement?

(a) The Institute focuses mostly on skills needed for politics.
(b) Students who need only academic tutoring should apply.
(c) Participants will have more success achieving their goals.
(d) The Institute lets young people learn while on the job.

35. More doctors are keeping "assistance dogs" in their offices to help combat patients' illnesses. While visiting a clinic, they can take the dogs for a walk, or the dog might rest with a patient and provide comfort and affection. The dogs can be used in other ways as well. More specifically, when a patient overcomes challenges or meets goals, she might be allowed to spend time with a hospital pet as a reward. The animals do have a positive impact—they help decrease blood pressure, stress hormones and general anxiety, all of which can slow a patient's recovery.

Q: What statement would the writer most likely agree with?

(a) Bringing dogs into hospitals can pose major health risk.
(b) Doctors can use pets when other methods don't work.
(c) Animals are a distraction from painful treatments.
(d) Animals have a calming effect that promotes healing.

36. The carbon footprint measures how people use natural resources, waste energy and therefore affect the environment. Many people believe it's just a matter of how much gas and electricity they use in their cars and homes. But a number of other actions factor into the carbon footprint. If you buy processed foods treated with chemicals, or if you don't use energy-efficient appliances, you are likely wasting more natural resources and straining the planet more than you should be.

Q: What is likely to be discussed next?

(a) Creative efforts to increase solar energy use in cities
(b) Recommended strategies for impacting the earth less
(c) The formulas used to calculate the carbon footprint
(d) Proposed changes to methods of food production

37. Australia Day is an annual celebration commemorating the arrival of British settlers on the island of Australia in 1788. It was first celebrated in the early 1800s. Later, in the 1900s, Australian aborigines, who had lived on the island for centuries, founded their own holiday in protest. They called it Day of Mourning and marched through the streets, objecting to years of cruel treatment by the British, including the takeover of land and the removal of aboriginal children from their family homes into English schools. The aborigines demanded equal rights and claimed that British "progress" had come with a price.

Q: What can be inferred from the passage?

(a) The two opposing sides were able to finally make peace.
(b) A colonial tradition was replaced with a positive protest.
(c) Hosting two celebrations enriched the cultural experience.
(d) Actions taken to establish the country weren't entirely just.

Part III **Questions 38–40**

Read the passage. Then identify the option that does NOT belong.

38. Western eaters are beginning to recognize the advantages and tasty flavor of seaweed, and they're enjoying it more often. (a) It hasn't yet made its way into other foods, like soups and salads, but is usually only eaten as a dried snack. (b) Even so, at least Westerners are catching on to the value of this low-calorie food that's rich with minerals. (c) In Asia, the marine plant is a key part of the diet and may be served at least once a day. (d) What's more encouraging is that health news reports are describing how proteins in seaweed can reduce blood pressure.

39. The North Korean political theory of Juche argues that the country's development is made possible by the collective work of the common people. (a) It's also described as the "spirit of self-reliance" or "independent stand." (b) In the late 1970s, North Korea held an international seminar to share the idea with neighboring countries. (c) It sounds like a noble idea, but it's been used to develop policies that actually harm the North Korean people. (d) The country's aggressive military and its decision not to import essential foreign resources are based on this way of thinking.

40. Zombies have become a huge part of the modern marketplace in recent years, appearing in many video games, television shows, movies, and even literature. (a) They're shown in stories as a menacing threat to humanity. (b) Some have argued zombies are so popular because they represent a frightening quality of modern life. (c) For one thing, zombies' defining characteristic is their ongoing hunger for more and their inability to be satisfied. (d) In the same way, modern consumers in first-world countries are always longing for more clothes, better houses, and new gadgets and cars.

This is the end of the Reading Comprehension section. Please remain seated until the proctor has instructed otherwise. You are NOT allowed to turn to any other section of the test.

ACTUAL TEST 3

Reading Comprehension

DIRECTIONS

This part of the exam tests your ability to comprehend reading passages. You will have 45 minutes to complete the 40 questions. Be sure to follow the directions given by the proctor.

정답 P 43

Part I **Questions 1—16**

Read the passage. Then choose the option that best completes the passage.

1. Though it might surprise you, we can learn a lot from dogs about ______________________. For example, just as dogs thrive on playtime, it's important to take breaks and do something enjoyable while on the job. This allows the brain to rest and recharge. And just as our canine friends show their affection and appreciation by wagging their tails and nuzzling our legs, it's essential that we share our gratitude for our coworkers' contributions. This decreases stress levels and leaves all employees feeling more satisfied and successful.

(a) getting to know one's coworkers
(b) cooperating on difficult projects
(c) how to be more effective at work
(d) the most useful communication skills

2. While not causing as much concern as obesity, being overweight ______________________. Having more than the optimal level of body fat can cause emotional distress and physical difficulties. Web sites and articles about the topic advise those who are overweight to control their lifestyle habits. Even so, external conditions, like expensive gym memberships or lack of outdoor space for exercise, can be linked to the risk of becoming overweight.

(a) makes a person less likely to exercise
(b) can be an even greater threat
(c) still causes problems for individuals
(d) is something people can manage

3. The American photographer, Ansel Adams, allowed people to view the country's breathtaking landscapes without having to travel. His famous black-and-white photographs captured miles of mountains and deserts in one frame, creating a stunning and quiet experience. While viewing his work, many people felt transported to the outdoors. Adams became known at a time when the country was experiencing an increase in the building of dams and the use of public land to mine natural resources like oil and minerals. But Adams's images motivated people to organize for ______________________.

(a) the documentation of more lovely scenery
(b) the creation of new park lands in urban areas
(c) the investment in alternative fuel resources
(d) the protection of the country's unspoiled territory

4. Plan your next exotic trip with Gift of Travel! You can visit Myanmar's beaches and assist with a project that prevents erosion on the country's coastline. Or you can travel to Brazil and enjoy its cuisine and beautiful scenery while helping restore the nation's rainforests. Journey to South Africa, view its historical monuments and participate in rhino repopulation efforts. We'll give you ample time to relax and sightsee, but you'll join local groups working to address environmental issues. It's the perfect way to see exotic parts of the planet and ______________________.

(a) learn about personal issues that you are facing
(b) give your time to important causes
(c) lend a hand to native people in need
(d) study new languages at the same time

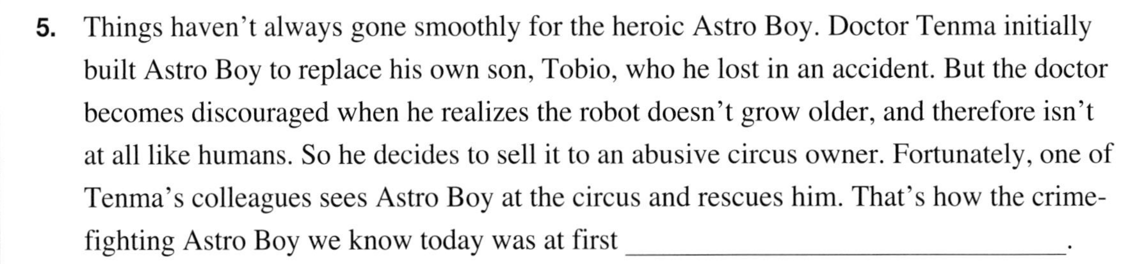

5. Things haven't always gone smoothly for the heroic Astro Boy. Doctor Tenma initially built Astro Boy to replace his own son, Tobio, who he lost in an accident. But the doctor becomes discouraged when he realizes the robot doesn't grow older, and therefore isn't at all like humans. So he decides to sell it to an abusive circus owner. Fortunately, one of Tenma's colleagues sees Astro Boy at the circus and rescues him. That's how the crime-fighting Astro Boy we know today was at first ______________________________.

(a) punished and then became a criminal
(b) trained and then remained an entertainer
(c) set free and then was saved by the circus
(d) abandoned and then got another chance

6. Driverless cars will be introduced into the market in the next few years, but their popularity is hard to predict. Electronic sensors and GPS navigation have been around for years, and luxury automobiles already offer camera views for parking. Attaching all these with the car's steering is the next step for a vehicle that drives itself. But cars that can park themselves have been slow to catch on. Consumers have expressed doubt about their necessity. Perhaps driverless vehicles will also

______________________________.

(a) offer more advantages for inexperienced drivers
(b) face a similar response with drivers' turning away
(c) have the same technology that has been highly praised
(d) gain loyalty from both existing and potential consumers

7. For decades, the Boston mob boss, Whitey Bulger ____________________________.
But in August 2013, a jury convicted Bulger on 31 of 32 charges, revealing the lengths he was willing to go to keep his business running. Some of the crimes—including money laundering, illegal gun possession, and drug dealing—happened forty years ago. Bulger's victims and their families expressed their relief that he was finally punished. And though the trial probably didn't include all the crimes Bulger likely committed, he'll be spending 30 years in prison.

(a) made a number of improvements to the city
(b) lived free despite his long criminal history
(c) managed to cheat and fool the judges
(d) paid for the damage he did to many others

8.

Dear Jae Hoon,

I am pleased to inform you that you have been selected to attend this year's Teen Leadership Camp. We invite only 30 students each year, and more than 200 students applied. Your volunteer work and participation in school clubs, as well as your academic achievements made you a distinguished candidate. We will be sending you a packet with additional information in a few weeks. For now, we want to congratulate you on ____________________________.

Sincerely,
David Masters
Camp Director

(a) being a notable leader in your community
(b) your accomplishments in student council
(c) your acceptance into this respected program
(d) inspiring other students to show leadership

9. The world knows the devastation caused by the bombing of Hiroshima, but many people don't understand that survivors faced painful social challenges, not just physical difficulties. People affected by the bomb were called "hibakusha," meaning "explosion-affected people." Though "hibakusha" received benefits from the Japanese government, their neighbors would not hire them for jobs out of fear that radiation sickness could spread. For the same reason, they were rarely able to marry or have children. So, after living through one of the world's worst events, ______________________________.

(a) the government ignored and forgot about them
(b) "hibakusha" overcame painful memories
(c) America offered to permit immigration
(d) they were rejected by their own people

10. Beware a flea prevention product ______________________________. The drug is called Dextar, and cats and dogs can ingest it orally each month. Dextar contains a chemical that sterilizes fleas, making it impossible for them to reproduce. Because a flea's life cycle is so short, the bugs die off quickly. It was originally believed the sterilization chemical didn't harm mammals, but reports show that most dogs and cats develop cancer after taking the drug for several years.

(a) that has been shown to have deadly results
(b) that actually increases bug bites in pets
(c) can sterilize animals against owners' wishes
(d) now recommended by most veterinarians

11. The Rochester Bioscience Group provides legal advice according to the strict regulations that differ from country to country. This is where the true strength of our global network of top attorneys in over 110 countries lies. We can offer you a consultation in your region but we are also coordinated enough to deal with cross-border issues. We hire only the best qualified lawyers in each locality who can deal with the complexities of the bioscience sector. You can be assured of benefitting from our expertise in ______________________________.

(a) affecting the bioscience field on a global scale
(b) promoting awareness about justice in biotechnology
(c) representing clients in local governments and courts
(d) standing for multinational organizations without borders

12. Criminals know that most people use the same ID and password for multiple accounts, so they hack into a single database to collect people's credit card information, which they use to make purchases on other web sites. They can easily spend large amounts, especially if they can find several sites where the consumer uses the same log-in information. That's why experts suggest consumers use different passwords for each online account. They also point out that our growing reliance on online shopping and banking only ______________________________.

(a) weakens criminal activities on the web
(b) elevates our awareness of financial issues
(c) supports the rise of Internet businesses
(d) increases opportunities for identity theft

13. Very little of a child's learning is focused on how to determine one's values and make decisions accordingly. Schools emphasize only academic areas, like math and science, but avoid lessons that help young people learn early on what matters to them and how they ought to treat others. As a result, many adults make decisions that may not reflect their true values because they have little practice in such situations. But if schools can broaden their approach to teaching, ______________________________.

(a) children will have more complete educations
(b) teachers will be more satisfied with their classes
(c) our youth can make more learning tools
(d) instruction in difficult subjects will be easier

14. For big city dwellers who mainly rely on bikes and buses, a new business helps ______________________________. It's called Zipcar, and it places cars in parking spots around the city. Those who need to drive on special occasions can reserve the cars online or by phone in advance or at the last minute. You have to subscribe to the service and pay a yearly fee, but you're given an access card that unlocks the car during your reserved time.

(a) people test cars they want to buy
(b) those without reliable transportation
(c) promote new types of automobiles
(d) cities reduce increasing traffic online

15. William Shakespeare is believed to have written hundreds of plays and poems, but for many years, his work has been in doubt. Was he really the author of all the poems and plays bearing his name? Because so little is known about William Shakespeare, it's difficult to know the truth. _______________, recently discovered documents from that time period refer to a man named Shakespeare who authored many plays. This may provide sufficient evidence to put the mystery to rest.

(a) Otherwise
(b) Subsequently
(c) However
(d) Accordingly

16. The Beijing Opera is said to represent the cultural spirit of China. The art form first appeared in the late 18th Century and continues today. It makes use of music, vocal performance, and martial arts to create drama on stage. The story lines within the opera are communicated mainly through the performers' elaborate costumes and suggestive movements. _______________, performers wear ornate face paint to convey each character's role. At the same time, the sets are very simple, and hardly any props are used, drawing the audience's focus to the people on stage.

(a) Rather
(b) Thus
(c) In the end
(d) Even so

Part II **Questions 17—37**

Read the passage and the question. Then choose the option that best answers the question.

17. We often think of television as a way to take a break and be entertained. But we forget there are other ways to slow down at the end of the day and relieve stress. Consider doing away with your television for just two weeks. What if you spent that time outdoors instead, watching the birds, or enjoying a conversation with an old friend? These activities help us connect to the world around us and our relationships, while television can often make us feel more isolated and alone.

Q: What is the passage mainly about?

(a) The dangers of watching TV all day
(b) Alternative ways for people to relax
(c) Unexpected forms of entertainment
(d) The importance of enjoying nature

18. Addictions are behaviors that temporarily comfort us but do not change current circumstances. That is the reason addictions become repetitive, typically in circumstances when we feel unable to cope with an unpleasant reality. Usually this reality is important to us, but we do not have the means to change it. Understanding what is holding us back from taking control of the situation is the start of ending an addictive pattern. Merely fighting the urge is a short-term approach that does not resolve the root of the problem.

Q: What is the main idea of the passage?

(a) Addiction is a means of avoiding something wicked.
(b) People must learn to manage their circumstances.
(c) Patterns can be seen in addictive behavior.
(d) Fighting urges is the first step towards healing.

19. In the early part of the 19th century, monarchy was being restored in Spain, and Russia was expanding into Alaska and along the America's western coast. U.S. foreign policy then announced that the spheres of Europe and America were to be politically separate from that point on. In what was later known as the Monroe Doctrine, Washington declared that the newly created nations of the Western Hemisphere were to remain free of any further interference by colonial powers.

Q: What is the best title for the passage?

(a) European Threats to America
(b) How the U.S. Won the West
(c) Independence for the Americas
(d) James Monroe as Fifth President

20. Seven of the most expensive cities in the world are in China, with Beijing out-pricing them all. There, it takes 25 years for a typical family to buy an average home. Costs are rising so quickly they jumped more than 7 percent in just a month. This is a big problem for the Chinese government, which is trying to control living expenses. As prices soar, citizens are growing discontent. They feel stressed about their finances and are less likely to spend money on other goods and services.

Q: What is the main topic of the passage?

(a) How the government is trying to resolve a national crisis
(b) Details about the causes driving up rental home fees
(c) The multiple consequences of a single economic problem
(d) Strategies people are using to save more money for housing

21. "With great power comes great responsibility" is a modern rewording of a human instinct perhaps as old as time. People naturally expect guidance from those in power. In the aristocratic era of pre-revolutionary France, those with titles of nobility faced the weight of this moral burden. Special privilege and financial support were given to the well-born while the commoners, in turn, expected proper behavior and generosity from them. This legacy lives on in the phrase "noblesse oblige," which means that nobility obligates one to behave well.

Q: What is the main idea of the passage?

(a) Social roles require certain kinds of actions.
(b) Ordinary citizens give charity to those in authority.
(c) Noblesse oblige no longer applies in today's world.
(d) Aristocrats had to obey laws that required kindness.

22. The most popular Korean film in America was made in 2003 and is being remade by famed American director Spike Lee. Audiences are concerned the new version won't live up to the original masterpiece. But with Josh Brolin playing the lead and Samuel L. Jackson playing a supporting role, the new film sounds promising. Brolin, who is now well-known for other recent roles, has said Lee's version will add new scenes and elements but will keep some of its most famous moments.

Q: What is the best title for the news report?

(a) Upcoming U.S. Version of Korean Film in Doubt
(b) Korean Great Will Be Revised for New Audiences
(c) Old Story Told in a New Format to Improve Movie
(d) Famous American Actors Reviving Foreign Cinema

23. While scientists attempt to restore declining honeybee populations, community groups are doing their part. They've launched National Honeybee Day in the United States and Canada to raise awareness about protecting bees. Because the insects are responsible for maintaining healthy plant populations, news of their diminished numbers has prompted people to act. This latest response is meant to help people start their own beehives. It also provides education about harmful pesticides and how to live in harmony with the flying workers who keep our flowers blooming.

Q: Which of the following is correct according to the passage?

(a) National Honeybee Day is now several years old.
(b) Pesticides do not affect honeybee populations.
(c) New groups are trying to help bees recover.
(d) Few people understand the importance of insects.

24. The Bellevue Hotel near Sydney offers warm and comfortable rooms to help you relax during your stay. Free shuttles make visiting the city centre a quick 15-minute trip. Stops include the Sydney Tower, the Convention Centre, and the Circular Quay, which is 5 minutes from Darling Harbour by bus. Back at the hotel, a conference room is available with high-speed Internet access and audio-visual equipment. There is also a health club and 24-hour room service. All guest rooms come with free Wi-Fi and televisions with satellite channels.

Q: Which of the following is correct according to the advertisement?

(a) Guests can arrange for a business presentation.
(b) The hotel is within walking distance to Darling Harbour.
(c) Swimming and weight-lifting is available at the hotel.
(d) Business travelers can freely use the conference room.

25. Rocket science is usually associated with advanced scientists. But a look at ancient history shows that basic rocket fuel, or gunpowder, may have been developed accidentally. The first devices that fit the definition of a rocket were invented in China. Based on a small collection of documents, historians believe Chinese chemists discovered gunpowder for their fireworks while trying to create a medicine that would make people live forever. While testing combinations of different substances, the Chinese eventually uncovered an idea that could make an object launch into the air.

Q: Which of the following is correct about rocket science according to the passage?

(a) It was a medical treatment in ancient China.
(b) Its history is not completely documented.
(c) It was quickly evolved to make weapons.
(d) It was the product of a planned experiment.

26. Today, college students take out one large loan to be paid after they graduate. But in a tough economy, there are few high-paying jobs, and graduates spend decades struggling to get out of debt. A new plan would lessen the burden. It would pay students' tuition up front. After graduation, borrowers would give up a set percentage of their income each year, regardless of how much money they make. It sounds similar to the current system, but it would spare students earning lower wages from years of financial difficulty.

Q: Which of the following is correct about the proposed plan?

(a) It would force universities to lower tuition rates.
(b) It rewards those who perform best academically.
(c) It considers a borrower's earnings after graduation.
(d) It encourages colleges to spend less and save more.

27. Thirty years after the fact, documents have been released by the British navy on the Falkland War of 1982. It contained a curious and sad bit of news for our marine neighbors. Mistaking them for Argentine submarines, a British navy ship torpedoed two whales and a helicopter killed a third. When whale oil in the ocean indicated that the wrong target was hit, the pilot had the ironic thought to join Greenpeace. Military experts say that sonar technology has since improved and that such an incident is unlikely to be repeated.

Q: Which of the following is correct according to the passage?

(a) The British navy apologized for the wrongful killing of marine wildlife.
(b) Military experts stated that such mistakes are unavoidable in war.
(c) The documents admitted an error in detecting an intended target.
(d) An environmental group promised an upgrade to all sonar technology.

28. *Pollyanna* was Mary Pickford's first film for United Artists, a film company she helped co-found in 1919. It was based on the popular children's book of the same name. The title character, Pollyanna, comes to live with a cold and harsh aunt after her father passes away. But with endless optimism, she inspires all who meet her to see the bright side of things. She even manages to improve the life of her strict guardian. Pickford was 27 but played the role of the 12-year old protagonist.

Q: Which of the following is correct about the movie according to the passage?

(a) The protagonist was a young and optimistic actress.
(b) The character changes the way the town functions.
(c) The film company rarely made children's stories.
(d) The story was written about a cheerful girl.

29. The Valley of ten thousand Smokes in Alaska was formed by a volcanic eruption in 1912 and has been shaped over time by more than 100 earthquakes. The original eruption displaced 13 cubic kilometers of earth, more than any other in the 20th century. The valley was named by the geologist who surveyed the location after the first explosion. When he arrived, he saw thousands of spots where smoke was rising from the earth. The area, which eventually collapsed, left a number of small canyons and now covers 100 square kilometers.

Q: Which of the following is correct about the valley according to the passage?

(a) A single explosion created the formations there today.
(b) The landscape is the product of various geologic events.
(c) The smoke escaping makes the area unlivable for animals.
(d) It was formed by the most powerful eruption on earth.

30. After 22 years of guerilla warfare in Sudan, Africa's longest civil war concluded with a peace agreement in 2005. Then a vote in 2011 divided the country into Sudan and South Sudan, making it the first new African country since Eritrea's founding in 1993. Under these new borders, three-quarters of Sudan's oil reserves are now located in South Sudan, yet the new nation remains underdeveloped. South Sudan itself is composed of many ethnic and linguistic groups. The majority practice the region's ancient religions, in contrast to mostly Muslim Sudan.

Q: Which of the following is correct about South Sudan according to the passage?

(a) It became independent from Sudan in 1993.
(b) It has fewer petroleum resources than Sudan.
(c) South Sudan was a result of Eritrea's independence.
(d) The culture of South Sudan is diverse.

31.

Greetings Mr. Richardson,

Your name is next on our waiting list for a two-bedroom apartment at the Uptown Condos. A resident just moved out, so you are next in line for the apartment. However, all applicants must pass a criminal background screening. Once approved, your first month's rent is due June 15. To reserve the space, reply to this email within 4 days or we will contact the next person in line. As you know, many people are eager to live in Uptown Condos.

Sincerely,
Uptown Condos Management

Q: According to the letter, what will happen if Mr. Richardson waits 5 days to reply?

(a) He will fail the background screening.
(b) He will pay more in monthly rent.
(c) He will miss his opportunity to move.
(d) He must leave his home immediately.

32. What's known as Dutch coffee was actually discovered by chance. In the 17th Century, Dutch merchants would sail from Indonesia, bringing exotic goods back home. One of these ships carrying coffee was soaked in cold water during high seas. The remaining coffee had a unique but pleasant taste. In today's cafés, the cold brewing of Dutch coffee takes several hours and brings out a different taste from the ground beans than when using boiling water. Less of the acid and caffeine are extracted from the beans, making it smoother to drink.

Q: Which of the following is correct about Dutch coffee according to the passage?

(a) It is richer but milder in taste than steamed, brewed coffee.
(b) The Dutch intended to invent an alternative way of brewing coffee.
(c) Its time-consuming manufacturing procedure makes it expensive.
(d) It is usually made from coffee beans that were grown in Indonesia.

33. We commonly think more is better when it comes to boosting resistance to disease. In truth, a healthy body contains high concentrations of bacteria, much of which aids the digestive system and other internal maintenance. The result is a delicate bacterial habitat within the body that helps regulate health. It's the balance in this microscopic world that allows various body systems to work properly. Simply taking supplements or vitamins to boost immunity may not enhance the body's defenses as well as other processes we can't see.

Q: Which of the following is correct about the immune system according to the passage?

(a) It thrives on a delicate combination of elements.
(b) It is regularly disturbed by exterior factors surrounding us.
(c) It is best positioned to fight disease when frequently medicated.
(d) It responds most positively when good nutrition is a daily routine.

34. The original novel *Jurassic Park* did not have a Tyrannosaurus Rex in its ending scene. Director Steven Spielberg added the T. Rex for the finale of his film in order to wow audiences. In fact, T. Rex did not exist until the Cretaceous Period, which followed the Jurassic Period. Most of the dinosaurs that appeared in both the novel and film are from millions of years after the Jurassic was over, all except two species. Evolutionary biology, in this case, takes a backseat to the thrill of seeing aggressive dinosaurs come to life on screen.

Q: What can be inferred about the film *Jurassic Park* from the passage?

(a) It closely followed the list of dinosaurs found in the original book.
(b) Only a few of the dinosaurs are chronologically accurate.
(c) T. Rex was the only dinosaur to appear outside its time period.
(d) Spielberg thoroughly consulted with dinosaur scientists for accuracy.

35. Cardiovascular workouts particularly help increase blood and oxygen flow to the brain and help create new nerve cells. Especially with older folks, the lessening of muscle mass and mental function can be partly stopped by leading a physically active life. On top of this, studies indicate that exercising outdoors has added benefits. It doesn't require the repetitive movements of indoor treadmills or stationary bicycles and works different muscles. People also report it can be more enjoyable and encourages them to exercise more regularly.

Q: What can be inferred from the passage?

(a) Outdoor exercise is much better for the brain than indoor.
(b) Treadmills offer fewer health benefits than stationary bikes.
(c) Activities targeting cardio health are best when one is older.
(d) Gym workouts may undermine commitment to fitness.

36. The quiz show "Are You Smarter Than a 5th Grader?" invited contestants to answer questions from elementary textbooks, rewarding them with cash for each correct answer. If a question was too challenging, a guest panel of 5th graders could provide help. A UK spinoff program had a similar format. The fact that such shows were popular in both countries indicates an interest in citizens' declining level of intelligence. With people's growing appetite for video games and mindless sitcoms, the game show highlights an unfortunate trend in dropping IQ levels.

Q: What is most likely to be discussed next?

(a) Evidence of society's decreasing brainpower
(b) A list of spinoff programs from other countries
(c) Examples of questions asked of the participants
(d) Details about activities that make people smarter

37. Centuries after the birth of Jesus, a new religious leader, Muhammad, launched the Islamic religion. In his early life, he was an average merchant, but after hearing the voice of God, he began recording his religious insights, which later formed the Qur'an. Muhammad attracted numerous followers and united various tribes. But many resisted, wanting to maintain the spiritual practice that had been in place for centuries. Nevertheless, Muhammad's followers managed to grow the Muslim empire after his death, turning Islam into the second-largest religion in the world.

Q: What can be inferred about Islam from the passage?

(a) Its opponents managed to contain it to one area.
(b) Those opposed to it kept it from spreading.
(c) It appealed to many and spread over time.
(d) The religion's ideas were told orally to other tribes.

Part III Questions 38—40

Read the passage. Then identify the option that does NOT belong.

38. To fit the story in *Rain Man*, composer Hans Zimmer took an unorthodox path in his choice of musical instruments. (a) Those he worked with were highly doubtful his approach would be effective. (b) Instead of the more usual guitar or string music found in travel movies, he used synthesizers and steel drums. (c) This strange set of sounds served to reflect the main character Raymond's own sense of anxiety in the film. (d) It worked and he was nominated for an Academy Award for his musical score.

39. Europe should probably take serious note of the recent trend toward LTE in the U.S. (a) The switch is being driven by Verizon in its attempt to jump back into the lead in the mobile industry. (b) While keeping their earlier strategies, various European operators are adopting a mix of technologies. (c) It is playing catch-up with Asia, which is already converting to LTE-A and VoLTE. (d) Meanwhile, Europe's investment in high-speed 3G+ networks has resulted in less competitive pressure to convert to LTE.

40. The Federal Trade Commission finds that work-at-home ads are legitimate only about 2-3% of the time. (a) The vast majority of these seemingly easy opportunities are really just tricks to steal money from people who are looking for work. (b) Legitimate offers exist and often demand a degree, experience, or expertise. (c) A classic example is the envelope-stuffing job that only deals with useless products of no real economic value. (d) Another sign that something is wrong is that the victim has to pay a fee before starting employment, which is technically illegal.

This is the end of the Reading Comprehension section. Please remain seated until the proctor has instructed otherwise. You are NOT allowed to turn to any other section of the test.

TEPS
ACTUAL TEST 4

Reading Comprehension

DIRECTIONS

This part of the exam tests your ability to comprehend reading passages. You will have 45 minutes to complete the 40 questions. Be sure to follow the directions given by the proctor.

정답 P 55

Read the passage. Then choose the option that best completes the passage.

1. Today, corporations couldn't do business without the technology to ______________________________. This was made possible more than 100 years ago when Henry Ford invented the automobile. The Ford Company's Model T, one of its first cars, became so popular the company could not make the cars fast enough. That's when Ford expanded his factories and created the moving assembly line, allowing workers to be more efficient. With this invention, companies could make their products more quickly and keep costs low.

(a) produce cars when people demand them
(b) build their products using only machines
(c) create vehicles that run on electricity
(d) rapidly make products in large numbers

2. More high schools are putting students in the kitchen to help prepare school meals. It's a training program that allows young people to learn culinary skills and understand what it takes to run a restaurant. Students who participate help make decisions about ingredients, menus, and recipes. Their classmates in the cafeteria also like the program because they now eat healthy items for lunch instead of frozen and packaged meals. School officials like it because they don't have to hire as many cooks and students experience hands-on learning. You could say ______________________________.

(a) students are working, not studying
(b) it helps students prepare for college
(c) the arrangement benefits everyone
(d) the school has overhauled its teaching

3. The Rolling Stones, a rock band adored by millions for decades, nearly fell apart in 2010 when one member, Keith Richards, published his memoir. Some of his statements in the book about his bandmates caused very sour feelings, and the band broke up. But in 2012, the group came together to repair relationships. They even set out on a worldwide reunion tour. Now fans who feared they would never hear The Rolling Stones perform live again are ______________________.

(a) celebrating the revival of a favorite
(b) saddened by the time that was lost
(c) purchasing the band's newest album
(d) enjoying memories of earlier live shows

4. Several reasons exist for the necessity of daily grooming for all pet dogs. The primary benefit is in helping maintain the health of the animal by monitoring for problems. Cuts in the skin or parasites can be found early on. Swelling, difficulty in movement, or changes in body temperature are all warning signs. In addition, owners can gain a closer bond with their dogs, making them seem more like family members, through this daily practice. This way, the dog is just ______________________.

(a) more free of bugs or skin issues
(b) a happier and healthier pet
(c) a younger and healthier animal
(d) one which is checked for fleas

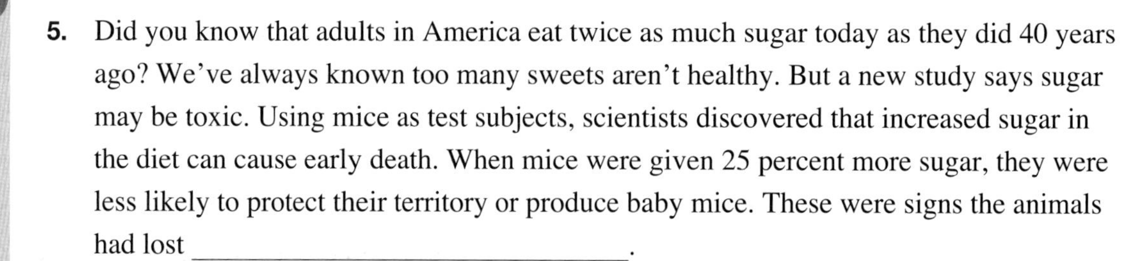

5. Did you know that adults in America eat twice as much sugar today as they did 40 years ago? We've always known too many sweets aren't healthy. But a new study says sugar may be toxic. Using mice as test subjects, scientists discovered that increased sugar in the diet can cause early death. When mice were given 25 percent more sugar, they were less likely to protect their territory or produce baby mice. These were signs the animals had lost ________________________.

(a) the extra weight they had gained
(b) the ability to care for themselves
(c) tolerance for other food sources
(d) thinking skills for problem solving

6. Railroad enthusiasts represent one of the oldest examples of fandom centered around an industry. Fans of automobiles are of a similar nature but historically came later. The reasons for the fascination with trains are perhaps understandable. They have that colossal presence in the landscape, their mechanical beauty, and the romance of riding the rails. Model railroads are often a part of being a railroading fan. Some simply own a train set, while others invest in building an elaborate layout ________________________.

(a) complete with model landscapes
(b) to work in railroad stations or trains
(c) encouraging the fans to take up the hobby
(d) which is modern and up-to-date for travelers

7. It may be difficult to imagine, but there was a time when it was improper to dance alone. Up until the 1960s in America, almost all dancing was done with a partner. But as cultural change set in across the country, many social expectations were challenged. Older generations and younger generations became more divided on a number of subjects—war, relationships, art. At the same time, music evolved to include louder, more aggressive and outspoken artists. As the songs transformed, ______________________.

(a) so did the way people moved to music
(b) they reflected new political concerns
(c) so did relationships between generations
(d) they changed society's belief system

8.

Notice to New Students!

Next year, according to the Education Department, all 9th-grade students ______________________. All students must take six hours of fine arts instead of four. Students who want to graduate with honors must pass Calculus I and Calculus II. But requirements for physical education now allow students to attend a gym or exercise class outside school. Finally, all students must perform six more hours of certified volunteer work, for a total of 30. Please speak with your counselor to plan accordingly and ensure you have everything you need to graduate.

(a) should refine their study tactics
(b) are slipping in their artistic skills
(c) need to increase physical activity
(d) must meet new academic standards

9. Famous African American talk-show host Oprah Winfrey recently announced she was mistreated while shopping in an expensive shop in Zurich. As Oprah tells it, she asked the saleswoman to show her an expensive handbag. The saleswoman refused, saying the bag was "too expensive." Oprah says the woman didn't recognize her as a famous celebrity, and therefore revealed her discriminatory thinking. This is an issue Oprah has talked about often—the assumption that a person of color would never be ______________________________.

(a) a famous TV personality in the United States
(b) prosperous enough to afford designer goods
(c) able to stylishly wear a very fashionable item
(d) so courageous as to report a racist incident

10. A traditional food for the Korean holiday Chuseok is songpyeon which are half-moon pieces of rice cake ______________________________. Some possibilities include a sesame seed and honey combination or the sweetened paste of adzuki beans. The name songpyeon, literally meaning pine tree and steamed rice cake, comes from the fact that the cakes were originally steamed with pine needles to absorb the fragrance. The history of this item dates back to the Goryeo Dynasty and it is traditionally prepared communally within the family.

(a) eaten to give people good luck
(b) accompanied by other dishes
(c) filled with various ingredients
(d) shaped to resemble the harvest moon

11. In several ways, Asian fashions seem more daring and bold than clothing often worn in Europe. The mini-skirt and knee-high socks often worn in Korea and Japan appear both playful and elegant, but such outfits aren't often found on the streets of Germany or London. Certainly, sleek and sophisticated clothing can be found in European countries, but they are not the everyday fashion choice for most people. However, as Korean and Japanese popular culture gain more attention in the West, their ____________________________.

(a) choices in clothing may express themselves
(b) dressing trends may also have influence
(c) music and films may inspire new fashions
(d) design companies are likely to earn more

12. Many people practice yoga purely as a form of exercise, but there are classes that include Buddhist thought and meditation, too. These classes still provide the training to strengthen muscles and improve flexibility, and they have spiritual rewards as well. They allow the time, quiet, and space for people to slow down, calm the mind, and step back from the emotions and pressures of everyday life. As a result, these classes ____________________________.

(a) help people resolve their religious questions
(b) make it easy to enjoy fitness in a community
(c) promote meditation as a part of daily life
(d) offer both mental and physical rewards

13. The concept of nuclear power was first thought of in 1933 by a Hungarian scientist working in London. But this early idea didn't include nuclear fission, which is critical to nuclear energy. Fission splits atoms and produces free neutrons and therefore ______________________________. The technology was developed in 1942. With this new capability, the world's first nuclear plant was built in Idaho in 1951. Incidentally, this was also the location of the world's first nuclear plant meltdown.

(a) can be utilized to make the latest nuclear weapons
(b) makes solar energy an unnecessary energy source
(c) eliminates the possibility of electrical blackouts
(d) produces the materials needed to make electricity

14. When talking about a building's architectural style, it can be ______________________________. It's often confusing because most houses are a mixture of several styles. The materials may belong to one time period while the structural system might have been inspired by another. We can also look a structure's different parts. The roof may be modernist or have Spanish influence, while windows, doors or entire rooms could have a more classical feel. For this reason, two experts, like a real estate agent and an architect, might describe the same building differently.

(a) easy to agree on a definition
(b) open to various interpretations
(c) possible to create new design
(d) described in rather vague terms

15. Companies often build “big-box stores” like Wal-Mart just outside city limits where land is available and affordable. The stores are identical whether in Alabama or Minnesota, allowing companies to save money when using the same design again and again. But now stores must alter their model as cities grow larger and space is harder to find. ______________, they have to use existing spaces, like old storefronts and warehouses, and redesign floor plans to fit. Businesses end up spending more money, but their stores have a more interesting and varied look.

(a) Likewise
(b) By contrast
(c) In brief
(d) As a result

16. There once was a man who walked to work with a companion every day on the same route. The companion was usually silent, but the man felt the journey was monotonous. Therefore he talked continuously, just whatever came to mind without much thought. ______________, his friend would listen and not say anything. One day the friend asked if the man could remember what he said the week before. Failing to do so, his friend cautioned him that talking is important and that the words he speaks now will speak for him later.

(a) Nevertheless
(b) Accordingly
(c) Specifically
(d) For instance

Part II **Questions 17—37**

Read the passage and the question. Then choose the option that best answers the question.

17. Margaretha Zelle, known as Mata Hari, is one of the most famous women of the 20th century. The Dutch beauty was an exotic stage performer who entertained many famous men. Her life of glamour ended tragically when she was executed by the French for spying. But a new book suggests Mata Hari may not have committed the crime after all. Citing gaps in the documents that were used to find her guilty, it claims Mata Hari was falsely punished at a time when France was intensely afraid of its neighbors.

Q: What is the passage mainly about?

(a) One woman's fall from fame to disaster
(b) New information about a historical figure
(c) A crime that went unsolved for many years
(d) The legacy of a well-known performer

18. Those who enjoy that rich high-grown Central American taste should look no further. Grown from a rare variety of Gesha evergreen shrub at an elevation of 4,000 feet, Coava continues to distinguish itself with its premium quality. The company farm in the Granja Licho plateau planted the trees with government support to bring botanical variety to the region. Their blends combine an intense tropical fruitiness with a tart, chocolate flavor. Specializing in organically grown, small-scale roastings, the company prides itself on its beans being fresh and distinctive.

Q: What is the advertisement mainly about?

(a) A premium fruit from Central America
(b) An innovative technique for harvesting
(c) An established home-grown business
(d) A high-quality processed farm product

19. The newest debate in environmental and food health focuses on genetically modified organisms, or GMOs. These are foods whose DNA structure has been altered to achieve certain outcomes, such as tolerance to cold weather. There is currently only limited evidence that GMOs cause damage to the body. But given the uncertainty and concern, activists are worried because companies don't have to tell shoppers whether or not their products contain GMOs. Lately, more shoppers want to be informed, and they're speaking out about it.

Q: What is the main topic of the passage?

(a) Efforts to label GMO products
(b) Research about changes to DNA
(c) Methods to make food affordable
(d) Helping crops survive the winter

20. Adventurous cave-divers in Italy discovered an underground system of roads and passages near the ancient home of Hadrian outside Rome. It's believed that during the 2nd century, servants and merchants used the roads to transport luxury goods between palaces. Because the tunnels were below ground, this meant the emperor didn't have to see the peasants interrupting his view as they made deliveries, a class distinction not previously known by historians. Researchers also discovered a water-delivery and sewage system, suggesting a sophisticated way of life in the empire.

Q: What is the best title for the passage?

(a) Unearthing New Clues about Ancient Life
(b) Buried Roads Provide New Travel Methods
(c) Roman Emperor Wanted Citizens Hidden
(d) Adventure Leads to Unlikely Discovery

21. The number of children diagnosed with autism in California has steadily increased by 40,000 in just eight years. While autistic children comprise the majority of special education students, other diagnoses are on the rise as well. Records also show increases in impairments due to heart conditions, asthma, and epilepsy. At the same time, fewer children are reported to have learning disabilities. It's unclear why there's been a rise in one category and a decline in another, whether it's environmental conditions or some other cause.

Q: What is the passage mainly about?

(a) More accurate methods of diagnosis
(b) Discovered reasons for children's autism
(c) Trends in health that affect youth
(d) Changing conditions for the disabled

22. After years living under the conditions of war, Afghanistan recently held its first soccer game in more than a decade, hosting a visiting team from Pakistan. Though the game was meant as a peace effort between two countries, everyone in the stands took the game very seriously. When the Afghan team won 3-0, fans said it felt like winning the World Cup. While the score did matter after all, the game certainly succeeded in bringing people together and eliminating the burden of war for a brief time.

Q: What is the main topic of the passage?

(a) The return of sporting events to Afghanistan
(b) A meaningful game for a struggling country
(c) A game to determine future political decisions
(d) How competition resolves international issues

23. For one exciting weekend, the most notable rock 'n' roll bands in the world will gather in New York City for three days of performances. This collection of bands are traveling from all corners of the globe, representing 50 countries. Music-lovers can purchase a single pass to access all of the festival's shows. It's also possible to buy a single-day pass or a ticket to a single show. Bands will take the stage in clubs in Chelsea, Greenwich Village and Soho.

Q: Which of the following is correct about the festival according to the announcement?

(a) It celebrates popular local performers.
(b) It offers a variety of ticket packages.
(c) It brings together diverse art forms.
(d) It features many musical varieties.

24. A new novel, *Snow Hunters*, by Korean-American writer Paul Yoon follows a young man, Yohan, after his release from a war camp at the end of the Korean War. Rather than return to North Korea, Yohan goes to Brazil and works for a Japanese tailor. The book alternates between Yohan's new life and despairing scenes from the prison camp. Now free, Yohan is still plagued by loneliness, but new friends provide help in small ways, giving him an umbrella in the rain and a new suit to replace his travel clothes.

Q: Which of the following is correct about the book according to the passage?

(a) Its main character plays the role of a hero.
(b) It explores the political complexity of Korea.
(c) It depicts a man's life before and after war.
(d) Its story is told in a single linear timeline.

25.

Hi Ms. Dewar,

My name is Mallory and I operate a blog, HomeCookery.com, for all who enjoy cooking at home. The site features lots of recipe ideas for moms and has approximately 30,000 regular visitors and thousands of views a day. I was wondering if your company would like to be a part of my online product review. It would greatly benefit my blog and spread the word about your company. All products will receive an honest review and will be seen by people who are likely to be interested in your goods.

Q: Which of the following is correct about Ms. Mallory according to the letter?

(a) She is looking to reach moms and other people who cook.
(b) She averages about 30,000 hits every day on her webpage.
(c) She wants to review some of the company's products on her blog.
(d) She enjoys preparing food at home using high-end kitchen gadgets.

26. Many people believe MSG, an ingredient often used in foods to enhance flavor, is highly dangerous, more so than alcohol or smoking. American foods, in particular, use MSG in numerous canned and packaged foods, like crackers and salad dressings. Many people aren't aware they're eating large amounts of it, nor do they realize its downside. MSG excites cells in the body to the point that they become damaged. It mostly affects the brain and nervous system, and can cause learning disabilities or Parkinson's disease.

Q: Which of the following is correct about MSG according to the passage?

(a) It is difficult to identify because of its delicious taste.
(b) It is used less often due to awareness of its harm.
(c) Its harmful effects are not commonly understood.
(d) It is widely eaten because it's not listed on food labels.

27. Today's teens can hardly remember a time when cell phones weren't readily available. Their attachment to gadgets often causes parents to wonder: Are teens more comfortable with technology than they are with fellow teens? New studies show young adults are more affected by issues of privacy and how to present themselves than their parents were. But, at the same time, modern kids worry about the same things their parents did; they place the greatest importance on academics, friendships, families, and the future.

Q: What is correct about today's teenagers according to the study?

(a) Their reliance on phones separates them from loved ones.
(b) Their interest in social media sites can lead to risky behavior.
(c) They are learning useful ways to protect themselves online.
(d) They share the same concerns as teenagers in earlier decades.

28. When you're feeling under the weather, you can now visit a doctor from your own home. It's easy to find a physician who will meet with patients over the Internet using webcams. The service is used only for people experiencing minor problems like a sore throat or headache. It obviously doesn't work when stitches or X-rays are needed. But cyber-medicine makes it more convenient for patients to get help, and this encourages people to seek treatment early when health problems are easy and more affordable to remedy.

Q: Which of the following is correct according to the passage?

(a) Anyone experiencing illness can see a doctor online.
(b) Virtual medicine helps prevent small health problems.
(c) Web-based treatments are for low-income patients.
(d) Looking for medical help offline is highly expensive.

29. In 1982, Disney opened a surprising and unique addition to its collection of theme parks. EPCOT Center at Walt Disney World immediately became famous for its appearance—a giant, white sphere standing 18 stories tall. The inside of EPCOT was just as impressive, showcasing technological achievements and the cultural features of nine different nations. Walt Disney originally wanted EPCOT to be a well-run city for 20,000 people, but he died before he could create this ambitious community. Instead, the park remains a well-known attraction to thousands of tourists each year.

Q: Which of the following is correct about EPCOT Center according to the passage?

(a) It has invited celebrities from nine counties every year.
(b) It was aimed to show Disney's technological developments.
(c) It has become a landmark of the entertainment park.
(d) It was initially built for holding an international conference.

30. The broad definition of cancer covers any kind of uncontrolled cell growth that forms dangerous tumors in the body. The cause of most outbreaks of cancer is difficult to find because several factors can be involved. It's thought that the vast majority of cases are due to lifestyle factors with only a small percentage due to genetics. The fact that immigrants to a country often develop the diseases common to their new surroundings indicates the importance of lifestyle in influencing disease.

Q: Which of the following is correct according to the passage?

(a) Immigrants' health is affected by their new environment.
(b) Most cancers' origins can be identified by studying patients.
(c) Genetics may have a greater influence than doctors believed.
(d) Air and water pollution are to blame for most deadly tumors.

31. We want celebrities to be unusual and bold. We expect them to make artistic statements about modern life while entertaining us. But American singer Lady Gaga may have taken this to new heights. In her recent performance for a festival, she changed costumes numerous times, wearing everything from a pig mask to spray paint and ninja outfits. In another moment, she was dressed as the Roman goddess Venus. The entire show became a bizarre display of random characters with no real purpose.

Q: Which of the following is correct about the singer according to the passage?

(a) She gives performances that are visually unique.
(b) She wears her own fashion brand for promotion.
(c) She charges extra for tickets to pay for costumes.
(d) She enjoys confusing audiences with surprises.

32. The Encounters Festival in South Africa is the largest film festival in the continent dedicated entirely to documentaries. Since it started in 1999, it has helped draw attention to the genre, promoted new productions, and brought international movies to Africa. The festival also makes a directed effort to encourage new filmmakers. First-time directors can propose projects to a team of experienced experts; the best projects win money for production. Since it started, the festival has supported nearly 1,500 new documentaries.

Q: Which of the following is correct about the festival according to the passage?

(a) It introduces a variety of different types of movies.
(b) It celebrates filmmakers at all levels of their career.
(c) It has had little impact on the world of documentaries.
(d) It tours globally to bring cinema to other countries.

33. Online shopping malls function much like physical malls. Through a single web site, consumers can shop at a variety of different stores, purchasing home improvement products, clothes, books, and accessories. The sites aim to attract shoppers by making the online buying experience more convenient. Some companies are beginning to incorporate customer reviews with the online mall concept. That is, the malls can determine the top ranked winter jackets, for example, even if they come from different stores, and help consumers more easily find the product that best suits them.

Q: What can be inferred about online shopping malls according to the passage?

(a) They are ordering only the products customers demand.
(b) Their business model has changed that of physical malls.
(c) Their success is putting physical malls out of business.
(d) They are combining services to enhance shopping.

34. Oxycodone has been used to treat chronic pain in cancer patients since 1917. But in the 1990s, people began using the drug beyond pain treatment and often became addicted to the blissful effects it produced. In many cases, people were crushing the pills into a powder to feel its effects more quickly. Drug makers changed the drug, making it difficult to physically alter the pills. Lawmakers made changes as well. In many countries, possession of Oxycodone without a prescription can lead to heavy fines and time in jail.

Q: What can be inferred from the passage?

(a) The passage of stricter laws significantly increased abuse of oxycodone.
(b) Manufacturers meant for the drug to be used only as medical treatment.
(c) Cancer patients suffering pain now prefer to use other forms of medication.
(d) Prescriptions for oxycodone are currently harder to obtain from doctors.

35. Scientists studying the brain recently took note of a specific gene that loses its strength in the later stages of life. The gene controls a person's ability to recall events and details. Using test mice, researchers found they could alter the gene and slow the mental effects of aging, allowing mice to retain more information while growing older. If the same process produces similar results in humans, this could prolong brain strength for years. Moreover, the same application could enhance genes that affect other parts of the body.

Q: What is most likely to be discussed next?

(a) What happens to the brain as we grow old
(b) The detailed science behind the experiment
(c) Other possibilities for anti-aging treatments
(d) Various factors contributing to memory loss

36. Refugees from countries like Somalia and Syria sometimes relocate in Western countries where life is much different. While immigration allows refugees a much safer environment, they often experience culture shock. Their home-countries usually lack the modern luxuries of the West. Rather, refugees grew up farming their own land and crafting their own clothes and tools. Support organizations in Europe and America are offering programs where refugees can enjoy their traditional practices.

Q: What can be inferred from the passage?

(a) It's important refugees feel connected to their cultural rituals.
(b) Immigrants are able to bring their old lifestyles to new countries.
(c) It takes considerable risks to get used to different environments.
(d) Conditions after relocation are often confusing and dangerous.

37. Color Project is a local effort in Baltimore to improve the city through volunteer painting projects. In neighborhoods where residents and business owners can't afford to spruce up homes and stores, Color Project gives these buildings a makeover. Some simply need a new coat of paint. For other businesses, volunteers will design a mural and turn one exterior wall into a piece of art the entire community can enjoy for years. Since they began painting three years ago, property values have already risen slightly in low-income areas.

Q: What does the passage imply about Color Project according to the passage?

(a) It provides assistance for varying income levels.
(b) It aims to repair the city's run-down structures.
(c) It inspires people to paint and update their homes.
(d) It is having both an artistic and economic impact.

Part III **Questions 38 – 40**

Read the passage. Then identify the option that does NOT belong.

38. Environmental scientists are using radar to chart very small changes in the ice fields of Greenland. (a) By flying over the entire area, they can capture every inch of the ice of the below and identify tiny cracks. (b) This not only helps them locate safe landing areas, but it also allows them to predict where breaks in the ice are likely to occur. (c) In looking very closely at the changes, they can better understand the effects of the planet's temperature changes over time. (d) Several years ago, an aircraft landing on Greenland's ice sank into the water because the ice was too thin.

39. The city of San Antonio recently passed an ordinance that added sexual orientation to the city's non-discrimination policy. (a) The rule is being strongly criticized by conservative officials gearing up to run for office. (b) Previously, this rule only protected people and employees from discrimination based on race, sex, age, disability, and religion. (c) The law makes it illegal for businesses to turn people away for a job or for service based on their sexual preferences. (d) While the provision was passed by a large margin—8 votes to 3—it's prompted a lot of debate and backlash beyond the city limits.

40. Citron tea is a popular herbal tea in Korea drunk as a remedy for the common cold. (a) It is traditionally prepared by marinating pieces of the yuja in honey. (b) This gets rid of the sour and bitter taste of the fruit and helps preserve it for the winter months. (c) A spoon of the yuja marmalade dissolves more easily in hot water than in cold. (d) It's considered a reliable natural treatment for an illness most people experience each year.

This is the end of the Reading Comprehension section. Please remain seated until the proctor has instructed otherwise. You are NOT allowed to turn to any other section of the test.

TEPS
ACTUAL TEST 5

Reading
Comprehension

Directions

This part of the exam tests your ability to comprehend reading passages. You will have 45 minutes to complete the 40 questions. Be sure to follow the directions given by the proctor.

정답 P 67

Part I Questions 1–16

Read the passage. Then choose the option that best completes the passage.

1. Public libraries not only offer free books, but they provide key services in the community. For some disadvantaged people, libraries are the one place to find free computers and Internet. Better still, libraries connect people with experts who can provide information and learning. For example, immigrants can study a new language through free programs. Some libraries host health or law programs where people can better understand how insurance and legal issues work. In a democratic society, libraries are ______________________________.

(a) the main place for free education
(b) places to discover powerful ideas
(c) one of our most prized resources
(d) struggling to keep their doors open

2. People concerned about endangered giant pandas are ______________________________. Breeding the pandas in zoos not only increases the population, but some think it encourages people to care more about the animals. The idea is that by raising awareness, more people will help protect the animal. Others say that approach is very expensive, and the money could instead be used to preserve natural habitats so the animals can recover in their own environment.

(a) worried about how cages affect them
(b) joining to release pandas into the wild
(c) trying to find more areas for them to live
(d) debating how to help the animal thrive

3. At the age of three, children begin to more actively engage with their peers at school or on the playground. By watching others who are slightly more advanced, they find the courage and inspiration to try something new. At the same time, their budding egos make them possessive and sensitive to the actions of others, which often causes crying and hurts feelings. It's a challenging time of growth when toddlers must learn to ______________________.

(a) communicate more efficiently with their classmates
(b) channel their confidence and regulate their moods
(c) test their limits and practice skills that are new to them
(d) contribute to the family in more noticeable ways

4. Bullying is a hot topic in schools these days, but it's important to realize ______________________. It's normal for buddies to tease each other, but if they take it too far, take note. If you know pals talk badly about you when you're not around, that's another sign you may be cuddling up to the wrong person. If the people you hang out with want you to do things you're not comfortable with, you know they're not on your side. That's when it's time to stand up for yourself!

(a) you can count on your classmates
(b) friends may sometimes harass you
(c) it doesn't affect many young people
(d) your friendships will challenge you

5. It's common knowledge that an avalanche happens when large amounts of snow and ice slip down a mountain at a high rate of speed. But many people aren't aware there are a variety of different types of avalanches, based on whether the frozen material is wet or dry and how tightly packed together it is. These landslides of snow can be very dangerous. Often when people are injured or killed in an avalanche, it's because someone traveling in the area disturbed the unsteady placement of the snow. In that sense, you could say ______________________________.

(a) avalanches are one of the most deadly disasters
(b) snow is more versatile than most people realize
(c) something as simple as snow is quite powerful
(d) few people understand the risks they are taking

6. Social Darwinism was developed from Charles Darwin's theory of evolution in the animal world. It suggested that certain people were more fit for survival than others. It was used by some in the late 1800s and early 1900s to justify open capitalism, racism, or the takeover of smaller countries by larger ones. The idea was that superior groups should be allowed to take what they want by force. Now considered a negative term, this idea ______________________________.

(a) became the foundation for capitalist thinking
(b) educated people about European evolution
(c) applied a biological theory to social mechanisms
(d) helped to describe relationships among people

7.

Dear Residents,

It's important we alert you to upcoming ______________________________. Monday and Tuesday, crews will be upgrading the garage, and you will have to park on the street. Wednesday and Thursday, we'll be replacing the elevators, so you'll need to take the stairs. Friday and Saturday, a plumber will be fixing pipes, so the water in your apartment may be off temporarily. By Sunday, all projects will be complete.

Sincerely,
The Management

(a) new parking procedures for guests
(b) construction projects in the building
(c) improvements to your home appliances
(d) changes in the apartment's main office

8. As a study in characters and manners of the South, *Cat on a Hot Tin Roof* presents a story of everyday life even though ______________________________. The acclaimed play by Tennessee Williams shows a family in old Mississippi struggling to be themselves while trying to act as if all is well. Themes of truths and lies and keeping up appearances in Southern society run throughout. The original play's final line, "Wouldn't it be funny if that was true?" expresses the gap between polite behavior and hidden but real circumstances.

(a) it portrays a lot of cheerfulness
(b) there is criticism of its simplicity
(c) there is an emptiness to the culture
(d) conflict lies beneath the surface

9. Following the strict meaning of the Latin word, an infant is one who cannot yet speak. However, babies typically start saying a few words as they approach one year old. And even at a few months, they enjoy making sounds, often to the delight of their parents. All along, they are listening to the sounds of their environment and the speech of those around them and responding with smiles and laughter. Even when infants appear to be confused by what we say, they are ______________________________.

(a) making observations that help them train skills
(b) constantly learning new elements of language
(c) still understanding much of their parents' speech
(d) entertained by what they see and hear around them

10. The film *Elysium* is set more than 100 years in the future. Earth has become a wasteland, where the poor struggle to survive. The planet's wealthy citizens have moved to a luxurious space station called Elysium, where they live comfortably and enjoy the best health care technology. The story unfolds as the suffering people on Earth try to force their way into the world of the wealthy so they can live better lives. Yet the rich use their money to prevent them from entering. The result is a film that

______________________________.

(a) explores how humans respond to class differences
(b) creates high drama with advanced special effects
(c) offers a general description of life in the future
(d) details the real experiences of modern societies

11. A new study shows that people living under financial strain perform worse on IQ tests. It's not that poor people are less smart. Rather, the constant worry over money issues eats up a great deal of one's brainpower. The stress of their situation is similar to losing a night of sleep—the brain is slower and less sharp. Given the findings of the study, it's fair to say that for people in poverty ________________________________.

(a) lack of intelligence led to their circumstances
(b) educational resources are simply too expensive
(c) money and mental energy are in short supply
(d) it's difficult to find needed education

12. Amid the maturing coffee market in Korea, Mettrel has taken a different approach when establishing themselves on the scene. Their new store in central Seoul looks to surprise all who walk in expecting just another café. Customers can be seen carefully tasting their drinks in the spirit of real appreciation for the brews. There is the distinct sense of a boutique space dedicated to a premium experience. It is hoped that the taste for a more quality product will ________________________________.

(a) work in favor of the brand as it enters the world market
(b) enhance the quality of services that were poorly controlled
(c) expand their presence in the country as a domestic brand
(d) boost dramatically the number of people who consume coffee in Korea

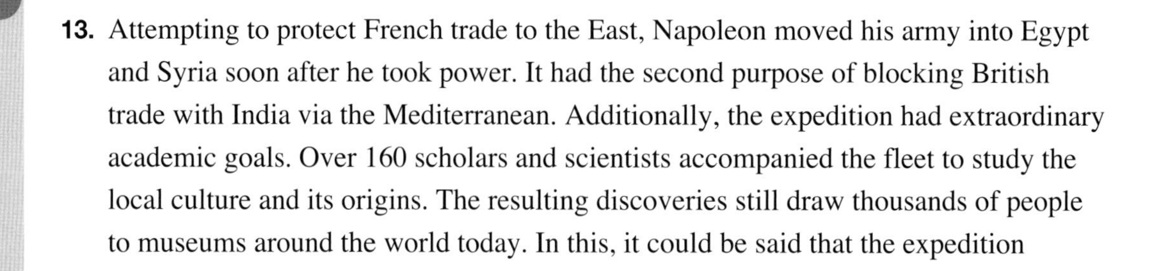

13. Attempting to protect French trade to the East, Napoleon moved his army into Egypt and Syria soon after he took power. It had the second purpose of blocking British trade with India via the Mediterranean. Additionally, the expedition had extraordinary academic goals. Over 160 scholars and scientists accompanied the fleet to study the local culture and its origins. The resulting discoveries still draw thousands of people to museums around the world today. In this, it could be said that the expedition ______________________________.

(a) got involved in Middle Eastern affairs
(b) added fuel to French-British competition
(c) had lasting effects on historical knowledge
(d) accomplished less than it proposed to do

14. Osmosis is the natural tendency of a liquid to equalize its concentration of ingredients throughout. So, when freshwater meets seawater, the saltiness spreads to the freshwater through osmosis. In order to get drinkable water from the ocean, a reverse osmosis process is used. Pressure is applied to the seawater, which pushes it through a membrane, ______________________________. Reverse osmosis can be used by anyone needing clean water, including soldiers patrolling remote areas.

(a) allowing the water to pass but holding back the salt
(b) adding important nutrients but limiting its purity simultaneously
(c) reserving the salt to be used later and blocking the drinkable water
(d) bringing it into a large container and turning it in a reverse direction

15. As consumers rely less frequently on physical stores to buy goods, they're turning to the Internet for major purchases. In response, more corporations are learning to connect shoppers to their products across the web. _______________, people can now buy everything from cars to toilet paper online and have it delivered to their doorstep. Individuals are also able to participate in this digital marketplace by creating online garage sales. Web sites like Craig's List allow people to post and sell items directly to buyers in the same city.

(a) That being said
(b) Regardless
(c) Otherwise
(d) For instance

16. In the Diplomatic Revolution of 1756, the long-standing balance of power in Europe changed dramatically. Austria and France were old rivals but then joined forces against Frederick II of Prussia. Britain was a traditional ally of Austria. _______________, it favored the rise of Prussia to balance the power against its own rival France on the continent. As Prussian expansion came at the expense of Austrian territory, relations between Austria and Britain naturally soured.

(a) Accordingly
(b) However
(c) Similarly
(d) Moreover

Part II Questions 17—37

Read the passage and the question. Then choose the option that best answers the question.

17. The discovery of the Rosetta Stone in 1799 made it possible to understand Egyptian hieroglyphics for the first time. The stone was first displayed in a temple, and it contains passages written in three different languages—one of them Egyptian script. Once it was clear the different passages expressed the same message, they could be used to decode the Egyptian symbols. Archeologists were then able to learn from the symbols adorning tombs, pyramids, and other objects. This led to revelations about life in early times.

Q: What is the passage mainly about?

(a) A process for understanding a mysterious event
(b) The relationships between various languages
(c) Fights over the possession of a valuable object
(d) An artifact that led to new cultural discoveries

18. Davis High School has chosen its destination for this year's senior trip! Students will have the chance to travel to Costa Rica to study a variety of geological formations and habitats. We'll visit an active volcano and a butterfly sanctuary where you'll discover the insects that populate the rainforest. We'll also participate in a beach clean-up effort to protect endangered sea turtles. Mrs. Marshall is this year's trip leader. Please visit her classroom for more information.

Q: What is mainly being announced?

(a) The school's brand new curriculum
(b) A learning vacation for students
(c) Environmental protection activities
(d) Costa Rica's natural landscape

19. A report from the *U.S. Geologic Survey* finds that polluted streams do benefit from filtering through wetlands. A research team headed by faculty from the University of Albany biology department checked the progress of the Wetland Channeling Project. The program started last year in the Saranac Lake area in the Adirondack Mountains. Streams there had shown high levels of nitric acid, sulfur, and aluminum due to acid rain and industrial runoff. Water samples from the wetlands indicated decreased levels of these toxins, probably from binding with organic matter.

Q: What is the best title for the news report?

(a) The Saranac Lake Is Evaluated for Cleanliness
(b) Acid Rain Is a Growing Problem in the Adirondacks
(c) University Finds Industrial Pollution Levels High
(d) Wetlands Contribute to Stream Water Quality

20. Many advanced countries manufacture weapons but try to avoid selling them directly to other nations. To do this, they often use other dealers who make arrangements with political or military leaders in areas like Africa and Latin America where factions fight amongst each other for power. For example, rebels in Congo have used guns that were produced in China or Russia. Within this system, it becomes difficult for the public to understand how weapons flow across international boundaries, even though their tax dollars support these interactions.

Q: What is the main topic of the passage?

(a) Complex operations in the arms trade
(b) The evolution of weapons over time
(c) Political strife on other continents
(d) The inability to trace the arms dealers

21. Sometimes it seems that the path from suspicion to confirmation is a cloudy one. Scientists in the time of Newton could only guess that the bright lights in the sky had similar companions like our Sun. Back then astronomers searched for evidence of this old idea but had to wait years to be sure. Today this mystery has been solved, but now there are new questions to investigate. Besides the gas giants, smaller solid bodies are now thought to nearly equal the number of stars.

Q: What is most likely to be discussed next?

(a) The next phase of space travel
(b) Confirming some of Newton's conclusions
(c) Ongoing researches on the new theory
(d) Advancements in telescope technology

22. Chinese-born film director Ang Lee's works range from the martial arts epic, *Crouching Tiger, Hidden Dragon*, to realistic period pieces like *Sense and Sensibility*. One stunned audiences with flying actors, while the other brought an old novel to life in rural England. His newest work will move in a new direction, turning the greatest boxing fights of the 60s and 70s into a 3D history on screen. It's rumored he will use advanced special effects techniques to create a film unlike any other brought to the screen.

Q: What is the best title for the news report?

(a) Filmmaker Turns Away from His Usual Themes
(b) Fights from 60s Seen for the First Time on Screen
(c) Lee's Latest Movie Features Groundbreaking Effects
(d) New Film Adds to Lee's Reputation as Diverse Director

23. In 1960, Dallas became the first city south of Washington, D.C., to host a professional football team. It took The Cowboys two seasons to win a game, but they soon made history. In 1966, the team began a 20-year streak of glory, ending each season with more games won than lost. No other team in football history has accomplished this feat. Today, because of their performance and spirit, The Cowboys are known as "America's Team."

Q: Which of the following is correct about The Cowboys according to the passage?

(a) Their story over the years enchanted a nation.
(b) Their very early games broke existing records.
(c) Their exceptional talent was overlooked by fans.
(d) They challenged the prejudices of sports lovers.

24. The goblin shark may be one of the most unattractive marine species on the planet. It has a long, flat nose and nail-shaped teeth hanging from its mouth. Luckily, few people have seen this creature that swims in underwater canyons 100 meters deep. Another aspect of its unwholesome look: a flabby body and short fins, which suggest it's not a very fast swimmer. Part of the goblin shark's unusual appearance can be attributed to its ancestry. It's descended from a prehistoric shark species about 125 million years old.

Q: Which of the following is correct about the goblin shark according to the passage?

(a) It's been spotted near beaches across the globe.
(b) It has the shape and features of many other sharks.
(c) It's most similar to sea creatures from past eras.
(d) It is known to be a powerful deep sea predator.

25. It's commonly believed that life formed out of unique chemical combinations that existed on earth billions of years ago. But geochemist Steven Benner believes the current theory about life on earth is actually wrong, at least partly. Benner says that a certain key ingredient was missing on our planet. He thinks this essential mineral was delivered from Mars by a meteorite. It's called molybdenum, and without it most organic matter turns to tar, a sticky mixture of carbons. As it happens, billions of years ago Mars was rich with molybdenum.

Q: Which of the following is correct about Steven Benner according to the passage?

(a) He studies and records the mineral composition of meteorites.
(b) He believes earth would be empty of life if it weren't for Mars.
(c) He searches for signs of life on other planets in the solar system.
(d) He thinks organic matter originated on our planet.

26. While numerous organizations advocate for women's equality worldwide, one group is focusing on the gender gap in foreign aid—the financial support given to developing countries. Women Thrive Worldwide is working on several projects. They're asking the United Nations to help improve education for young women in third-world countries. They're also pushing for a U.S. law favoring programs that fight violence against women. By drawing more attention to these issues, the group hopes more women suffering under inequality will someday live better lives.

Q: Which of the following is correct about Women Thrive Worldwide?

(a) It devotes most of its work to women's equality in America.
(b) It acts to improve conditions for women in poorer nations.
(c) It basically creates better working environments for women.
(d) One of their projects will create connections among leaders.

27. Many people rely on chicken soup and orange juice when they feel a cold coming on. But other foods, those containing phytochemicals, can truly help fight off illness. These compounds occur naturally in plants like carrots and bell peppers. They're not considered essential nutrients. Rather, they contain strong biological properties that can boost the immune system, slow bacterial and viral attacks, and increase cell repair. Eating phytochemical sources only when you feel sick won't suddenly cure you. Instead, it's important to include them regularly in your diet.

Q: Which of the following is correct about phytochemicals according to the passage?

(a) They're most helpful when consumed often.
(b) Their effects can be felt in the body quickly.
(c) Their immune system decreases symptoms.
(d) They can be recreated easily in a laboratory.

28. People generally agree that young minds are extremely adaptable to their surroundings. These days, this includes a technologically rich world, and public concern is growing as children spend long hours staring at computers and cell phones. This trend was labeled "digital dementia" for the way it affects children's attention spans, memory, and emotional state. While this condition isn't permanent, as it is with elderly dementia, the effects can persist as young people continue to spend years focused on their devices.

Q: Which of the following is correct about digital dementia according to the passage?

(a) It is very similar to dementia in older people.
(b) It poses a minor danger to teens' learning abilities.
(c) It is extremely adaptable to the users of digital media.
(d) If allowed to go on a long time, its effects can endure forever.

29. Though we can all agree the recent chemical weapons attack on Syrian citizens requires a global response, the United States must seriously consider its reasons and expectations for military action. First, we must ask why the U.S. would treat this differently than the conflict in Rwanda, for example, where thousands died and no action was taken. We must also remember that the United States has been engaged in wars for more than ten years now. History shows that military efforts in the Middle East are never brief or easy.

Q: Which of the following is correct about the writer of the passage?

(a) She believes strong action must be taken swiftly.
(b) She is unsure there is proper evidence for an attack.
(c) She is cautious about responding to problems in Syria.
(d) She would like to see more international assistance.

30. The theory of dark energy tries to explain the increasing expansion of the universe. Gravity is thought to have lost the war with dark energy 6 billion years ago. But not everyone is convinced dark energy really exists and some think it's just a hypothesis. The new Dark Energy Survey (DES) is setting out to record the distances and speeds of about 300 million galaxies with the greatest accuracy to date. And with more programs like the DES, there will be much more data to test the existing theories.

Q: Which of the following is correct about the DES according to the passage?

(a) The project is meant to produce new theories.
(b) The survey will provide precise new information.
(c) It will only look back in time to 6 billion years ago.
(d) Data from it will measure the expansion of gravity.

31. Marla Johnson's new fantasy novel imagines what would happen if vampires established their own communities within large cities. In her story, humans force blood-thirsty vampires to live in separate neighborhoods where they won't cause harm. Nevertheless, the vampires establish successful businesses and use their money to throw extravagant parties that are broadcast on TV. The humans look on, growing jealous of the vampires' way of life. The result is a fascinating and smart description of the complex relationships between different groups of people.

Q: Which of the following is correct about the story of the book according to the review?

(a) It describes what life could be like in the distant future.
(b) It includes characters that become a new type of celebrity.
(c) It tries to demonstrate how cruel humans can be to others.
(d) It points out how obsessed people are with television shows.

32. Pathos—the appeal to emotion—is one of three key components in Aristotle's theory on persuasive argument. Ethos and logos—ethics and logic—are the others. Aristotle believed a listener's emotional response to an idea or theory was crucial in changing a person's judgment, though he said all three techniques should be used together for the best effect. Philosophers in later years turned away from pathos as a form of rhetoric and emphasized logic almost exclusively. They believed pathos was an unfair approach when trying to change people's minds.

Q: Which of the following is correct about pathos according to the passage?

(a) It was emphasized less in more modern contexts.
(b) It relies on logic to persuade others to action.
(c) It is used as a reason to justify an idea.
(d) It contradicts the other two components.

33.

Dear Family and Friends,

Please join us for an anniversary party celebrating our parents, June and Louis, who have now been married 50 years. On July 2, we're hosting a special party at Hotel Brexton. Dinner will be served, and we're showing a movie that chronicles the big moments in our parents' love story and their many accomplishments as cofounders of Safety Network for Children, which has helped thousands of kids escape dangerous homes. We're very proud of our parents, and we hope you can join us to applaud them.

Sincerely,
Jessica, David, and Mark

Q: What can be inferred about the couple from the letter?

(a) Their business successfully enhanced the family's wealth.
(b) They have worked diligently to work out their differences.
(c) They shared a healthy personal and professional relationship.
(d) Their marriage was characterized by humor and playfulness.

34. According to a *Journal of Psychology* study, people normally feel a lasting sense of fear, sadness, and anxiety after experiencing a traumatic event. Young children have different symptoms than adults and can have trouble sleeping or toilet training from the trauma of not having their parents around. Older children may act out their post-traumatic stress disorder in their behavior at school or with friends. Teenagers have symptoms more like those of adults, such as depression, withdrawing from others, or substance abuse.

Q: What can be inferred from the study?

(a) At any stage of life, treatment is always a possibility.
(b) The younger the child, the less traumatic the experience.
(c) Teens are at more risk from their symptoms than adults.
(d) People of various ages find different things traumatic.

35. Humans have been entranced by their neighboring red planet for centuries. In modern times, high-tech explorations have sought to better understand Mars and explore whether it can sustain life. Many people say we spend too much money on these explorations, money that could be spent to develop better infrastructure. But these journeys to Mars serve other functions. They help us understand the Earth's history, provide more possibilities for future ways to live, and they inspire and cultivate children's interest in science.

Q: What statement would the writer most likely agree with?

(a) Larger human problems should be our main focus.
(b) Missions to Mars rarely yield useful information.
(c) Investments in space study are worth the price tag.
(d) Exploring other planets ensures a future beyond Earth.

36. A recent U.S. Supreme Court decision overturned a law prohibiting same-sex marriage. It didn't immediately legalize gay marriage. It only barred a national ban. Shortly after the decision, the military followed. It announced it would provide equal benefits for all married couples, regardless of their sexual orientation. The issue becomes tricky, however, because same-sex marriage is only legal in some states, yet the military has bases all over the country. In some states that oppose gay marriage, military bases are resisting the nationwide policy of giving benefits to all married couples.

Q: What is most likely to be discussed next?

(a) Details about how many people get benefits
(b) If bases are able to ignore the new policy
(c) Reactions to the decision by one state
(d) Predictions about the court's next verdict

37. The rise of the Phoenician city-states near present-day Lebanon came along after the invasions of sea-going people around 1200 B.C. This attack from the north, though not well documented, greatly weakened the Egyptian and Hittite empires. Into this power vacuum, the Phoenicians built their trading empire at the eastern end of the Mediterranean. The people of Phoenicia quickly distinguished themselves through their ability to organize urban centers and build reliable ships. The start of their decline came when they fell under Persian rule by Cyrus the Great in 539 B.C.

Q: What can be inferred about Phoenician from the passage?

(a) They moved around and never lived in one location for long.
(b) They escaped by ship when the ocean invaders came to attack.
(c) Their religious beliefs were unlike those of their neighbors.
(d) They were effective in building cities and commerce.

Part III **Questions 38 – 40**

Read the passage. Then identify the option that does NOT belong.

38. Some of the ideas we read in science fiction novels eventually do became reality, but must the field of "future studies" be limited only to the sciences? (a) The answer is "no" since future studies uses multiple fields of research in forecasting what is to come. (b) Thus, political and social trends are considered along with developments in science and technology. (c) Scientific progress is the main source of change in the world according to future studies. (d) For this reason, "future studies" is one of few research areas that combines experts from various disciplines.

39. Savant syndrome affects the brain in complex ways. (a) The syndrome is not well understood, and no theory has adequately explained how it affects the babies. (b) People who experience this abnormality often perform poorly on intelligence tests and have trouble interacting with people socially. (c) Yet they have exceptional abilities in one specific skill—whether math, music, art, or memorization. (d) They also know which items or ideas are more important than others, allowing them to solve complex political or legal problems others can't fully navigate.

40. When hiring employees, bosses look for the right skills, but also signs an applicant might lie or exaggerate his or her skills. (a) It's very difficult when first meeting someone to know if they are truthful or not, but apparently some people are better at it than others. (b) There are few ways to measure how often a person makes false statements. (c) In experiments, suspicious people are found to be the worst at picking out liars from truth-tellers. (d) Scientists think it's because suspicious people are overconfident in their ability to assess a stranger's personality.

This is the end of the Reading Comprehension section. Please remain seated until the proctor has instructed otherwise. You are NOT allowed to turn to any other section of the test.

넥서스 수준별 TEPS 맞춤 학습 프로그램

서울대 기출문제

서울대 텝스 관리위원회 텝스 최신기출 1200제 2017 문제집 3 | 서울대학교 TEPS관리위원회 문제 제공 | 352쪽 | 19,500원
서울대 텝스 관리위원회 텝스 최신기출 1200제 2017 해설집 3 | 서울대학교 TEPS관리위원회 문제 제공 · 넥서스 TEPS연구소 해설 | 480쪽 | 25,000원
서울대 텝스 관리위원회 텝스 최신기출 1200제 2016 문제집 2 | 서울대학교 TEPS관리위원회 문제 제공 | 352쪽 | 19,500원
서울대 텝스 관리위원회 텝스 최신기출 1200제 2016 해설집 2 | 서울대학교 TEPS관리위원회 문제 제공 · 넥서스 TEPS연구소 해설 | 480쪽 | 25,000원
서울대 텝스 관리위원회 텝스 최신기출 1200제 문제집 1 | 서울대학교 TEPS관리위원회 문제 제공 | 352쪽 | 19,500원
서울대 텝스 관리위원회 텝스 최신기출 1200제 해설집 1 | 서울대학교 TEPS관리위원회 문제 제공 · 넥서스 TEPS연구소 해설 | 480쪽 | 25,000원
서울대 텝스 관리위원회 공식기출 1000 Listening/ Grammar/ Reading| 서울대학교 TEPS관리위원회 문제 제공 | 19,000원/ 12,000원/ 16,000원
서울대 텝스 관리위원회 최신기출 1000 | 서울대학교 TEPS관리위원회 문제 제공 · 양준희 해설 | 628쪽 | 28,000원
서울대 텝스 관리위원회 최신기출 1200/SEASON 2~3 문제집 | 서울대학교 TEPS관리위원회 문제 제공 | 352쪽 | 19,500원
서울대 텝스 관리위원회 최신기출 1200/SEASON 2~3 해설집 | 서울대학교 TEPS관리위원회 문제 제공 · 넥서스 TEPS연구소 해설 | 472쪽 | 25,000원

실전 모의고사

How to TEPS 영역별 끝내기 청해 | 테리 홍 지음 | 424쪽 | 19,800원
How to TEPS 영역별 끝내기 문법 | 장보금 · 써니 박 지음 | 260쪽 | 13,500원
How to TEPS 영역별 끝내기 어휘 | 양준희 지음 | 240쪽 | 13,500원
How to TEPS 영역별 끝내기 독해 | 김무룡 · 넥서스 TEPS연구소 지음 | 504쪽 | 25,000원

텝스 청해 기출 분석 실전 8회 | 넥서스 TEPS연구소 지음 | 296쪽 | 19,500원
텝스 문법 기출 분석 실전 10회 | 장보금 · 써니 박 지음 | 248쪽 | 14,000원
텝스 어휘 기출 분석 실전 10회 | 양준희 지음 | 252쪽 | 14,000원
텝스 독해 기출 분석 실전 12회 | 넥서스 TEPS연구소 지음 | 504쪽 | 25,000원

영역별

초급 (400~500점)

How to TEPS intro 청해편 | 강소영 · Jane Kim 지음 | 444쪽 | 22,000원
How to TEPS intro 문법편 | 넥서스 TEPS연구소 지음 | 424쪽 | 19,000원
How to TEPS intro 어휘편 | 에릭 김 지음 | 368쪽 | 15,000원
How to TEPS intro 독해편 | 한정림 지음 | 392쪽 | 19,500원

중급 (600~700점)

How to TEPS 실전 600 어휘편 · 청해편 · 문법편 · 독해편 | 서울대학교 TEPS관리위원회 문제 제공(어휘), 이기헌(청해), 장보금·써니 박(문법), 황수경·넥서스 TEPS연구소(독해) 지음 | 어휘: 15,000원, 청해: 19,800원, 문법: 17,500원, 독해: 19,000원
How to TEPS 실전 700 청해편 · 문법편 · 독해편 | 강소영 · 넥서스 TEPS연구소(청해), 이신영 · 넥서스 TEPS연구소(문법), 오정우 · 넥서스 TEPS연구소(독해) 지음 | 청해: 16,000원, 문법: 15,000원, 독해: 19,000원

종합서

한 권으로 끝내는 텝스 스타터 | 넥서스 TEPS연구소 지음 | 584쪽 | 22,000원
How to 텝스 초급용 모의고사 10회 | 넥서스 TEPS연구소 지음 | 296쪽 | 15,000원
How to 텝스 베이직 리스닝 | 고명희 · 넥서스 TEPS연구소 지음 | 320쪽 | 18,500원
How to 텝스 베이직 리딩 | 박미영 · 넥서스 TEPS연구소 지음 | 368쪽 | 19,500원

출제 원리와 해법, 정답이 보이는 텝스 독해

텝스 실전600

황수경 · 넥서스 TEPS연구소 지음

독해편

정답 및 해설

TEPS 독해의 최신 경향과 전략 분석 ● 실전 모의고사 Actual Test 5회분 수록 ● TEPS 고득점의 감을 확실하게 잡아 주는 상세한 해설

NEXUS Edu

How to TEPS

출제 원리와 해법, 정답이 보이는 텝스 독해

텝스 실전600

정답 및 해설

황수경 · 넥서스 TEPS연구소 지음

R 독해편

NEXUS Edu

I
TEPS 독해 전략

1. 올바른 독해를 위한 문법

Unit 01 5형식 문장 파악하기 p.31

A

1. 부부는 울타리를 흰색으로 칠하게 했다.
2. 그녀는 파티에 참석하도록 허락을 받았다.
3. 나의 고양이와 개는 나를 혼자 내버려 두지 않는다.

B

1. The teacher saw him **cheating** on the test.
   선생님은 그가 시험에서 부정행위를 하는 것을 보았다.
2. The doctor advised me **to stop** drinking.
   의사 선생님이 나에게 술을 끊으라고 조언했다.
3. He got the old chairs **changed** with new ones.
   그는 그 오래된 의자를 새것으로 교체되도록 했다.

C

워싱턴 기념탑을 바라보며 링컨 기념관의 계단에 있다고 상상해 보라. 18만 명 이상의 엄청난 군중이 전국에서 모였다. 1963년 8월, 사람들은 워싱턴에 변화를 요구하기 위해 모여들었다. 나라의 어느 지역에서는 흑인이 백인과 같은 대우를 받지 못하고 있었다. 행진하는 사람들은 그것이 끝나기를 바랐다. 그들은 피부색과 관계없이 모두에게 공정하고 동등한 대우를 원했다.

Q 이 글에 의하면 다음 중 옳은 것은?
(a) 사람들은 미국 남부에서부터 모여들었다.
(b) 사람들은 워싱턴 기념탑으로 향해 가는 것을 멈추기를 원했다.
(c) 1960년대에 국가 전역에서 흑인을 공정하게 대했다.
(d) 사람들은 인종 차별을 없애기 위해 모여들었다.

피부색과 관계없이 모두에게 공정하고 동등한 대우를 원하는 사람들의 행렬이었으므로 당시 사람들이 인종 차별을 없애기 위해 모였다는 (d)가 적절하다.

The marchers wanted that to end. 〈주어+동사+목적어+목적격 보어〉의 5형식 문장이다. 동사가 wanted이기 때문에 목적격 보어 자리에는 to부정사가 왔다.

imagine 상상하다 appreciate 감상하다 crowd 군중 convene 회합하다 call for ~을 요구하다 marcher 행진하는 사람 fair 공평한 treatment 대우 regardless of ~을 개의치 않고 congregate 군집하다 eliminate 제거하다 racial discrimination 인종 차별

Unit 02 도치된 문장 파악하기 p.33

A

1. 그것이 끝나야만 우리가 나가서 쉴 수 있다.
2. 그가 집에 도착하자마자 전화가 울렸다.
3. 아버지가 집에 올 때까지 아이들은 밥을 먹지 않는다.
4. 귀하가 요청한 송장이 동봉되어 있습니다.
5. 그 학생들 중에 내가 찾고 있는 그 친구가 있었다.

B

1. So disappointing was the result that I got on the test.
   내가 시험에서 받은 결과는 너무 실망스러웠다.
2. No sooner had he left home than it began to rain.
   그가 집을 떠나자마자 비가 내리기 시작했다.
3. Had she prepared more thoroughly, she would not have failed on the test.
   그녀가 좀 더 철저히 준비했더라면, 시험에 떨어지지 않았을 텐데.
4. Not until his wife arrived there, had he opened the gift.
   그의 아내가 그곳에 오고 나서야 그는 선물을 열어 보았다.
5. Amazing was the scenery that we saw there.
   우리가 그곳에서 본 풍경은 너무 놀라웠다.

Unit 03 관계 대명사 잡기 p.35

A

1. 나는 중학교 때 영어를 가르쳐 주셨던 선생님과 마주쳤다.
2. 그 결정이 이루어진 방식이 유감스럽다.
3. 냉장고는 음식을 낮은 온도에서 보관할 수 있는 가전제품이다.
4. 그들의 결혼식이 열린 그 교회는 정말 평화로운 곳이다.
5. 비공식적인 돌보기는 대부분이 무료인데, 육아 체계에서 주요한 역할을 한다.
6. 매우 많은 작가가 있는데, 그들이 쓴 작품 중 일부는 우리가 높이 평가하고 있다.

B

1. The witness was talking with the man who is in critical condition.
   그 목격자는 현재 위중한 상태에 있는 그 남자와 이야기하고 있었다.
   선행사는 the man이며, 주어가 관계 대명사로 바뀐 것이므로 주격인 who가 알맞다.
2. A person can marry without parents' permission at an age which varies from country to country.
   부모의 동의 없이 결혼할 수 있는 나이는 나라마다 다르다.
   선행사는 age이며, 사물 주어가 관계 대명사로 바뀌었으므로 which가 알맞다.
3. Your metabolic rate is the speed at which your body transforms food into energy.
   신진대사율은 신체가 음식을 에너지로 바꾸는 속도이다.
   관계 대명사 which는 선행사 the speed를 받고, 함께 쓰였던 전치사 at이 앞에 온다.
4. They didn't tell me the date by which the renovation would be completed.
   그들은 공사가 마무리될 날짜를 내게 말해 주지 않았다.
   관계 대명사 which는 선행사 the date를 받고, 함께 쓰였던 전치사 by가 앞에 온다.

Unit 04 관계 부사 잡기 p.37

A

1. 나는 안전벨트가 의무가 아니었던 때를 기억할 수 있다.
2. 그는 폭력이 만연한 도시에서 자랐다.
3. 꿈이 잊히는 데에는 여러 가지 이유가 있다.
4. 당신이 언제 근무지에 도착하는지를 알려 주세요.
5. 나는 법이 작용하는 방식에 대한 강의에 참석했다.
6. 나는 그에게 사람들이 어떻게 인간관계를 쌓아 가는지를 가르쳤다.

B

당신이 아직 직업을 구하고 있는 사람들 중 한 명이라면, 공석을 당신의 것으로 만들기 위해 무엇을 해야 할 것인가? 답은 간단하면서도 완전히 명백한 것은 아니다. 당신의 기술적인 능력과 보이지 않는 자질 면에서 고용인의 요구에 어떻게 맞는지를 분명히 보여 줘라. 중요한 법칙은 기술적인 능력이 당신을 면접까지는 이끌어 주지만, 보이지 않는 자질은 당신이 그 자리를 차지할 수 있게 해 준다는 것이다. 고용주들은 결국 자신들의 필요에 따라 지원자를 가려내지, 가장 훌륭한 이력서로 가려내지 않는다. 그러므로 이력서가 당신이 그 직업을 갖도록 보증하는 것은 아니다.

Q 이 글에 의하면 직업을 구할 때 다음 중 옳은 것은?

(a) 훌륭한 이력서를 쓰는 것은 전혀 중요하지 않다.
(b) 당신은 자신이 그 자리에 맞는 능력을 가졌음을 증명해야 한다.
(c) 사람들은 취직하기 위해 과시하는 데에 중점을 두는 경향이 있다.
(d) 고용주들이 항상 최고의 기술을 가진 사람들을 고용하지는 않는다.

구직자의 기술적인 능력이 면접까지는 이끌어 주지만, 결국 고용주가 원하는 보이지 않는 자질이 뒷받침되어야 그 자리를 차지할 수 있다고 하므로 항상 최고의 기술을 가진 사람을 고용하지는 않는다고 볼 수 있다. 이력서가 일자리를 보증해 주지 않는다는 것이지 이력서를 쓰는 것이 전혀 중요하지 않다는 의미는 아니므로 (a)는 옳지 않다.

Employers ultimately screen applicants according to these needs and not by brightest résumé, which, therefore, doesn't guarantee that you will land the job. 이 문장에서 관계 대명사 which는 앞의 résumé를 받고 있으며, 해석은 계속적 용법의 형태로 한다. "그러므로 그것은 당신이 그 직업을 갖게 될 것이라고 보증하는 것은 아니다."

land a job 취직하다 obvious 분명한 need 요구 in terms of ~에 관하여 intangible 실체가 없는, 막연한 quality 자질 cardinal 가장 중요한 offer 제안 ultimately 궁극적으로 screen 거르다 applicant 지원자 guarantee 보증하다 show off 과시하다

Unit 05 분사 제대로 알기 p.39

A

1. 저녁을 준비하는 동안 그녀는 라디오로 음악을 들었다.
2. 그는 문을 열고 개를 집 안으로 들였다.
3. 비가 세차게 오고 있어서 우리는 산장 안에 머물렀다.

B

1. The man was running on the treadmill, (being) watching the screen.
   그 남자는 스크린을 보면서 트레드밀 위를 달리고 있었다.
2. Sylvia, having grown up in the countryside, knew well about plants and animals.
   실비아는 시골에서 자랐기 때문에 동식물들에 대해서 잘 알았다.

C

어떤 전화나 문자 메시지가 당신, 혹은 다른 사람의 생명을 위협해도 될 만큼 가치 있는가? 최근 새로운 통계치는 주의가 분산된 운전과 관계된 치명적 사고가 급속도로 증가한 것을 보여 주었다. 올해 지금까지 교통사고 사망자 중에서 약 30%가 주의가 분산된 운전 때문이었다. 연구자는 "주의가 분산된 운전자가 계속 도로 이용자들에게 위협이 된다는 것은 답답한 일입니다."라며, "사람들이 예전에 그 의미를 제대로 알지 못했다면, 이번의 새로운 통계치가 주의가 분산된 운전은 위험하다는 간단한 사실을 명심하는 데 도움이 되길 바랍니다."라고 말했다.

Q 이 글의 주된 목적으로 알맞은 것은?

(a) 올해 얼마나 많은 교통사고가 발생했는지 보여 주기
(b) 사람들에게 올해 사망률이 올라갔음을 알려 주기
(c) 휴대 전화 사용 중에는 안전하게 천천히 운전하도록 설득하기
(d) 운전 중 휴대 전화 사용의 위험성에 대한 인식 높이기

주의가 분산된 운전으로 인한 교통사고 사망률이 증가했음을 보여 주면서, 이러한 행위가 위험하니 하지 않도록 하자는 취지의 글이다. 주의가 분산된 운전의 대표적인 예가 운전 중 휴대 전화 사용이라는 것을 감안하면 글의 목적으로 (d)가 알맞다. 휴대 전화를 사용하면서 안전하게 천천히 운전하도록 하려 한다는 목적은 적절하지 않다.

New statistics showed a sharp increase in the number of fatal crashes related to distracted driving. 문장에서 fatal crashes 뒤의 분사 related to는 앞의 명사를 꾸미는 분사로 사용되었고, '~에 연관되어 있는'이라는 수동적 의미이기 때문에 과거 분사 p.p.의 형태로 쓴다.

worthy 가치 있는 risk one's life 목숨을 걸다 statistics 통계 sharp 가파른 fatal 치명적인 crash 충돌 (사고) distracted 주의가 빗나간 pose a risk (위협 · 문제 등을) 제기하다 state 진술하다 get the message 뜻을 알아채다 keep in mind 명심하다 fatality rate 사망률 awareness 자각, 인식

Unit 06 명사로 온 to부정사 p.41

A

1. 그녀는 그 회사로부터의 제안을 받아들이기를 꺼린다.
2. 자신의 목적에 집중하는 것은 중요하다.
3. 석사학위를 갖는 것은 직장을 얻는 것을 더 쉽게 해 줄지도 모른다.
4. 그 지원자가 제시간에 도착할 것은 분명하다.
5. 인종에 따라서 기회를 다르게 주는 것은 불공정하다고 여겨진다.
6. 그들은 그 정보에 접근하는 것이 쉽다고 생각한다.

B

최근 특이한 백조 한 마리가 도시의 고속도로를 걸으며 나타났다. 목격자들이 전하기를 그 백조는 밀 베이슨의 이벤트 센터 근처에서부터 여정을 시작했다고 한다. 무엇이 이 새가 도로를 지나게 했는지는 불분명했지만, 그 새는 금방 고속도로를 뒤뚱거리며 걷고 있었다. 흥미롭게 여긴 통근자들은 911을 불렀고, 스쿠터 정찰대가 급파되어 차량 흐름에 방해가 되지 않도록 그 백조를 지켜보았다. 다행히 그 새는 도로 규칙을 잘 따랐다. 비록 보이는 물웅덩이마다 물을 마시기 위해 멈추기는 했지만, 마침내 고속도로 옆의 연못으로 옮겨졌다.

Q 이 글에 의하면 다음 중 옳은 것은?

(a) 사람들은 고속도로 위의 백조를 보는 것이 흥미로웠다.
(b) 백조가 고속도로를 뒤뚱거리며 걸으면서 교통사고를 냈다.
(c) 경찰은 고속도로를 순찰하다가 그 뒤뚱거리는 백조를 발견했다.
(d) 사람들은 그 백조가 고속도로로 오게 된 이유와 방법을 알았다.

지문에 intrigued commuters라고 했으므로 사람들이 흥미롭게 여겼다는 (a)가 알맞다. 길을 지나던 사람들이 발견하여 911을 불렀다고 했으므로 (c)는 알맞지 않다.

Intrigued commuters called 911, which dispatched a scooter cop to keep an eye on the swan to make sure it didn't veer into traffic. 이 문장에서는 to부정사 to keep an eye과 to make sure가 '~하기 위하여'의 의미로 목적을 나타낸다.

witness 목격자 journey 여정 urge 몰아대다, 강요하다 waddle 뒤뚱거리며 걷다 intrigued 호기심을 가진 commuter 통근자 dispatch 급파하다 keep an eye on ~을 감시하다 veer into ~로 방향을 바꾸다 puddle 물웅덩이 come across 마주치다, 발견하다 patrol 순찰을 돌다

Unit 07 수식하는 to부정사 p.43

A

1. 경찰은 밤새 증거를 찾았지만 아무것도 발견하지 못했다.
2. 주지사는 늦지 않기 위해 그의 사무실로 뛰었다.
3. 그 강의는 유익했고 이해하기 쉬웠다.
4. 그 남자는 자기 강아지에게 먹일 약간의 음식을 줄 수 있는지 나에게 물었다.
5. 햇볕이 나고 있어서 물은 수영하기에 따뜻했다.
6. 관리자는 남자에게 주말 동안 해야 할 일을 할당해 주었다.
7. 나의 상사는 너무 까다로워서 만족시키기가 불가능하다.

B

1. We think it interesting <u>to learn</u> the vocabulary this way.
   우리는 어휘를 이런 식으로 배우는 것을 흥미롭게 생각한다.
   가목적어 it이 think의 목적어 자리에 오므로, 빈칸에는 진목적어인 to부정사구가 알맞다.
2. Do you have any movie CD <u>to watch</u> tonight?
   오늘 밤에 볼 영화 CD 있니?
   have의 목적어인 movie CD를 수식하는 형용사로 쓰였다.
3. For the homework <u>to be done</u>, you are advised to look up the dictionary.
   숙제를 하기 마치기 위해 사전을 찾아보는 것을 권합니다.
   주절 you와 별도로 to부정사가 수식하는 homework는 사람에 의해 되는 것이므로 수동형이 알맞다.
4. The castle is thought <u>to have been built</u> 100 years ago.
   그 성은 100년 전에 지어졌다고 생각된다.
   생각되는 것은 현재이고, 성이 지어진 것은 과거이므로 to부정사의 완료형 to have p.p.를 쓴다. 성은 사람에 의해 지어진 것이므로 수동형이 알맞다.
5. My teacher is always reminding us <u>to concentrate</u> during the class.
   선생님은 항상 우리에게 수업 시간에 집중할 것을 상기시킨다.
   '~할 것'이라는 의미로 명사적 용법으로 쓰였다.

Unit 08 부분 부정과 전체 부정 p.45

A

1. 나는 그 스마트폰 둘 다 좋은 것은 아니다.
2. 그 트레이너는 여기 학생들 전부를 알지는 못한다.
3. 그의 부모님 두 분 다 그의 의견을 지지한 것은 아니다.

B

1. ≠
그 세입자는 재건축에 대해서 어떤 것도 들은 바가 없다.
(≠) 그 세입자는 재건축에 대해서 일부를 들었다.
2. ≠
그 중개상은 그녀에게 그것에 대해 확실히 말하지 않았다.
(≠) 그가 그것에 대해 그녀에게 말했을 수도 있다.
3. =
학교가 모든 지원자들을 받을 수 있는 것은 아니다.

C

나는 오늘 사촌의 아들 결혼식에 참석해 달라는 초대장을 받았다. 정말 달콤하고 감동적인 초대장이었다. 불행히도 내가 거절해야 하는 것이기도 한데, 이유는 이미 같은 날 아들이 다니는 대학의 행사에 초대를 받았기 때문이다. 이런 상황에서 대부분 회신 카드에 '참석 불가'를 간단히 표시하여 보낸다고 들었다. 하지만 그것은 적절하지 않은 것 같다. 체크 표시로 나의 슬픔을 모두 전달할 수 있는 것은 아니다. 내 사촌의 감정을 상하게 하고 싶지 않기 때문에 보통의 방식으로 거절하는 것은 어렵다.

(a) 두 초대에 모두 응하기는
(b) 결혼식에 참석하기는
(c) 초대됐을 때 상처받는 것에 대해 불평하기는
(d) 보통의 방식으로 거절하는 것은

결혼식 초대에 응할 수는 없지만 통상적인 거절의 방법이 상대의 기분을 상하게 할 것 같아 고민하는 글로 빈칸에는 (d)가 가장 적절하다.
A checkmark can't convey all my sadness. 이 문장은 부분 부정으로, "체크 표시로 나의 슬픔을 모두 전달할 수 있는 것은 아니다." 즉, 나의 슬픔을 단순한 체크 표시로 드러내기에는 부족하기 때문에 적절하지 못하다는 의미이다.

invitation 초대장 attend 참석하다 wedding 결혼식 impressive 감동적인 reluctantly 마지못해 decline 거절하다 dorm 기숙사 tend to ~하는 경향이 있다 RSVP 회신 바람 appropriate 적절한 convey 전달하다

Unit 09 seem · believe 바로 알기 p.47

A

1. 그 정신과 의사는 그 문제에 대해 뭔가 아는 것 같다.
2. 그들은 그 일을 완벽히 했다고 여겨진다.
3. 규칙적으로 운동하는 것이 가장 중요하다고들 여긴다.
4. 그 책은 기원전 300년경에 쓰인 것으로 보인다.
5. 그 과제는 나에게는 매우 쉬워 보인다.

B

1. =
그들은 시험을 대비하여 열심히 공부한 것으로 보인다.
2. =
그 성은 100년도 더 전에 지어진 것으로 보인다.
3. ≠
사람들은 그 가수와 그의 스타일리스트가 사귄다고 한다.
(≠) 그 가수는 그의 스타일리스트와 사귄다.
4. ≠
사람들은 그 앵커가 하버드대학을 졸업했다고들 한다.
(≠) 그 앵커는 하버드대학을 졸업한다고 한다.
5. =
사람들은 매일 운동하는 것이 건강에 좋다고 믿는다.

Unit 10 병렬 구조 문장 이해하기 p.49

A

1. 사람들은 주중에 쇼핑하러 가는 것을 좋아하지만 주말에는 좋아하지 않는다.
2. 우리는 그들을 만나기 위해 5시까지 가서 회의를 더 낫게 준비했어야 했다.
3. 당신이 나에게 사 준 그 책과 내가 당신에게 사 준 CD에는 공통의 화제가 있다.
4. 시간이 너무 빨리 흘러서 이제 우리는 30대이고, 모두 결혼했다.
5. 안나는 길고양이를 안으로 들여놓고 참치 통조림을 먹였다.

B

1. If he wants to succeed, he should be more hard-working and punctual.
성공을 원한다면, 그는 좀 더 성실하고 좀 더 시간을 잘 지켜야 할 것이다.

형용사 hard-working과 and로 연결되므로 부사가 아닌 형용사가 알맞다. (punctually → punctual)

2. Molina got to know the fact, and decided to tell her family about it.
몰리나는 그 사실을 알게 되었고, 가족들에게 그것에 대해 이야기하기로 결심했다.
과거 시제 got과 병렬적으로 연결되므로 현재형을 과거형으로 고쳐야 한다. (decides → decided)

3. Social referencing is the ability to search for and use social signals to guide one's behavior in a new situation.
사회적 참조는 새로운 상황에서 행동을 조절하기 위해 사회적 신호를 찾고 사용하는 능력이다.
search와 함께 the ability를 수식하는 to부정사에 병렬적으로 연결된다. (uses → use)

4. People used to hunt animals and gather fruits for their daily diet.
사람들은 매일의 식단을 위해 동물을 사냥하고 과일을 채집하곤 했었다.
hunt와 함께 used to에 병렬적으로 연결되므로 동사의 원형이 알맞다. (gathered → gather)

5. They didn't spend all their money but saved some of it for their future.
그들은 돈을 다 쓰는 것이 아니라, 미래를 위해 약간의 돈을 저금했다.
not ~ but의 구조로서 동사 spend와 save가 병렬적으로 연결되므로 spend 앞에 과거형인 didn't가 오는 것이 알맞다. (don't spend → didn't spend)

Unit 11 종속 접속사 파악하기 p.51

A

1. 당신이 두 안건 중에 어느 것을 택하든지 간에, 나는 당신의 결정을 지지할 것이다.
2. 그 유명 인사가 가는 곳은 어디든지 간에, 그는 기자들과 마주쳤다.
3. 내 치료사는 나에게 춥든, 덥든 매일 밤 조깅을 하라고 충고했다.

B

1. Tell me who comes with you. Is he your best friend?
누가 당신과 함께 오는지 말해 주세요. 당신과 가장 친한 친구인가요?

2. These two are very similar, so I will choose whichever is cheaper.
이 두 개는 아주 비슷해서, 나는 어느 것이든 더 저렴한 것을 고를 것이다.

3. However hard you tried, you couldn't catch up with the medalist.
얼마나 열심히 노력하든지 간에, 당신은 그 메달리스트를 따라잡을 수 없었다.

C

저는 최근 건강 네트워크 참여 세션에 참여해서 기뻤습니다. 건강 시스템 관리의 미래에 분명 관심 있어 하는 90명 이상의 지역 주민으로 꽉 찬 방을 보는 것이 얼마나 전율이 흐르는 일이었는지 말하고 싶습니다. 이 회의는 우리 지역 주민들이 자신들의 경험을 논의하고, 개선에 도움을 줄 개인적인 통찰을 공유할 수 있는 기회를 주었습니다. 회의에서는 지역 사회에서 제공되는 건강 관리 시스템과 관련한 많은 의견이 나왔습니다. 저는 시간을 내어 참석해 준 모든 분들께 감사하고 싶습니다.

Q 글의 주된 내용은?
(a) 의견을 나누는 회의에 참여한 것은 소중한 경험이었다.
(b) 글쓴이가 참석한 회의는 예상만큼 유익하지는 않았다.
(c) 회의에서 의견을 내는 것은 중요하다.
(d) 회의에 참석한 사람들은 지역 주민들이었다.

회의에서 지역 주민들과 경험을 이야기하고 의견을 나눈 것이 좋은 기회였다며 감사를 표현하는 글로 (a)가 가장 적절하다. 회의에 참석한 사람들이 지역 주민이라는 것은 글에 나온 사실로 글의 중심 내용은 아니다.
I would like to tell you how thrilling it was to see the room ~. 문장에서 〈의문사+가주어(it)+동사+진주어(to see) ~〉의 절이 동사 tell의 목적어 역할을 하는 명사절로 왔다.

engagement 약속, 계약 thrilling 감격시키는 resident 거주자 share 공유하다 insight 통찰, 식견 improvement 향상 voice 말로 나타내다 precious 귀중한 informative 유익한 participate in ~에 참석하다

Unit 12 동격의 접속사 that p.53

A

1. 그 회계사는 사장이 회사의 돈을 횡령한다는 사실을 안다.
2. 내 개가 산책하기를 좋아하는 때는 바로 비가 촉촉이 내릴 때이다.
3. 그는 큰 무리를 지어 사는 동물들이 더 큰 뇌를 갖는다는 이론을 지지한다.

B

1. They didn't tell us the news that Nex and Chrome would merge.
   그들은 넥스 사와 크롬 사가 합병할 것이라는 소식을 우리에게 말하지 않았다.
   the news에 대한 동격의 내용이므로 that이 알맞다. (which → that)
2. It was my sister who broke the rules we had agreed to.
   우리가 합의한 규칙을 깬 것은 바로 여동생이었다.
   강조하는 my sister는 broke의 주어이므로 목적격 whom이 아닌 주격이 알맞다. (whom → who)
3. It was before I finished my breakfast that I heard an explosion.
   내가 폭발음을 들은 것은 아침밥을 다 먹기 전이었다.
   절과 절을 이어주는 접속사가 필요하다. 그리고 it ~ that 강조 구문에서 접속사 that은 생략할 수 없다. (breakfast I → breakfast that I)

C

호주는 훌륭한 건강 제도와 높은 삶의 질, 공교육, 시민 자유와 정치적 권리가 존재하는 평화로운 다문화 국가입니다. 세계 곳곳에서 관광과 휴가, 사업을 위해 호주로 옵니다. 그리고 성장하는 호주의 경제는 많은 이민자들에게 매력으로 다가옵니다. 이제 호주 경제를 부흥시키려는 목적으로, 호주 정부는 자국에 필요한 특정 직군에서 전문성이 있는 젊고 영어를 하는 전문인들을 위해 십만 개의 일자리를 열어 두고 있습니다.

Q 이 글에 의하면 다음 중 옳은 것은?
(a) 호주에는 거의 모든 분야에서 일자리가 많다.
(b) 호주 정부는 이민자들을 유치하는 데 관심이 없다.
(c) 호주에는 훌륭한 건강 관리 시스템이 있지만, 좋은 교육 시스템은 없다.
(d) 외국으로 가고자 하는 사람들에게 호주가 답이 될 수 있다.

호주의 장점과 함께 이민자들을 위해 일자리를 제공한다는 것으로 보아 (d)가 가장 옳다. 모든 이들을 위한 일자리가 아니라 특정 직군에 전문성이 있고 영어도 할 수 있는 사람들을 대상으로 한다고 하므로 (a)는 적절하지 않다.
It is for sightseeing, vacation or business that people from all around the world come to Australia.
이유를 나타내는 전치사구 for sightseeing, vacation or business가 강조된 it ~ that 강조 구문이다.

multicultural 다문화의 public education 공교육 civil liberty 시민의 자유 political right 정치적 권리 sightsee 관광 여행하다 attraction 끌어당김, 매력 immigrant 이주민 intention 의향, 목적 boost 밀어 올리다 expertise 전문 기술 particular 특별한 occupation 직업 lure 유혹하다

Unit 13 so ~ that절 p.55

A

1. 그들의 딸은 매우 열심히 일하여 이번 달에 승진했다.
2. 그들은 우승할 수 있도록 그 대회를 위해 매우 철저히 준비했다.
3. 그 노래는 너무나 좋아서 여기 모두가 좋아한다.
4. 그 지원자는 좀 더 전문적으로 보이기 위해 머리를 잘랐다.
5. 우리는 경제 단일화를 위해서 공통의 예산과 재정 정책을 가져야 한다.
6. 짐은 나중에 잊어버리지 않기 위해 자기 노트에 그 숫자들을 적었다.

B

1. ≠
   그 교수는 학생들이 자료를 검토하도록 과제를 내주었다.
   (≠) 그 교수는 과제를 내줘서 학생들은 그 자료를 검토했다.
2. =
   그 수험자는 결과가 너무 걱정되어서 그날 밤 잠을 거의 못 잤다.
3. =
   그들이 서로 마주치자, 너무 흥분해서 기쁜 마음에 소리를 질렀다.

Unit 14 가정법 문장 제대로 알기 p.57

A

1. 당신이 그것을 알았더라면, 당신이 내게 미리 말해줬을 텐데.
2. 공기가 없으면, 우리는 더 이상 살 수 없다.
3. 당신의 도움이 없었더라면, 나는 시험에 통과하지 못했을 것이다.
4. 그들이 헤어지지 않았더라면, 지금 여기에 함께 있을 텐데.
5. 내가 지금 너와 함께라면, 그 사진들을 보여 줄 텐데.

B

이번 주에 건축 박물관의 오랫동안 기다려온 전시인 '건설된 적 없는 LA' 전이 열린다. 이곳에서 현실화되지는 못했던 LA를 위한 계획들을 보여 준다. 이 전시에서는 만약 그 계획들이 현실화되었더라면 오늘날 존재했었을 수도 있을 LA를 전체적으로 둘러보게 된다. 이런 상상의 LA에서는 언덕 위의 집들이나 유명인들이 중심이 된 할리우드는 여전하지만, 다른 요소들은 완전히 달리 보이고 달리 느껴진다.

Q 이 글로부터 유추할 수 있는 것은?
(a) '건설된 적 없는 LA' 전은 대중에게 공개될 수 없다.
(b) '건설된 적 없는 LA' 전은 가장 초기의 LA를 보여 준다.
(c) LA를 위한 제안들은 정부에 의해 모두 받아들여졌다.
(d) 채택되지는 않았지만 LA 건설을 위한 여러 방법들이 있었다.

전시는 제목에서 알 수 있듯이, LA에 실현될 수도 있었지만 실제로는 이루어지지 않았던 도시 계획들을 가상으로 보여 주는 행사이므로, 이 글로 유추할 수 있는 것은 (d)가 적절하다.
we get to take a tour through the L.A. that could have existed today if these plans had been realized.
이 문장은 that절에 가정하는 내용이 있다. 즉, if절에서 과거에 일어나지 않은 일에 대한 상상의 조건을, 관계절에서는 상상에 따른 결과를 가정한다. 실제로는 이 계획들이 실현된 적은 없고, 그래서 오늘날 존재하지 않는 LA의 모습이라는 의미이다.

architecture 건축 exhibition 전시 reality 현실 take a tour 여행하다 exist 존재하다 maintain 유지하다, 정비하다 hilltop 언덕 꼭대기 celebrity 유명 인사 centric 중심의 element 요소 absolutely 절대적으로 public 대중 proposal 제안 accept 받아들이다 adopt 채택하다

Unit 15 조동사 have p.p. p.60

A

1. 모든 직원은 지난주에 그 작업을 끝냈어야 했다. (그런데 못 끝냈다.)
2. 그녀는 어렸을 때 장거리 주자였다. (지금은 아니다.)
3. 그 조사관은 아직 이곳 날씨에 익숙하지 않다. 그는 너무 춥다고 여긴다.
4. 내가 더 열심히 일했으면 시험에 통과를 했을지도 모르겠다.
5. 내 친구는 복권을 샀었다. 그녀는 복권 당첨이 됐을지도 모른다.
6. 길이 막혔었을지도 모른다.
7. 살인자가 이 창문을 통해서 빠져 나갔을 리가 없다. 창문이 너무 작다.

B

사람들은 오랜 세월 그것들을 전해 왔다. 그것들은 속설이라고 한다. 당신의 어머니가 당신에게 조심하라고 말하는 그런 것들 말이다. 이것들 중 많은 것이 건강과 의료에 관한 것이다. 오늘 몇 개만 살펴보자. 전형적인 예는 이런 것이다. "어두운 곳에서 책을 읽지 마라. 눈이 나빠진다." 사실은 어둠 속에서 책을 봐도 당신의 눈은 괜찮을 것이다. 당신의 눈은 카메라 렌즈처럼 작용하는 홍채를 가지고 있다. 그것은 밝은 빛이 있는 곳에서는 줄어들고, 빛이 희미해지는 곳에서는 확장된다. 예를 들어, 에이브러햄 링컨을 보라. 그는 촛불 아래에서 모든 법률 서적들을 보았지만, 아무 이상이 없었다.

Q 이 글의 주요 소재는?
(a) 어둠 속에서 글을 읽을 때의 단점
(b) 당신이 종종 주의받았던 것들에 대한 고찰
(c) 당신이 들어온 속설의 소중한 교훈
(d) 세대를 거치면서 전해져 내려온 사실들

흔히 건강과 관련된 오랫동안 내려온 속설에 대해서, 그 진실성을 이야기하고 있으므로 (b)가 가장 알맞다. 속설이 맞지 않을 수도 있다는 내용이므로 (c)는 적절하지 않고, 속설은 사실이 아닐 수도 있다는 내용이므로 (d)도 알맞지 않다.
Lincoln used to read all of his law books by candlelight ~는 과거 습관적인 동작에 대해 used to가 사용되었다.

pass down ~을 전하다 old wives' tale 속설, 어리석은 미신 be related with ~와 관련되다 medicine 의료 examine 조사하다 typical 전형적인 strain 상하게 하다 iris (눈의) 홍채 constrict 수축시키다 dilate 팽창시키다 candlelight 촛불 turn out ~로 드러나다 disadvantage 단점 valuable 가치 있는 lesson 교훈 generation 세대

2. 독해 유형별 공략법

Unit 01 빈칸에 알맞은 구/ 절 고르기 p.68

1. (a) 2. (b) 3. (a) 4. (d)

1

루나 스펙트럼 탐사선은 **우주 의사소통을 돕도록 고안된 태양광 전지로 운영되는 우주선**이다. 그것은 나사에 의해 고안된 첫 번째 대기권 스펙트럼 우주선이고 조립식 본체를 사용하는 첫 번째 우주선이기도 하다. 높이는 7피트, 깊이와 너비 5피트이며, 몇 개의 태양광 전지로 움직인다. 그리고 네 개의 다른 과학적 기구를 장착하고 있는데, 세 개는 달의 외부 대기에 대한 것들을 측정하기 위한 것이고, 한 개는 레이저 의사소통을 위한 것이다. 과학자들은 이 탐사가 이전과 같은 기술에서 수집된 정보에 더 많이 보탤 수 있기를 바란다.

(a) 우주 의사소통을 돕도록 고안된 태양광 전지로 운영되는 우주선
(b) 우주 비행사를 달로 데려다 주도록 고안된 우주 왕복선
(c) 나사가 달 탐사선으로 개발한 첫 번째 무인 우주선
(d) 달 주위를 공전할 로봇 궤도형 탐사선

내용을 종합하면 조립식 본체의 태양광 전지를 이용하며, 달 탐사와 의사소통을 위한 우주선이다. 따라서 전체적인 내용을 포괄하는 것은 (a)이다. 우주 비행사나 무인 우주선은 언급되지 않았으며, 달 주위를 공전할 로봇 궤도형이라는 언급 또한 없다.

lunar 달의 probe 탐사 atmospheric 대기의 spectral 스펙트럼의 spacecraft 우주선 design 고안하다 modular 모듈식의(규격화된 부품을 조립하여 만들 수 있는) solar cell 태양광 전지 exosphere 외기권 space shuttle 우주 왕복선 unmanned 무인의 orbital 궤도의

2

자존감은 당신이 자신을 바라보는 방식이다. 건강한 자존감을 가진 사람들은 자신을 사랑하고 자신의 성취를 가치있게 여긴다. 모든 사람이 때로 자신감을 약간 잃기도 하지만, **자존감이 낮은 사람들은** 거의 항상 불행하고 자신에 대해 만족하지 못한다. 그들은 이러한 것을 고칠 수 있으나, 자존감을 높이기 위한 주의력과 매일 연습이 필요하다. 자존감을 높이는 데 힘이 들거나, 낮은 자존감으로 우울증과 같은 문제로 이어진다면 의사를 찾아가 정보와 조언을 구하라.

(a) 건강한 자존감이 있는 사람들은
(b) 자존감이 낮은 사람들은
(c) 자존감에 관심을 안 두는 사람들은
(d) 자존감에 대한 정보가 없는 사람들은

거의 항상 자신에 대해 만족하지 못하는 상황은 자존감이 건강한 것에 반대되므로 자존감이 낮은 사람들에 관한 내용이다. 자존감에 대한 관심이나 정보는 자존감을 갖기 위한 방법으로 언급되었다.

self-esteem 자존감 value 평가하다 achievement 성취 confidence 자신감, 확신 unsatisfied 만족하지 못하는 remedy 치료하다 depression 우울, 의기소침

3

반 고흐의 모조 그림이라는 이야기를 듣고 주인이 다락방에 60년간 두었던 그림이 **진짜인 것으로 드러났으며**, 1928년 이후 실물 캔버스로는 처음으로 발견되었다. 반 고흐 박물관의 전문가들은 고흐의 편지들과 물감의 화학적 분석, 캔버스 엑스레이의 도움으로 이 1888년 풍경화인 '몽마주르의 일몰'이 진품임을 증명했다. 그 그림을 발견한 박물관 책임자는 그 발견을 일컬어 일생에 한 번뿐인 경험이라고 했다.

(a) 진짜인 것으로 드러났으며
(b) 한 예술가에 의해 발견되었으며
(c) 전시를 위해 복원되었으며
(d) 예술 애호가를 위해 구매되었으며

모조품인 줄 알았던 것이 전문가들의 증명으로 진품임이 밝혀졌다는 내용이므로 (a)가 적절하다.

decade 10년 attic 다락방 authenticate 진짜임을 증명하다 landscape 풍경 analysis 분석 pigment 안료, 색소 discovery 발견 pronounce 선언하다 restore 복원하다 exhibition 전시(회) patron 후원자

4

1950년 북한으로부터 군인들이 38선을 넘어왔을 때 한국전쟁이 일어났다. 이 공격은 냉전의 첫 번째 군사적 행동이었다. 7월까지 미국군은 그 전쟁에 참여하고 있었다. 미국 정부에 있어서 그것은 국제 공산주의의 힘에 대한 전쟁이었다. 38선을 넘었다 후퇴했다 하며 전쟁이 계속된 후 싸움은 진전이 없었고, 사상자는 쌓여갔다. 동시에, 미국 정부는 북한과의 일종의 정전 협정을 맺기 위해 고군분투하였다. 그렇지 않을 경우 그들은 러시아, 중국과 혹은 몇몇 경고대로 3차 대전이라는 **더 큰 전쟁이 될 수도 있었던 것을** 두려워했다.

(a) 민간인 사상자를 낼 수 있었던 것을
(b) 관계가 끝날 수 있었던 것을
(c) 협의에 기여할 수 있었던 것을
(d) 더 큰 전쟁이 될 수도 있었던 것을

미국 정부가 휴전을 위해 노력했고, 두려워했던 것이 3차 대전까지 이어지는 것이라는 점으로 미루어, 큰 전쟁으로 번지는 것을 두려워한 것이 알맞다.

pour 마구 쏟아지다 parallel 평행선 attack 공격 military 군(대)의 communism 공산주의 stall 꼼짝 못하다 casualty 사상자 mount 늘다 fashion 만들어내다, 형성하다 armistice 휴전 alternative 양자택일의, 대신의 contribute to ~에 기여하다 compromise 타협, 절충

Unit 02 연결어 고르기 p.76

1. (c) 2. (d) 3. (d) 4. (a)

1

사람들은 올해 이사분기까지 3퍼센트 성장과 낮은 인플레이션 및 고용의 증가를 예측하며, 올해 미국 경제에 대해 긍정적인 관점을 유지했다. 실질적인 국내 총생산은 이전의 일사분기에서 보였던 2.1퍼센트의 연 이율에서 2.3퍼센트로 증가할 것으로 예측되었다. 게다가 실업률은 올해의 7.5퍼센트에서 내년엔 7퍼센트로 줄어들 것으로 보인다. 업계 전문가들은 이것이 경기 부양책의 효과뿐만 아니라 아시아 수출 강화의 효과가 결합한 덕분으로 본다.

(a) 대신에
(b) 그러나
(c) 게다가
(d) 즉

경제 상황에 대한 긍정적인 전망을 추가해서 열거하고 있으므로 (c)가 알맞다. (d)는 뒤 문장의 내용이 앞 문장의 내용과 같고, 앞 문장의 내용을 풀어 쓰는 경우에 쓸 수 있으므로 알맞지 않다.

optimistic 낙천주의의 view 관점 quarter 4분의 1 inflation 인플레이션 employment 고용 gross domestic product 국내 총생산 annualized 연 단위로 계산된 unemployment rate 실업률 stimulus 자극(제) strengthen 강화하다

2

치명적인 뇌 손상으로 고통 받던 한 남자가 대학에서 정치학을 공부할 수 있는 기회를 얻게 되었다. 그는 도움 없이는 몇 걸음 이상을 걸을 수 없고, 말하는 데 어려움이 있으며 오른팔을 거의 사용할 수 없다. 그는 전동 휠체어에 의존한다. 그러나 이것은 그가 계속 공부하는 것을 결코 막지 못했다. 사고 후에 그는 먹고 말하는 것을 다시 배웠고, 그의 첫걸음을 다시 떼기 시작했다. 그는 자기가 다시는 걷거나 공부할 수 없을 것이라는 걸 인정하기를 거부했다. 그는 낙관적이고 결의가 굳은 청년이다.

(a) 오히려
(b) 사실
(c) 따라서
(d) 그러나

앞 문장에는 주인공의 치명적인 어려움을 열거했다. 빈칸의 뒤에서는 그가 계속 공부해 나아감을 전개했다. 따라서 연결어는 역접인 (d)가 알맞다. (b)는 뒤의 내용이 앞의 내용과 대조를 이룰 때 알맞다.

suffer from ~로 고통 받다 fatal 치명적인 injury 손상 opportunity 기회 speech 말, 발화 rely on ~에 의존하다 prevent 막다, 저지하다 continue 계속하다 refuse 거부하다 admit 인정하다 determined 결연한

3

거시 경제학에서 사람들은 경제에 의해 생산되는 모든 재화와 서비스의 수요와 공급에 초점을 맞춘다. 따라서 한 경제에서 화폐 재고의 수요와 공급은 통화 정책의 문제이다. 현금 흐름에 관한 데이터는 인플레이션과 물가 수준, 환율에 영향을 미치기 때문에 정부와 기관에 의해 주의 깊게 추적된다. 돈의 유효성 증가와 가격 인플레이션 사이에 직접적인 관련이 있다는 역사적인 증거는 많다.

(a) 마찬가지로
(b) 그러나
(c) 그렇긴 하지만
(d) 따라서

앞 문장에 대하여 뒤 문장에서 자세히 풀어서 설명하고 있으므로 (d)가 알맞다. likewise는 앞뒤 문장의 적용되는 논리는 같으나 대상은 다를 경우 사용하는 연결어이므로 앞 문장에서 언급한 대상과 같은 대상에 대한 내용이 뒤 문장에서 나오는 경우는 쓰지 않는다.

macroeconomics 거시 경제학 demand 수요 supply 공급 monetary 통화의 track 추적하다 institution 기관 exchange rate 환율 plenty of 많은 link 관련, 관계

4

화학 무기 금지에 관한 협약은 대량 파괴 살상 무기 모두를 없애는 것을 목표로 한다. 그것은 협약 당사국에 의한 화학 무기의 개발, 생산, 습득, 보유, 전달 또는 사용을 금지한다. 이에 따라, 이 협약 국가들은 자국 안에서 이런 금지를 시행해야 한다. 현재, 세계 거의 모든 국가가

화학 무기 협약의 당사국이며, 당사국이 아닌 나라는 단 네 나라뿐이다.

(a) 이에 따라
(b) 대신에
(c) 대안적으로
(d) 그렇지 않으면

앞의 내용은 국제적 금지 협약의 목표이고 뒤 문장은 그에 따른 협약 국가의 의무를 언급하고 있다. 즉, 앞 문장에 따른 부가적인 내용이 따라오므로 (a)가 적절하다.

convention 협정 prohibition 금지 destruction 파괴 aim 목표 삼다 eliminate 제거하다 acquisition 획득 retention 보유 transfer 이전, 이동 enforce (법률을) 시행하다 territory 영토

Unit 03 주제나 목적 찾기 p.82

1. (d) 2. (b) 3. (b) 4. (d)

1

1950년대 고전 영화의 배역으로 유명한 제인 러셀은 19살의 나이에 미국 감독에 의해 발굴되었다. 그녀가 할리우드에 있는 동안 이 은막의 스타는 프로 축구 선수와 결혼을 했다. 후에, 그들의 24년의 결혼 생활은 이혼으로 끝이 났다. 그러고 나서 그녀는 한 배우와 결혼을 했는데, 그는 4개월 후에 심장 마비로 사망하였다. 그녀의 세 번째, 그리고 마지막 결혼은 1978년 한 개발자와 이루어졌다. 그는 1999년 심장병으로 사망하였다.

Q 주로 무엇에 관한 글인가?
(a) 제인 러셀의 영화 경력
(b) 어떻게 제인 러셀이 이혼하였는가
(c) 어떻게 제인 러셀이 스타가 되었는가
(d) 제인 러셀의 결혼 생활

한 여배우의 세 번의 결혼에 대한 이야기가 주를 이루고 있으므로 (d)가 알맞다. 이혼했다는 언급은 했으나 세 번의 결혼 중 한 번만 이혼으로 헤어졌고, 이혼이 이 글의 초점은 아니므로 (b)도 알맞지 않다.

silver screen 은막, 스크린 divorce 이혼 heart attack 심장 마비 developer 개발자 career 직업, 경력

2

그리스는 휴식을 취하고 여행하기 좋은 곳으로 유명하다. 이 나라에서 가장 인기 있는 곳은 세계에서 가장 오래되고 아름다운 그리스의 수도인 아테네이다. 문화적 기념물과, 여러 사원들, 위대한 박물관들은 매년 수천의 관광객들을 이곳으로 이끈다. 아크로폴리스와 나이키 신전 같은 아름다운 장소들은 오랫동안 고대 그리스의 상징이자, 역사를 느끼는 방문자들의 장소가 되어 왔다. 아테네에만 200개가 넘는 박물관과 화랑이 있다. 그리고 또 하나의 그리스의 주된 명소는 물론 아름다운 섬인데, 훌륭한 시설을 갖춘 유명 리조트들이 특징이다.

Q 이 글의 주된 요지는?
(a) 그리스는 훌륭한 박물관들이 많다.
(b) 사람들은 그리스에서 휴식하고 관광하며 즐길 수 있다.
(c) 그리스는 자연스러운 풍광으로 유명하다.
(d) 그리스 방문객들은 현대적 시설을 감상할 수 있다.

휴식을 취할 수 있고, 고대의 유적들을 볼 수도 있다고 했으므로 두 가지 내용을 모두 담은 (b)가 알맞다. (a)와 (c)는 글에 언급은 되었으나 일부만을 말하고 있으므로 적절하지 않다.

renowned 유명한 relax 휴식을 취하다 capital 수도 monument 기념물 various 다양한 temple 신전 attract 끌어당기다 resort 휴양지 infrastructure 기본 시설 sightseeing 관광 scenery 풍경 appreciate 감상하다 facility 시설

3

분자 생물학의 발달은 유전학, 세포 생물학, 신경 과학 같은 모든 분야에 새로운 통찰력을 제공하고 있다. 이러한 발견들은 생물 다양성의 보존, 지구 기후 변화, 인간의 건강과 같은 중대한 문제들을 다루는 데 도움이 된다. 생태학은 또한 다른 살아 있는 유기체들과 연결하는 새로운 방법의 중심에 있기도 하다. 반면, 생물 의학은 인류에게 고통을 준 오래된 문제들을 다루는 데 떠오르는 새로운 희망이라는 관점으로 나아가고 있다.

Q 주로 무엇에 관한 글인가?
(a) 생물학의 역사
(b) 생물학의 공적
(c) 생물학적 의문들
(d) 생물학적 어려움

생물학이 생물의 다양성과 지구 기후 변화, 인간의 건강에 도움이 된다는 내용이므로 (b)가 적절하다. 생물학의 역사나 의문, 어려움에 관한 내용은 나오지 않는다.

molecular biology 분자 생물학 insight 통찰 genetics 유전학 cell biology 세포 생물학 neuroscience 신경

과학 finding 발견 address 해결하다 grave 중대한 biodiversity 생물의 다양성 climate change 기후 변화 organism 유기체 biomedicine 생물 의학 progress (앞으로) 나아가다 plague 괴롭히다 mankind 인류 merit 장점, 공적

4

사람들은 일반적으로 천식의 증상이 스트레스를 받으면 이겨내기가 더 어려워진다고 알고 있다. 하지만 또 다른 요소가 최근에 밝혀졌다. 잭슨 박사와 그의 동료들은 325명의 천식이 있는 아이들과 10대들을 연구했다. 그 연구는 각각의 사람의 첫 번째 주소를 조사하고, 그들이 사는 곳에 근거하여 교통 때문에 발생하는 배출 디젤의 노출량을 측정하였다. 특히 천식이 있는 아이들의 경우 차량 오염 물질에 노출되는 것이 천식 증상이 더욱 자주 드러나는 것과 연관이 있었다.

Q 이 글의 주된 요지는?

(a) 아이들과 10대들은 어른보다 더욱 자주 천식 증상이 나타난다.

(b) 교통 관련 공기 오염은 전체 천식 환자들의 수를 증가시킨다.

(c) 아이들이 사는 장소가 스트레스를 줄이는 데 핵심 요소이다.

(d) 아이들이 디젤과 먼지에 노출되면 천식 증상이 더 심해질 수 있다.

아이들이 스트레스 외에도 디젤에 더 노출되면 더 자주 천식 증상이 나타난다고 했으므로 (d)가 알맞다. 아이들이 사는 곳의 교통량과 디젤 노출량에 따라서 증상의 발현 빈도가 달라지는 것은 사실이지만 어디에 사는가가 스트레스를 줄이는 것과는 관련이 없으므로 (c)는 알맞지 않다.

asthma 천식 symptom 증상 cope with ~에 대처하다 stressed 스트레스를 받는 factor 요인 identify 확인하다 colleague 동료 researcher 연구자 examine 검사하다 primary 주요한 estimate 측정하다 diesel 디젤 emission 배출(물) exposure 노출 pollutant 오염 물질 frequent 빈번한 air pollution 대기 오염 dust 먼지

Unit 04 세부 내용 찾기 p.88

1. (c) 2. (d) 3. (b) 4. (a)

1

달이 지구로부터 가장 가까운 궤도로 지구를 지나는 '수퍼문' 현상이 어젯밤 관찰되었다. 이 현상 동안 달은 일반적인 보름달보다 14% 더 크고 30% 더 밝게 보였다. 언론은 구경하는 사람들이 꽉 찬 보름달을 보는 것을 즐겼다며, 달이 지구에 가장 가까이 있는 때에는 그것은 지구에서 356,989킬로미터밖에 떨어져 있지 않는다고 전했다. 천문학자들은 이 현상이 일어나는 것은 달이 타원형 모양의 궤도로 지구를 돌고, 그래서 지구로부터 달의 거리가 매달 다르기 때문이라고 한다.

Q 이 글에 의하면 다음 중 옳은 것은?

(a) 수퍼문은 지구가 태양에 가까이에 있을 때 관찰된다.

(b) 달과 태양의 거리는 수퍼문 현상을 야기한다.

(c) 달은 지구의 둘레를 타원형 궤도를 따라 돈다.

(d) 수퍼문은 일반적인 달보다 30% 더 커 보였다.

달은 지구의 둘레를 타원형 모양의 궤도를 돈다고 했으므로 (c)가 알맞다. 수퍼문은 지구가 태양에 가까이에 있을 때가 아니라, 달과 가까이에 있을 때 나타나므로 (a)는 적절하지 않으며 수퍼문이 보름달보다 커 보인 정도는 14%이므로 (d)도 적절하지 않다.

phenomenon 현상 observer 관찰자 phase (달의) 상 revolve 회전하다 oval-shaped 타원형의 distance 거리 rotate 회전하다 elliptical 타원의 normal 평범한

2

5월과 6월은 싱가포르의 일 년 중 가장 더운 달이고 싱가포르인은 시원한 날씨를 즐기려면 9월 말까지는 기다려야 할 것이다. 기상 예보에 의하면, 지난주 토요일에 기온이 섭씨 34도까지 올랐다고 한다. 또 이번 주말에도 기온은 섭씨 30에서 33도의 범위가 될 것으로 예상된다. 지난달 4월 28일, 기온은 섭씨 34.9도까지 올라갔었고, 이것은 작년 최고 기온을 훌쩍 넘는 온도였다. 올해의 최고 기온은 섭씨 36.2도였다.

Q 이 글에 의하면 다음 중 옳은 것은?

(a) 9월 말 이후로도 더운 날씨는 계속될 것이다.

(b) 작년 최고 기온은 올해 최고 기온보다 높다.

(c) 5월과 6월은 보통 세계적으로 가장 더운 달이다.

(d) 다음 몇 주간 싱가포르 사람들은 더운 날씨를 경험할 것이다.

이번 달인 5월과 6월은 더우며 9월이 되어서야 시원해질 것이라 했으므로 알맞은 보기는 (d)이다. 전 세계에 관한 내용이 아니라 싱가포르의 날씨에 대한 내용이므로 (c)는 적절하지 않다.

weather forecast 일기 예보 temperature 온도 reach 도달하다 range (온도가) 오르내리다 climb up 오르다

3

섹션 A는 농산품의 생산, 공급, 유통에 관한 데이터를 보여준다. 모든 데이터는 미국 농무부 자료에서 온다. 데이터는 보통 한 달에 한 번 업데이트한다. 데이터는 상품, 국가, 변수에 따라 분류된다. 공급과 유통/사용 표는 상품의 총 공급을 설명하는 전형적인 방법이다. 공급과 사용 표는 거의 항상 그 상품의 마케팅 연도를 기본으로 하는데, 왜냐하면 그것은 공급과 수요가 균형이 맞는 기간이기 때문이다.

Q 이 글에 의하면 섹션 A에 관해 다음 중 옳은 것은?
(a) 그것은 농업과 기술 변수의 데이터를 포함한다.
(b) 그것의 데이터베이스는 정부 기관에서 제공하는 것에서 온다.
(c) 그것의 정보는 두 달에 한 번씩 업데이트된다.
(d) 공급과 사용 표는 역년에 기본을 둔다.

데이터는 미국 농무부에서 가져온다고 했으므로 적절한 보기는 (b)이다. (a)의 경우 데이터가 기술 분야는 포함되지 않으므로 적절하지 않다. (c)는 두 달에 한 번이 아니고 한 달에 한 번 업데이트되므로 적절하지 않고, (d)는 역년이 아닌 마케팅 연도를 기준으로 작성한다고 하므로 적절하지 않다.

production 생산 distribution 배분 agricultural 농업의 commodity 상품 source (출처를) 얻다 classify 분류하다 variable 변수 typical 전형적인 method 방법 account 설명하다 period 기간 balance 균형을 잡다 derive from ~에서 유래하다 government institution 정부 기관

4

석유 정보 시스템(OIS)은 석유의 가격과 뉴스 정보에 대한 폭넓은 자료로 유명하다. OIS는 60명 이상의 정보 전문가들로 구성되는데, 사업 분야에서 가장 노련한 에디터들로, 150년 이상의 업계 경험을 갖추고 있다. 그들은 시장 정보를 다루고 속보를 전하며, 추세의 의미와 그것들이 가격 및 구매 동향에 어떠한 영향을 미칠 것인지에 대한 날카로운 분석도 제공한다. 우리의 고객들은 선도 석유 기업, 수백의 석유 유통 업체, 정부 기관 및 상업적 구매자들 등 다양한 분야에서 일한다.

Q 글에 의하면 OIS에 관해 다음 중 옳은 것은?
(a) 정부와 산업을 위한 뉴스와 분석을 특징으로 한다.
(b) 석유의 가격 및 뉴스 정보만을 다룬다.
(c) 100년 동안 석유에 대한 뉴스를 제공해 왔다.
(d) OIS의 고객은 민간 부분에 제한된다.

시장 분석과 뉴스를 다루며 고객으로 석유 업체들과 정부 기관이 있다고 하므로 알맞은 보기는 (a)이다. 가격 정보와 뉴스 이외에도 날카로운 분석도 제공하고 있으므로 (b)는 적절하지 않다. (d)는 정부 기관도 고객에 포함된다고 했으므로 옳지 않다.

comprehensive 포괄적인 petroleum 석유 pricing 가격 책정 specialist 전문가 seasoned 노련한 cover 다루다 breaking story 뉴스 속보 keen 날카로운 purchasing decision 구매 의사 결정 client 고객 various 다양한 commercial 상업상의 private sector 민간 부문

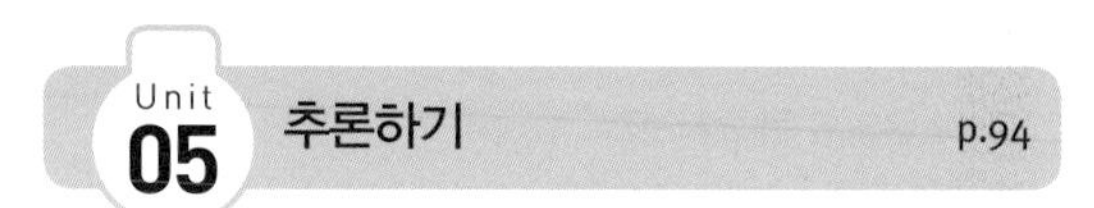
Unit 05 추론하기 p.94

1. (a) 2. (c) 3. (d) 4. (a)

1

영국 당국은 일본의 조직적인 범죄자들을 박물관 위조 티켓 유통의 배후로 의심하고 있다. 박물관은 한 직원이 9월에 한 일본인 관광 가이드로부터 건네받은 티켓을 의심하게 됐을 때 위조 티켓에 대한 경계를 하게 되었다. 영국 세관원은 일본에서 온 소포에서 4천 장이 넘는 위조 티켓을 압수했다. 그러나 관계자는 당황스러운 일이 발생할까봐 공개적인 발언을 주저하고 있다. 티켓은 유효 기간은 1년이다. 따라서 지금으로서는 얼마나 많은 티켓이 유통되고 있는지 알 수 없고, 이번 박물관에 대한 사기의 피해액도 아직은 추정할 수 없다.

Q 이 글로부터 유추할 수 있는 것은?
(a) 영국은 일본과 외교적 마찰을 빚고 싶어 하지 않는다.
(b) 위조된 티켓의 손실액은 지나치게 높게 추산되었다.
(c) 박물관은 모두 4천 장 이상의 위조 티켓을 일본인 관광객들로부터 압수했다.
(d) 위조된 티켓은 유효 기간을 표시하지 않는다.

영국은 당황스러운 일이 일어날까봐 논평하기를 주저한다고 했으므로 일본과 외교적으로 불미스러운 일이 될까봐 걱정한다는 (a)가 적절하다. 손실액은 아직 추산이 불가능하다고 하며, 유효 기간은 1년으로 언급되었다.

authorities 당국 suspect 짐작하다, 의심하다 organized 조직적인 criminal 범죄자 circulation 순환, 유통 fake 위조의 alert (위험을) 알리다 suspicious of ~을 의심하는 hand over ~로 넘기다 customs officer

세관원 seize 붙잡다, 체포하다 forged 위조된 parcel 소포 wary 조심성 있는 comment 논평하다 publicly 공개적으로 embarrassment 난처함, 낭패 valid 유효한 there's no telling 아무도 모른다, 알 수가 없다 calculate 계산하다 diplomatic 외교적인 counterfeit 위조의 overestimate 과대평가하다 specify 일일이 열거하다

2

월요일에 강력한 태풍이 대만을 강타했고 많은 비를 뿌려 타이베이 지역을 침수시켰으며, 그곳에서 약 3십만 명의 주민이 대피소로 대피 명령을 받았다. 태풍은 시속 158킬로미터의 바람과, 유례없이 많은 양의 비를 타이베이에 뿌렸고, 곧 타이난 방향으로 이동했다. 타이베이에 대피소를 찾는 사람들 이외에도 수십만의 사람들 또한 대만 서부에서 대피 명령을 받았다. 대만의 서부와 중앙 지역의 약 8만 2천 가구가 전기 없이 지냈다.

Q 이 글로부터 유추할 수 있는 것은?

(a) 태풍은 시속 150킬로미터가 넘는 속도로 밤사이 타이난을 휩쓸고 지나갔다.

(b) 이번 태풍 때문에 8만 명 정도의 사람들이 타이베이를 탈출해야 했다.

(c) 대만은 이 태풍 전에 홍수에 대비하여 대피소를 마련해 놓았었다.

(d) 태풍이 너무 강해서 올해 가장 강력한 태풍이 되었다.

사람들이 대피소로 피했다고 하므로 이런 경우에 대비하여 거처를 미리 마련해 놓았다는 것을 알 수 있다. 태풍이 언제 타이난으로 이동했는지에 대한 정보는 없으므로 (a)는 알맞지 않다.

flood 침수되다 evacuate 대피하다 shelter 대피소 pack (위력을) 갖추고 있다 unprecedented 전례 없는 electricity 전기

3

요즈음 사람들은 온라인 친구나 팔로워의 수에 가치를 두는 경향이 있다. 그러나 온라인에서 사는 우리의 삶이 현실을 제대로 반영하지는 않는다는 점을 명심하라. 사실, 우리는 외로울 때나 화가 날 때는 일반적으로 업데이트하지 않는다. 온라인에서 다른 이들의 사진을 보면서 외로움을 느낄 수 있다. 너무 많은 사람들이 단지 그들이 얼마나 좋은 시간을 가졌는지를 남기는 데에만 초점을 둔다. 그러나 예전의 좋은 시간을 생각해 보라. 우리가 되풀이하여 사진을 찍어 온라인에 올리기 위해 계속 멈췄었는가? 아니다. 그저 즐겁게 시간을 보냈을 뿐이다.

Q 이 글로부터 유추할 수 있는 것은?

(a) 온라인에 친구가 많을수록 당신은 더 행복해진다.

(b) 사람들은 항상 친구들이 좋은 시간을 보낸 것을 보여주는 사진을 보기를 즐긴다.

(c) 온라인에서의 과도한 친구 수는 당신이 진짜 친구가 없다는 것을 보여 줄 뿐이다.

(d) 많은 사람들이 온라인에서 오직 긍정적인 경험만을 보여 주고 싶어 한다.

예전보다 사람들은 온라인에서 좋은 시간을 보낸 경험을 보여주는 데 초점을 둔다고 하는데, 즐거운 시간을 보내려 하기보다는 사진을 찍어 올리는 데에 집중한다는 내용을 통해 (d)를 유추할 수 있다. (c)와 같은 내용을 유추할 근거는 없다.

tend to ~하는 경향이 있다 put value on ~에 가치를 두다 indicator 지표, 표준 reality 현실 lonely 외로운 document 상세히 기록하다 repeatedly 되풀이하여

4

몇십 년간 미국의 딸기 재배자들은 벌레를 죽이려고 땅에 살충제 화학 물질을 살포해 딸기 성장을 촉진했다. 그러나 그 화학 물질은 유해한 것으로 밝혀졌고, 국제 조약에 의거하여 단계적으로 없어질 전망이다. 왜냐하면 지구의 오존층이 그것의 사용 때문에 얇아지고 있다고 여겨지기 때문이다. 이제, 미국의 단속 기관들은 전통적인 딸기 재배자들이 그들의 식물을 더 잘 자라게 하기 위해 사용해 온 살충제를 더 강하게 규제하기 위한 입안을 했다. 그 규제들은 딸기 재배 산업이 살충제 화학 물질에서 더 안전한 대안을 개발하도록 유도할 것이다.

Q 이 글로부터 유추할 수 있는 것은?

(a) 이 살충제 화학 물질을 사용하지 않도록 국제적인 압력이 있다.

(b) 딸기를 기르는 전통적 방법은 더 환경 친화적이었다.

(c) 살충제 화학 물질은 더 이상 미국 농부들에게 사용되지 않는다.

(d) 미국 시민들은 규제자들에게 살충제 화학 물질을 규제하는 법안을 제정하라고 강제하였다.

딸기 재배에 수년간 이용되었던 살충제 화학 물질이 국제 조약에 의해 단계적으로 없어질 전망이며, 이 조약으로 살충제 화학 물질 대신 더 안전한 대안을 개발할 수 있다고 하므로 (a)가 가장 알맞다.

pesticide 살충제 soil 흙 remove 제거하다 chemical 화학 물질 phase out 단계적으로 제거하다 pact 조약, 협정 thin 가늘어진다 regulator 단속하는 사람 enact (법을) 제정하다 strict 엄격한 protect 보호하다 traditional 전통적인 alternative 대안, 대체물 pressure 압력 ban 금지하다

Unit 06 어울리지 않는 문장 찾기 p.100

1. (a) 2. (b) 3. (c)

1

물리학자는 관성이라는 용어를 물체가 움직임의 변화를 저항하는 경향에 대해 설명할 때 쓴다. (a) 이러한 관성의 개념은 뉴턴에 의해 처음 나온 것은 아니었다. (b) 밀거나 당기지 않는 한 정지해 있는 물체는 영원히 정지해 있을 것이다. (c) 움직이고 있는 물체는 뭔가가 밀거나 당길 때까지는 직선으로 영원히 움직일 것이다. (d) 예를 들어, 차가 벽을 부딪칠 때, 차 안의 사람은 외부의 힘에 부딪히기 전까지 같은 속도로 직선으로 움직인다.

관성의 개념을 설명하는 글로, (a)만 처음 관성의 개념을 고안해 낸 사람에 대해 언급하므로 글의 흐름에 가장 어울리지 않는다.

physicist 물리학자 term 용어 inertia 관성 tendency 경향 object 물체 resist ~에 저항하다 motion 움직임 concept 개념 at rest 정지하여 constant 지속적인 external 외부의 encounter 마주치다, 부딪히다

2

한 여성이 노동 착취 사건에서 기소되었다. (a) 34세 넌냐는 체포되었는데, 그녀는 원래 1,500달러를 월급으로 받기로 계약하고 왔지만 월 200달러만 받으며 하루 15시간씩 일하도록 강요받아 그 집에서 도망쳤다. (b) 그 케냐 가정부는 28살에 케냐로 왔으며, 미국에 있는 가족들을 먹여 살리기 위해 왔다고 한다. (c) 이 34세의 가정부는 그녀가 미국에 도착하자 고용자들이 그녀의 여권을 빼앗아 갔다고 주장했다. (d) 다섯 명의 필리핀 여성들도 그 집에서 일을 했는데, 낮은 임금으로 오랫동안 일하도록 강요받았다.

한 케냐 여성이 가정부로 일하며 겪은 노동 착취 사건에 관한 글이다. (b)는 출신지와 이주한 국가가 뒤바뀐 어색한 문장으로 전체 맥락과 무관한 내용이다.

human trafficking 노동 착취 case 사건 arrest 체포하다 maid 가정부 flee 달아나다 contractually 계약상으로 guarantee 보증하다 support 부양하다 claim 주장하다

3

내부 고발자는 불법 행위나 잘못된 관행을 폭로하면서 일반적으로 보복이나 직업에의 위험 등을 무릅쓸 필요가 없습니다. (a) 내부 고발자는 정부나 기업의 사기 행위나 낭비적인 행동들과 관련된 필요 정보나 문서를 익명으로 제공할 수 있습니다. (b) 이것은 공격당할 위험 없이 내부 고발자가 잘못을 드러내도록 돕습니다. (c) 과거에 저희는 내부 고발자로서 익명을 유지하는 사람과 일했습니다. (d) 그러므로 당신이 불공정한 것을 목격했다면 당신의 신분을 비밀로 하고 증거를 제공해 주십시오.

내부 고발자에 대한 설명으로 익명성이 보장된다는 데 글의 초점이 있다. (c)는 글의 소재는 같지만 전체 맥락에 벗어나 있다.

whistleblower 내부 고발자 risk 위험 reprisal 보복 jeopardize 위태롭게 하다 expose 폭로하다 illegal 불법적인 misconduct 위법 행위 anonymously 익명으로 wholly 전적으로 fraudulent 사기의 wrongdoing 나쁜 행위 notice 알아채다 unfair 불공정한 evidence 증거 withhold 주지 않다 identity 정체, 신원

TEPS 실전 모의고사

Actual Test I

p.124

Part I

01 (d) 02 (a) 03 (d) 04 (b) 05 (c) 06 (c)
07 (a) 08 (d) 09 (b) 10 (d) 11 (c) 12 (b)
13 (a) 14 (c) 15 (b) 16 (d)

Part II

17 (b) 18 (d) 19 (a) 20 (d) 21 (b) 22 (d)
23 (c) 24 (a) 25 (c) 26 (d) 27 (b) 28 (c)
29 (b) 30 (c) 31 (b) 32 (d) 33 (b) 34 (a)
35 (b) 36 (a) 37 (c)

Part III

38 (b) 39 (c) 40 (c)

Part I

01

야구 선수 재키 로빈슨은 **인종 평등을 향한 여정에서** 핵심 인물이었다. 1947년 브루클린 다저스는 로빈슨을 1루수에 배치하기 시작하면서, 1890년대 이후 흑인 선수들을 기용한 최초의 팀이 되었다. 팀이 이동하면서, 로빈슨은 끊임없는 차별을 견뎌냈다. 팬들은 그에게 야유를 보냈고, 다른 선수들은 로빈슨이 뾰족한 신발 밑창으로 억지로 슬라이딩하게 하면서 경기장에서 적극적으로 그를 다치게 하려 했다. 하지만 시민의 평등권을 위한 운동 초기에 그의 대단한 재능과 프로 근성, 순수한 성격이 미국 흑인에 대한 사람들의 생각을 서서히 바꿔놓았다.

(a) 흑인 운동선수들의 능력을 입증하는
(b) 스포츠에서의 폭력에 맞서 싸웠던
(c) 백인들이 팀을 소유하는 것을 막기 위한
(d) 인종 평등을 향한 여정에서

로빈슨은 팬들과 동료의 인종 차별을 견뎌내고, 시민의 평등권을 위한 운동의 시작될 무렵 흑인들에 대한 생각을 바꾸어 놓았다고 하므로, 그가 핵심적인 역할을 한 부분은 인종 평등과 관련된 (d)가 빈칸에 적절하다. 흑인의 운동 능력을 입증한 것은 핵심에서 벗어나며, 로빈슨이 차별에 맞서 싸웠다는 내용은 없다.

key figure 핵심 인물 endure 참다, 견디다 discrimination 차별 constantly 끊임없이 boo 야유하다 slide into ~로 슬라이딩하다 tremendous 대단한 professionalism 프로 근성 African American 아프리카계 미국인(흑인) civil right 시민 평등권 athlete 운동선수 fight against ~에 맞서 싸우다 violence 폭력

ownership 소유 journey 여정 racial equality 인종 평등

02

바다의 위엄은 거센 파도가 인다고 하더라도 내가 **자연 세계의 아름다움에 놀라게** 하며 항상 나에게 자양분을 주었다. 워싱턴에 있는 우리 집은 해변에서 10분밖에 떨어져 있지 않았다. 바다에 다시 한 번 다다르면 나를 지치게 하는 세상의 모든 걱정과 일상의 중압감이 사라지곤 했다. 그곳에서 하늘과 구름의 색은 자연의 작품이었고, 바닷바람에서는 자유의 향기가 났다. 바다는 결코 나이가 들지 않았고, 바다와 멀리 떨어져 있는 지금 특히 그립다.

(a) 자연 세계의 아름다움에 놀라게
(b) 고향의 새로운 면을 발견하게
(c) 문제를 해결하기 위해 필요한 해결책을 찾게
(d) 주중의 직장 생활의 고된 일들을 무시하게

바닷가에서 세상의 모든 걱정이 사라지곤 했다며 자연의 작품인 하늘과 구름, 자유의 향기가 나는 바닷바람을 그리워하고 있는 내용으로 자연의 아름다움을 이야기하는 (a)가 알맞다.

majesty 위엄 nourish (감정, 생각 등을) 키우다 exhausting 진을 빼는 pressure 압박 sea breeze 바닷바람 far away from ~에서 멀리 떨어진 marvel at ~에 놀라다 demand 요구, 부담

03

근로자의 직업 만족도는 **본인이 일의 가치를 찾는지 아닌지**에 따라 일부 다를 수 있다. 구직 시장에서 사람들은 주로 자신의 재능에 딱 맞고 돈도 많이 주는 탄탄한 회사와의 일거리를 찾고 있다. 그래서 월급과 근무 조건은 분명 만족도에 가장 많은 영향을 미친다. 그러나 근로자가 임금을 낮게 받거나 과도하게 일을 해야 할 때, 그들이 사회에 이로운 일을 하고 있다고 생각함으로써 적은 월급이나 긴 근무 시간을 더 쉽게 받아들일 수 있다. 하지만 불행하게도, 흔히 의료 서비스업이나 사회 복지 사업, 교육 분야에 있는 근로자들만이 자신들이 타인을 돕는다고 생각한다.

(a) 본인의 의료 혜택의 질
(b) 일하면서 얼마나 많은 돈을 버는지
(c) 본인이 동료와 얼마나 잘 어울리는지
(d) 본인이 일의 가치를 찾는지 아닌지

이 글의 핵심은 후반부에 있다. 임금이 적거나 업무량이 많아도 사회에 이로운 일을 한다는 생각이 직업의 만족도를 높일 수 있다는 것이다. 따라서 직업에 대한 만족이 근로자 본인이 자신의 일을 가치 있다고 생각하는지에 달려있다는 (d)가 적절하다.

satisfaction 만족 depend on ~에 의존하다 primarily 주로 talent 재능 underpay 저임금을 주다 overwork 과도하게 일을 시키다 beneficial 유익한 paycheck 급료 health care 의료 social service 사회 복지 사업 benefits (회사의) 특전, 복지 valuable 가치 있는

04

온라인 비디오 서비스 회사인 넷플릭스가 이제 자사의 TV 프로그램을 제작하기 시작하면서 **텔레비전이 새로운 방향으로 이동하고 있다.** 넷플릭스는 원래 비디오 배송 서비스를 제공했으며, 요청이 있으면 DVD를 발송하는 업체였다. 이후, 구독자에게 영화와 TV 프로그램을 인터넷 스트리밍으로 제공하면서 사업을 확장시켰다. 이제 넷플릭스는 어떤 특별한 일을 마쳤다. 이 회사는 프로그램의 에피소드 전편을 한꺼번에 온라인에 올리면서 자체 TV 프로젝트들을 제작하고 있다. 그 제작물들이 엄청난 인기를 끌면서 여러 개의 상을 받을 것으로 기대된다.

(a) 사람들이 전보다 DVD를 더 많이 산다
(b) 텔레비전이 새로운 방향으로 이동하고 있다
(c) 온라인 기술이 바뀌었다
(d) 신문사들이 살아남기 위해 고군분투하고 있다

넷플릭스가 초기에 배송 서비스만 제공했지만 이제 자체 제작을 시작하며 인터넷 스트리밍 서비스를 하면서 인기를 끌고 있다고 한다. 예전과 달리 온라인 기술을 이용하여 텔레비전의 경향이 바뀌어 가고 있음을 보여 주고 있다. 다른 언론사들에 대한 언급은 전혀 없으므로 (d)는 알맞지 않다.

produce 제작하다 delivery 배달 upon request 요청에 따라 expand 넓히다 subscriber 구독자 all at once 한꺼번에 wildly 걷잡을 수 없이 win awards 상을 받다 modify 변경하다 struggle 고군분투하다

05

갠지스 강은 인도의 고대 베다 전통에 있어서 중요한 상징이다. 강가 여신은 천국은 물론 지상과 지하 저승 세계를 다닌다고 한다. 결과적으로 그녀의 이름을 딴 이 신성한 강은 신앙인들이 몸과 영혼을 정화하고 심지어 내세로 여행하기 위한 장소이다. 많은 사람들이 목욕과 화장을 위해 강을 사용하면서, 안타까운 결과로 오염의 수위가 높아지고 있다. 그럼에도 수백만 명의 사람들이 영적인 공간으로써 강을 계속 찾고 있어, 그 때문에 **환경 문제의 원인이 되고 있다.**

(a) 간과되었던 관행을 되살리고 있다
(b) 주요한 종교적 신념 체계를 퍼뜨리고 있다
(c) 환경 문제의 원인이 되고 있다
(d) 명소에 대한 관심을 불러일으키고 있다

초반에는 갠지스 강의 의미와 의의에 관해 설명하고 있지만, 결과적으로 많은 사람들이 영적인 공간이 된 강을 찾아와 오염이

되고 있다는 문제를 제기하고 있으므로 (c)가 적절하다.

underground 지하의 holy 신성한 name after ~의 이름을 따서 짓다 the faithful 신앙인 purify 정화하다 afterlife 사후 세계 cremation 화장(火葬) consequence 결과 pollution 오염 spirItual 영적인 revive 소생하게 하다 practice 관행 spread 퍼뜨리다 belief 신념 contribute ~의 한 원인이 되다 environmental problem 환경 문제 spark interest in ~에 관심을 불러일으키다

06

캘리포니아의 지형과 비슷한 칠레는 서쪽으로는 태평양을 보고 있고, 동쪽으로는 산지에 인접해 있다. 이러한 지형으로 칠레는 와인용 포도 재배에 필요한 충분한 비가 내리는데, 특히 좀 더 건조한 북부와 좀 더 추운 남부 사이의 지역이 그렇다. 수도인 산티아고 근처의 바예 쌘뜨랄이 이 지역에 있다. 이곳의 추운 밤 기온 역시 포도의 산도를 유지하는 데 필수적이다. 와인 생산에서는 이런 품질을 추구하기 때문에 이 지역의 경작자들은 **훌륭한 상품을 생산하는 데 유리한 입장에 있다.**

(a) 수요를 충족하기 위해 포도밭에 비닐하우스를 쓴다
(b) 산도를 인공적으로 재현하기 위해 대단한 노력을 한다
(c) 훌륭한 상품을 생산하는 데 유리한 입장에 있다
(d) 권장 횟수보다 더 자주 식물에 물을 댄다

지형상 칠레의 바예 쌘뜨랄 지역은 품질이 좋은 포도주 생산에 알맞은 기후이므로, 이곳 경작자들은 좋은 상품을 생산하는 데 유리하다는 (c)가 정답이다. 자연적인 조건이 된다고 하므로 (a)는 적절하지 않으며, 산도 보존에 자연적으로 유리한 곳이므로 인공적 재현 또한 알맞지 않다.

topography 지형 bound on ~에 접경하다 latitude 위도, 지역 vital 필수적인 acidity 산도 vineyard 포도밭 meet demand 수요를 충족시키다 frantic 대단한 recreate 재현하다 artificially 인공적으로 desired 훌륭한 position ~의 자리를 잡다 at an advantage 유리한 입장에 irrigate 물을 대다

07

가톨릭교회에게 있어 중세 시대는 팽창의 시대였다. 십자군이라는 원정군이 '성지'에서 이슬람교도들을 내쫓기 위해 유럽에서 예루살렘까지 위험을 무릅쓰고 이동했다. 그 여정은 폭력적이었고, 그 과정에서 많은 이들이 목숨을 잃었다. 동시에 기독교인들은 공동의 목적에 합류하면서 이슬람 문학과 과학, 기술에 관해 매우 많은 것을 배워갔다. 십자군 원정은 잔인하고 공정하지 못한 수고였지만, 유럽은 **다른 문화와의 접촉으로 이득을 얻었다.**

(a) 다른 문화와의 접촉으로 이득을 얻었다
(b) 그들의 교회가 다른 모든 종교보다 뛰어남을 입증했다
(c) 그들의 신앙을 전파하려는 주요한 목적을 달성했다
(d) 이슬람교도에 대한 새로운 연민이 생겨났다

중세 시대는 가톨릭 팽창의 시대였으며, 십자군 원정으로 많은 사람들이 목숨을 잃었지만 유럽은 이슬람의 문화에 대해 많은 것을 배웠다고 하므로 다른 문화와의 접촉으로 이득을 얻었다는 (a)가 알맞다. 십자군 원정의 원래 목적이었던 종교나 신앙에 관한 내용은 이 글의 핵심 내용과는 거리가 멀다.

expansion 확장 military expedition 원정군 venture 위험을 무릅쓰고 가다 expel 내쫓다 excursion 여행, 여정 literature 문학 cruel 잔혹한 unjust 부당한 contact with ~와의 접촉 superior to ~보다 뛰어난 objective 목적 compassion 연민

08

편집자께,
귀사 신문의 논설 기사들은 대개 **분별력을 갖췄고 흥미로운 방식으로 쓰입니다.** 저는 그 기사들을 즐겨 읽습니다. 하지만 새로운 공평 과세 법안에 대한 기사는 정보가 매우 불충분합니다. 집필진은 미국의 평균 노동자에게 이 새로운 법은 불공평한 부담이 될 것임을 인지하지 못합니다. 새 법안은 이미 복잡한 세법을 불필요하게 복잡하게 하며, 근로자에게 부당하게 세금을 부과합니다. 유감이지만, 귀사의 집필진의 그러한 시각으로 인해 실제로 저는 귀사의 신문을 외면하게 되었습니다.

(a) 쟁점을 다루지 않고 소문에 집중합니다
(b) 우리 사회가 직면한 시급한 문제와 쟁점을 다룹니다
(c) 흥미롭지만 제 생각과 반대됩니다
(d) 분별력을 갖췄고 흥미로운 방식으로 쓰입니다

빈칸의 내용은 뒤에 나오는 but 이하의 내용과 반대의 내용이라는 점을 인지하면 빠르게 풀 수 있다. but 이하에서 기사가 정보 불충분으로 올바른 글이 되지 못했다고 항의하고 있으므로 빈칸에는 지금까지의 기사들이 분별력 있었고 흥미로워 즐겨 읽었다는 내용이 알맞다. 기사에서 다루는 내용이 초점이 아

니라, 집필진의 시각에 초점이 맞추어져 있으므로 (b)는 알맞지 않다.

taxation 과세 informed 정보가 충분한 unfair 불공평한 burden 무거운 짐 needlessly 불필요하게 complicate 복잡하게 하다 complex 복잡한 tax code 세법 slap (세금을) 부과하다 concentrate on ~에 집중하다 cover 다루다 urgent 시급한 run counter to ~에 거스르다 good sense 분별

09

영국의 오크니 섬에 있는 광대하고 복잡한 구조물의 발견은 **영향력이 큰 문명에 대한 새로운 이해를 제공한다**. 이 구조물은 섬의 수 마일의 크기이며, 이집트의 피라미드나 스톤헨지보다 앞서 5천 년도 더 이전에 지어졌다. 현장의 공예품을 보건대, 뚜렷한 건물 양식과 도자기를 만드는 것과 같은 물질적인 설계는 오크니 섬에 기원을 두고 영국의 다른 지역으로 퍼진 것이 분명하다. 그 지역을 세세히 연구하는 사람들은 그곳이 당시 새로운 사상의 중심지였다고 한다.

(a) 영국이 어떻게 한 국가로서 권력을 장악했는지를 설명한다
(b) 영향력이 큰 문명에 대한 새로운 이해를 제공한다
(c) 영국 종교의 기원에 대한 새로운 이론을 드러낸다
(d) 과학적, 문화적 이론의 초기의 발전을 보여 준다

글 후반부에 오크니 섬의 문명이 다른 지역으로 퍼져나갔고, 그곳이 새로운 사상의 중심지였다고 하므로 이 구조물의 발견은 영향력이 컸던 문명에 대한 새로운 정보를 준다는 내용의 (b)가 적절하다. 이론의 발전이 아니라 문명 자체에 대한 발견이므로 (d)는 알맞지 않다.

vast 광대한 structure 구조물 construct 건설하다 artifact 공예품 distinctive 독특한 material 물질적인 originate 시작하다 insight 통찰력 influential 영향력이 큰 reveal 드러내다 advancement 발전

10

미국의 지도자는 선출된 대통령인 반면, 영국의 원수는 왕실의 일원이다. 미국의 대통령은 의회 투표를 통해 전쟁을 선포하는 총사령관이다. 영국의 여왕은 그 자신이 군의 최고 통수권자로, 의회의 도움으로 전쟁을 공식 선포한다. 또한, 영국의 여왕은 영국 교회의 수장으로 각료들과의 협의를 통해 모든 주교들을 임명한다. 그러므로 미국과 영국은 정치적으로 어떤 점에서는 공통되는 면이 있지만 그럼에도 **다른 리더십 구조를 갖고 있다**.

(a) 상대의 정부 스타일을 반대한다
(b) 유사한 기능을 수행하는 지도자들이 있다
(c) 관공서들을 완전히 분리하고 있다
(d) 다른 리더십 구조를 갖고 있다

미국 대통령과 영국 여왕의 정치적 구조를 비교, 대조하고 있다. 결론적으로 두 국가는 정치적으로 공통되는 면이 있지만 그러나(yet) 다른 리더십 구조를 갖고 있다는 내용이 알맞다.

whereas 반면에 royal family 왕실 commander-in-chief 총사령관 declare 선포하다 with the aid of ~의 도움으로 Parliament 의회 appoint 임명하다 bishop 주교 counsel 상담, 협의 minister 장관, 각료 overlap 공통되다 oppose 반대하다 government office 관공서 possess 보유하다

11

젊은 작가로서, 〈호밀밭의 파수꾼〉의 저자 J. D. 샐린저는 자신의 재능이 인정받기를 간절히 바랐다. 자신의 유명한 성장 소설을 출간한 후 그는 원했던 것을 얻었지만, 샐린저는 곧바로 그런 주목을 경멸하기 시작했다. 그는 책 표지에 있는 자기 사진을 보는 것을 싫어했고, 팬들에게서 온 편지를 불태웠고, 시골로 이사했으며, 인터뷰하는 것도 거부했다. 하지만 사람들은 그에 관해 알기 힘들수록, 더 많이 알고 싶어 했다. 마치 **그의 무관심이 자신의 명성에 불을 붙인** 것 같았다.

(a) 그의 출판 작품들이 그 자체로 생명력이 있었던
(b) 그는 더 이상 글을 쓸 이유가 없는
(c) 그의 무관심이 자신의 명성에 불을 붙인
(d) 자신이 저술한 책들을 싫어했던

샐린저는 대중의 관심을 받았지만 그 관심을 경멸하기 시작하고 노출되지 않았다고 한다. 하지만 그럴수록 대중은 그에 대해 더 알기 원했다고 하므로 (c)가 적절하다. 대중의 관심이 싫었던 것이지 책을 쓸 이유가 없어졌다거나 자신의 책을 싫어했다고 볼 직접적 근거는 글에 나오지 않았다.

author 저자, 저술하다 long to ~을 간절히 바라다 publication 출판 coming-of-age novel 성장 소설

despise 경멸하다 detachment 무관심, 초연 fuel (감정, 논쟁에) 불을 붙이다 celebrity 명성

12

저희 수공예 세미나의 **프로그램에 관심 있는 참여자들을 더 많이 포함시키기** 위해 또 하나의 세션이 추가되었음을 알려 드립니다. 4월 23일의 원래 세션은 넘쳐 나는 관심과 수요로 예약이 꽉 찼습니다. 이런 이유로 그 다음 날인 4월 24일에 두 번째 프레젠테이션 일정이 잡힌 것입니다. 여러분은 이 두 번째 세션의 대기자 명단에 오르셨습니다. 행사장과 시간이 결정되면 이메일로 알려 드립니다. 연사 패널은 두 날짜 모두 같으리라 예상됩니다. 저희 프로그램에 대한 열광적인 참여에 감사드립니다.

(a) 분야의 다른 전문가들에게 공동체를 소개하기
(b) 프로그램에 관심 있는 참여자들을 더 많이 포함시키기
(c) 더 많은 사람들에게 프레젠테이션의 기회를 주기
(d) 제공되는 활동을 늘리고 심화 과정을 제공하기

원래 계획되었던 세션의 예약이 꽉 차서 두 번째 일정이 잡혔고, 대기자는 이 일정에 참여할 수 있게 되었다고 하므로 (b)가 알맞다. 프레젠테이션의 기회를 주는 것이 아니므로 (c)는 알맞지 않고, 세미나의 활동이나 과정을 늘리는 것이 아니라, 같은 프로그램을 두 번 하는 것이므로 (d)도 알맞지 않다.

handicraft 수공예(의) engagement 약속 book 예약하다 due to ~로 인해 overwhelming 넘치는 hence 이런 이유로 waiting list 대기자 명단 venue 행사장 identical 동일한 enthusiastic 열렬한, 열성적인 participation 참여 field 분야 extend 확장하다 extensive 폭넓은

13

바이러스와 스팸 메일의 연쇄 반응이 지하로 숨어들면서 인터넷의 분산성은 여전히 현실로 남아 있다. 개개인의 컴퓨터는 주인도 모르게 감염되고 소위 말하는 좀비 PC가 되고 있다. 좀비 PC들은 월드 와이드 웹을 통해 다른 컴퓨터에 다양한 컴퓨터 파괴 프로그램을 퍼뜨리며 작동한다. 보안업체들은 전 세계 스팸의 거의 절반이 좀비 PC에서 온다고 생각한다. **알아채지 못하는 사이에 같은 운명에 시달리지** 않도록 최신 보안 소프트웨어와 방화벽을 업데이트하는 것이 권장된다.

(a) 알아채지 못하는 사이에 같은 운명에 시달리지
(b) 안전성의 측면에서 일이 향상되지
(c) 컴퓨터가 이미 해커들에게 침입되지
(d) 바이러스가 감지되어 확산을 방지하지

개인의 컴퓨터가 바이러스나 스팸 메일로 주인도 모르는 사이에 좀비 PC로 감염되고 그 좀비 PC가 다시 스팸 메일을 보낸다는 통제되지 않는 연쇄적인 악순환을 이야기하고 있다. 따라서 컴퓨터를 최신 보안 소프트웨어와 방화벽을 업데이트하는 이유로 (a)가 적절하다. 빈칸 앞에 lest가 있으므로 (d)를 고르지 않도록 주의한다.

decentralize 분산시키다 chain reaction 연쇄 반응 go underground 지하에 숨다 individual 개별적인 infect 감염시키다 notice 알아챔 so-called 이른바 operate 작동하다 malware 컴퓨터 파괴 소프트웨어 firewall 방화벽 lest ~하지 않도록 awareness 자각 invade 침입하다 detect 발견하다 prevent 예방하다

14

민주주의 국가에서 법원은 종종 **개인의 자유와 공공의 안전 사이의 경계에 대해** 논쟁한다. 예를 들어, 어떤 사람이 북적거리는 극장에서 거짓으로 "불이야!"하고 외친다면, 이것은 자유 발언일까? 공황에 빠진 관객들이 건물을 탈출하려 하기 때문에 이러한 행동은 해가 될 수 있다. 유사하게, 자유 국가의 시민들은 자신들이 부당하게 싫어하는 집단에 대해 공공연하게 증오의 발언을 하도록 두어야 할까? 즉각적인 위험 요소는 없을지 모르지만, 정부는 이런 발언이 폭력으로 이어질 가능성이 있음을 상당히 걱정할지도 모른다.

(a) 사회의 어느 단체가 발언하도록 허락받아야 하는지를
(b) 폭력적인 행동에 대한 적절한 처벌의 수준에 대해
(c) 개인의 자유와 공공의 안전 사이의 경계에 대해
(d) 솔직하게 의견을 나누는 시민들의 영향에 대해

빈칸 이후에는 개인의 발언의 자유와 공공의 안전이 서로 충돌하는 예가 이어지고 있다. 따라서 논쟁의 내용은 개인의 자유와 공공의 안전에 대한 것임을 알 수 있다. 누가 발언할 수 있는가가 초점이 아니므로 (a)는 적절하지 않다.

democratic 민주주의의 court 법원 debate 논쟁하다 falsely 가짜로 yell 소리치다 free speech 자유 발언 in public 공개적으로 immediate 즉시의 reasonably 상당히, 꽤 potentially 잠재적으로 lead to ~로 이어지다 proper 적절한 punishment 처벌

15

아이작 뉴턴의 세 가지 운동 법칙은 물리학의 기초적인 연구에 필수이다. 이 세 개의 법칙은 사물과 그 사물의 운동에 영향을 미치는 힘 사이의 관계를 이해하는 데 쓰인다. <u>그러므로</u> 수송을 위한 탈것을 개발하거나 우주의 메커니즘을 조사하는 우리의 능력은 뉴턴이 없었더라면 불가능했을 것이다. 뉴턴은 자기 이론의 일부는 갈릴레오의 이전 연구에 기초를 두었다. 그리고 뉴턴의 견해는 케플러의 행성 운동의 법칙이 성립되는 데 도움이 되었다.

(a) 이와 대조적으로
(b) 그러므로
(c) 게다가
(d) 그럼에도 불구하고

글 초반에 뉴턴의 운동 법칙이 사물과 힘 사이의 관계를 이해하기 위해 필수적이라고 했고, 빈칸 뒤에서는 현재 우리의 능력이 뉴턴이 없었더라면 불가능했을 것이라고 하므로, 뒤의 문장은 앞 문장의 결과라고 볼 수 있다. 빈칸 앞뒤 문장의 내용 전개가 대등하게 덧붙여지는 것이 아니므로 (c)는 알맞지 않다.

motion 운동 essential 필수적인 physics 물리학 principle 원리 movement 움직임 vehicle 탈것 examine 검사하다 mechanics 역학, 메커니즘 planetary 행성의

16

가뭄은 지구의 환경 사이클의 자연스러운 일부이다. 지구의 대기가 성장한 이후, 지구는 수많은 우기와 건기를 겪어왔다. 하지만 이제는 국가들은 상품에 관해 서로 크게 의존하고 있어, 가뭄은 심지어 비가 많이 내리는 곳에도 좋지 않은 영향을 줄 수 있다. <u>예를 들어</u>, 미국에서의 가뭄은 육류와 채소의 생산을 둔화시킬 수 있어, 가격 인상을 초래한다. 그 결과, 미국의 수출에 의존하는 다른 나라들은 식량 부족에 직면하게 된다.

(a) 그럼에도 불구하고
(b) 그러는 동안에
(c) 그렇기는 하지만
(d) 예를 들어

빈칸 앞 문장에서 가뭄이 좋지 않은 영향을 줄 수도 있다는 주장을 하고, 빈칸 뒤 문장에서는 미국에서의 가뭄이 가격 인상을 초래하여 다른 나라에는 식량 부족이 될 수 있다는 구체적인 예를 들고 있으므로 (d)가 적절하다.

drought 가뭄 atmosphere 대기 wet and dry period 우기와 건기 dependent 의존하는 goods 상품 production 생산 export 수출 food shortage 식량 부족

Part II

17

산업 통계는 2010년의 정점 이후 전자책의 판매 감소를 나타내고 있다. 성인 전자책의 판매는 10%가 줄어든 한편, 어린이 전자책 판매는 전년의 1/3로 감소했다. 전자책 판매는 이제 전체 책 판매의 1/4을 차지하며, 지배적인 것과는 거리가 멀다. 사람들은 이것이 전자책에 대한 흥미가 감소했기 때문일 것이라고 본다. 독자들은 여전히 종이책에 대한 만족을 즐기는지도 모른다. 전자책의 가격 역시 종이책보다 현저히 저렴한 것도 아니다.

Q 이 글의 주된 내용은?
(a) 종이책의 인기가 증가했다.
(b) 전자책이 종이책을 대체하고 있지 않다.
(c) 다른 온라인 매체가 전자책의 판매를 감소시켰다.
(d) 가격은 전자책 판매에 중요한 역할을 한다.

전자책의 판매가 감소하고 있으며 전체 책 판매에서도 지배적이지 않다는 내용이다. 따라서 전자책이 종이책을 대신하지 못하고 있는 상황에 대한 글로 볼 수 있다. 종이책의 인기가 증가했다는 내용은 없으며, 가격이 저렴하지 않다는 것은 전자책의 판매 감소의 이유로 제시되었을 뿐이다.

statistics 통계 decline 감소 account for ~을 차지하다 a quarter of ~의 1/4 dominant 우세한 것 diminish 감소하다 excitement 흥미 appreciably 눈에 띄게 physical 물리적인 counterpart 상대물 popularity 인기 cut into 줄이다 play a major role 중요한 역할을 하다

18

에듀컬처는 초보 언어 학습자들이 스페인어와 독일어, 프랑스어를 유창하게 하는 데 도움이 될 다양한 프로그램을 제공합니다. 수업은 밤에 진행되며 과정의 일부에서만 교재에 기초합니다. 대부분의 수업은 식당과 공항, 병원 또는 구직 면접 등 다양한 환경에서의 말하기 연습에 할애됩니다. 특별 프레젠테이션과 회화 수업을 위해 문화적인 장소로의 견학도 포함합니다. 학생들은 수강 자격을 얻기 위해 제2언어의 기본 지식이 있음을 입증하는 시험을 봐야 합니다.

Q 주로 광고되고 있는 것은?
(a) 어린이용 초급 외국어 프로그램
(b) 외국에서의 구직 면접 훈련
(c) 해외여행을 하면서 학습할 기회
(d) 언어 학습을 향상시킬 성인 대상 교육

외국어 수업이 밤에 진행되며, 비즈니스나 일상생활과 관련된 다양한 환경에서 회화에 집중한다고 하므로 (d)가 알맞다. 수업 내용이 어린이용으로 보기 힘들며, 구직 면접은 수업의 일부에 해당하는 내용이다.

a variety of 다양한 fluently 유창하게 majority 다수 textbook 교재 setting 환경 outing 견학 prove 증명하다 secondary 제2의 qualify 자격이 되다 opportunity 기회

19

터키의 한 실험실 실험에서 녹색 빛을 발하는 토끼들을 만들었다. 이 기이한 포유동물들에게는 해파리에서 추출한 유전자가 이식되었다. 두 종의 유전자를 결합하는 것은 새로운 일이 아니다. 이런 일은 의료상의 목적과 식품 생산 증가를 위해 여러 차례 이용되었다. 이 실험은 어리석은 일처럼 보인다. 어찌되었건 빛을 내는 토끼는 쓸모가 없다. 하지만 과학자들은 이런 특이한 실험들이 이목을 끌어, 그로 인해 실질적인 차이를 만들어 낼 연구에 더 많은 자금을 유치하게 된다고 말한다. 이 연구는 또한 유전자 조작이 안전하게 진행될 수 있다는 증거도 제공한다.

Q 이 글의 주제는?

(a) 과학에 대한 지원을 늘리기 위한 연구 활동
(b) 포유동물이 인간에게 흥미를 주도록 하는 시도
(c) 실험실에서의 안전한 실험의 중요성
(d) 육상 생물과 해양 생물을 결합하는 새로운 발견

녹색 빛을 내는 토끼가 실질적으로 쓸모가 없지만 이런 일을 통해 이목을 끌 수 있고, 그러한 과정에서 앞으로의 실질적인 연구에 돈을 모을 수 있다는 내용이다. 이러한 주장은 (a) 과학에 대한 지원을 늘리기 위한 연구 활동으로 요약할 수 있다.

lab 실험실 give off 발산하다 glow 빛, 빛을 내다 bizarre 기이한 implant 이식하다 jellyfish 해파리 combine 결합하다 attract attention 이목을 끌다 bring in 가져오다 practical 실질적인 genetic manipulation 유전자 조작 conduct 수행하다 support 지원

20

특정 화학 물질을 복용하는 것이 인체에 좋은지 아닌지에 대한 의견은 다를 수 있다. 원칙상 이에 반대하는 사람들에게는 음료를 마시는 것조차 몸을 망치는 길이다. 하지만 그 물질이 어떤 나라에서 법적으로나 의학적으로 승인되지 않았다면, 그 물질을 복용하는 것은 오용으로 간주될 수 있다. 아이러니하게도 승인된 물질조차도 안전 권장 사항을 따르지 않은 방법으로 복용할 수 있다. 어느 정도는 이 물질을 입수하는 것이 합법적이기 때문인데, 처방전 약품을 사용하는 것은 바로 중독으로 이끄는 나쁜 습관이 될 수 있다.

Q 이 글의 주제로 알맞은 것은?

(a) 어떤 것을 복용하는 게 합법인지에 대해 법이 더 엄격해야 한다.
(b) 약은 중독성 마약보다 더 위험할 수 있다.
(c) 중독성이 있는 건 뭐든지 불법화해야 한다.
(d) 합법화된 물질도 남용될 수 있다.

약물의 오남용(abuse)에 대한 글이다. 특히 문제가 될 수 있는 것은 승인된 물질이라 할지라도 합법적인 절차를 따른 약, 즉 처방전 약품을 받는 것이 중독에 이르는 길이 될 수 있다는 모순을 꼬집고 있다. 물질에 대한 합법성 여부가 문제되는 것이 아니며, 법이 엄격해진다고 해서도 해결될 수 없는 모순을 말하고 있으므로 (a)는 알맞지 않다.

differ on ~에 대해 다르다 chemical substance 화학 물질 be against ~에 반대하다 principle 원칙 ruin 망치다 approve 승인하다 abuse 남용 ironically 모순되게도 safety recommendation 안전 권고 get a hold of ~을 입수하다 prescription medicine 처방전 약 lead to ~로 이어지다 addiction 중독

21

그 종류에서 최초가 되는 것만으로도 어떤 종류의 가전제품은 혁명적인 게 되곤 했다. 이제 가전제품 업계는 더 성숙했고, 시장에서는 브랜드로 경쟁을 한다. 예를 들어, 기업들은 더 낮은 가격과 더 높은 사양을 동시에 내놓거나, 특출 난 특징을 들이밀 수 있다. 최근에 판매를 촉진하는 이런 것들 중 하나는 방수 처리다. 보통 전선들이 부착된 평범한 전선 포트를 밀봉하고 대신 무선 통신을 이용하는 것이다. 고객은 이런 유의 장치에 관심이 있을지도 모른다.

Q 글쓴이가 주로 조언하고 있는 것은?

(a) 전자 기기를 저렴하게 판매하되 특이한 옵션을 끼워 팔아라.
(b) 특출 난 제품으로 구매자를 현혹해 보라.
(c) 새롭고 검증되지 않은 아이디어를 특히 조심하라.
(d) 무선이고 물이 새지 않는 값비싼 디자인은 피하라.

가전제품 시장이 예전보다 더욱 경쟁적인 상황이기 때문에 특출 난 특징으로 고객의 관심을 끌어야 한다는 주장을 하고 있다. 방수 처리는 특출 난 특징의 예로 제시되었다. 저렴한 제품에 옵션을 넣는다는 내용은 없으므로 (a)는 적절하지 않다.

consumer electronic 가전제품 revolutionary 혁명적인 mature 성숙한 competition 경쟁 spec 사양 feature 특색 promote 촉진하다 waterproofing 방수 처리 seal up 틈을 막다 uncommon 보기 드문 extra 특별히 watertight 물이 새지 않는

22

과학자들은 이제 원격 장치를 이용해 바퀴벌레를 조종할 수 있다. 바퀴벌레의 더듬이에 작은 장치를 연결함으로써, 인간이 컴퓨터를 이용해 벌레의 움직임을 지시할 수 있다. 이런 '바퀴벌레 로봇'은 생명을 구할 수도 있다. 예를 들어, 곤충의 컴퓨터 배낭에 작은 마이크나 카메라를 붙일 수 있다. 그러면 그 작은 생물체는 지진이 일어난 후 파괴된 건물의 잔해 속으로 투입될 수 있다. 시청각 장치가 재난 후 갇힌 사람들의 도움을 구하는 외침을 감지할 수 있다.

Q 뉴스 보도에 가장 적절한 제목은?

(a) 인간의 일을 하도록 곤충 훈련시키기

(b) 바퀴벌레처럼 행동하는 새로운 로봇들

(c) 해충들을 없애는 미세한 기술

(d) 구조에 나설 컴퓨터화된 벌레들

원격 장치로 바퀴벌레를 조정하여 무너진 건물의 잔해 속에서 사람들을 구하는 데 투입하여 이용할 수 있다고 하므로, 적절한 제목은 (d)이다. 곤충을 훈련시키는 것이 아니라, 컴퓨터를 부착해 조종하는 것이므로 (a)는 알맞지 않다

control 제어하다 cockroach 바퀴벌레 remote device 원격 장치 connect 연결하다 antennae (곤충의) 더듬이 direct 지시하다 rubble 잔해 earthquake 지진 detect 감지하다 trapped 갇힌 disaster 재난, 참사 eliminate 제거하다 pest 해충 computerize 컴퓨터화하다 rescue 구출

23

학부모님께

신학기를 맞아, 학부모님 모두 즐거운 겨울 방학을 보내셨기 바랍니다. 내일과 금요일은 정상 수업을 합니다. 매일 아침 도시락을 잊지 말고 보내 주시기 바랍니다. 봄 학기 수업 요강에 관한 보다 자세한 정보는 본 편지에 첨부합니다. 다음 주부터 학생들이 스토리 키트를 집에 가져갈 것입니다. 스토리 키트는 독서에 대한 사랑을 키울 수 있도록 설계되어 있으며, 모두 자녀와 함께 이 책들을 읽으실 것을 권합니다. 학교 웹 사이트에서 제가 올리는 숙제 및 기타 공지들도 확인해 주시기 바랍니다.

리사 존스 드림

Q 편지에 의하면 학교에 관해 다음 중 옳은 것은?

(a) 모든 학생들에게 정기적으로 아침 간식을 제공한다.

(b) 제출해야 할 겨울 방학 숙제가 있었다.

(c) 학부모로 하여금 아이들의 학습에 참여하도록 권장한다.

(d) 스토리 키트는 학교 웹 사이트에서 언제든 이용 가능할 것이다.

편지의 끝에서 두 번째 문장에 모두 자녀와 함께 이 책들을 읽으실 것을 권한다고 하므로 (c)가 글의 내용과 일치한다. 스토리 키트는 아이들이 집에 가져가는 것이며, 웹 사이트에서 확인 가능한 것은 숙제와 기타 소식이므로 (d)는 옳지 않다.

syllabus 수업 요강 semester 학기 attach 첨부하다 nurture 가르쳐 길들이다 posting 게시물 hand in ~을 제출하다 regularly 정기적으로 participate 참여하다 available 이용할 수 있는

24

미국 작가 트루먼 카포트는 작가로서 초기에는 뉴욕의 상류 사회에 대한 묘사로 유명했다. 이후, 카포트는 좀 더 무거운 주제들을 다루고 싶어 했다. 그는 다음 책을 쓰기 위해 캔자스의 작은 마을로 갔는데, 〈인 콜드 블러드〉라는 이 소설은 무고한 가족의 잔혹한 살인뿐만 아니라 그 범죄를 저지른 이들에 관한 실화를 바탕으로 한다. 허구와 사실의 획기적인 조합인 그 소설은 바로 다 팔렸고, 여전히 현대 고전으로 남아 있다.

Q 이 글에 의하면 트루먼 카포트에 관해 다음 중 옳은 것은?

(a) 그의 작품은 폭넓은 주제들을 탐구했다.

(b) 그의 경력은 하나의 주제에 극도로 집중되었다.

(c) 그는 점점 더 도시 생활에 관심을 갖게 되었다.

(d) 그는 미국인들이 부자들에 관한 이야기를 갈망하게 만들었다.

미국 상류 사회에 대한 묘사로 유명했던 작가가 실제 있었던 한 작은 마을의 살인 사건에 대한 소설을 썼고, 그 소설은 현대 고전으로 남았다는 내용이다. 작품의 소재나 주제의 차이가 크므로 (a)가 옳다. 상류층에 대한 묘사를 했지만 그런 이야기를 갈망하게 만들었다는 언급은 없으므로 (d)는 옳지 않다.

portrait 묘사 high society 상류 사회 tackle 다루다 weightier 무거운 innocent 무고한 brutal 잔혹한 commit a crime 범죄를 저지르다 groundbreaking 획기적인 blend 혼합 modern classic 근대 고전 increasingly 점점 더 intensely 심하게 hungry for ~을 갈망하는

25

아리스토파네스가 희극 〈구름〉을 썼을 때 그는 아테네의 관객들이 스스로를 생각하고 웃는 것을 의도했다. 그 희극은 그리스 세계에서 발달했던 철학적 사상들을 비교하고 대조한다. 특히, 소크라테스의 사상은 익살스러운 방식으로 표현된다. 당시 아테네의 관객들은 그가 누구인지 알았다. 하지만 아테네 출신이 아닌 사람들은 그를 몰랐다. 전설에 의하면, 아리스토파네스의 극이 공연되는 동안 외지인들이 소크라테스가 누구냐고 묻자, 그 철학자가 자리에서 일어나 한 마디도 하지 않았다고 한다.

Q 이 글에 의하면 다음 중 옳은 것은?
(a) 극의 일부는 소크라테스가 썼다.
(b) 철학자들에 대해 매우 비판적이었다.
(c) 극의 대상 중 한 명이 종종 객석에 앉아 있었다.
(d) 관객들은 극의 주제를 알 수 없었다.

희극 속에서 소크라테스의 사상이 우습게 표현되었는데, 그가 누군지 모르는 외부인이 극중 그가 누구냐고 물으면 소크라테스가 자리에서 일어나 한 마디도 하지 않았다는 말에서 그가 객석에 앉아 있었음을 알 수 있다.

comedy 희극 intend 의도하다 audience 관객 play 희곡 compare 비교하다 contrast 대조하다 philosophical idea 철학적 관념 humorous 유머러스한, 익살스러운 legend 전설 outsider 외부인, 외지인 philosopher 철학자 critical 비판적인

26

이번 주말 레이크사이드 버거에서는 성대한 개점을 기념할 것입니다. 레스토랑은 페닝튼 호숫가에 실내외 좌석 둘 다 완비하고 있습니다. 손님들은 추가 토핑을 곁들인 다양한 햄버거를 즐길 수 있고, 채식주의자들을 위한 옵션 역시 준비되어 있습니다. 자동차나 배로 오실 수 있는데, 호수 밖에 있는 손님은 레스토랑에 배를 대고 식사하러 들어오실 수 있습니다. 레이크사이드 버거에는 현장에 놀이터도 있어서, 부모님들이 잠시 동안 경치를 감상하기로 하신다면 아이들은 자기들끼리 즐거운 시간을 보낼 수 있습니다.

Q 광고에 의하면 다음 중 옳은 것은?
(a) 레이크사이트 버거는 주로 고상한 메뉴에 치중한다.
(b) 이 레스토랑은 최초로 배를 대는 서비스를 제공한다.
(c) 사람들은 오랫동안 이곳에서 식사를 해오고 있다.
(d) 이 레스토랑은 물 위에 특별한 주차장이 있다.

자동차뿐만 아니라 배를 대고 식사하러 들어올 수 있다고 하므로 (d)가 옳다. 다양한 햄버거를 판매하므로 고상한 메뉴에 치중한다고 보기 어렵고, 레스토랑에 배를 댈 수 있지만 최초라는 언급은 없다. 그리고 이번에 개점하는 곳이므로 오랫동안 식사해오고 있다는 것은 알맞지 않다.

feature 특색으로 삼다 shore (호수의) 물가 vegetarian 채식주의자 dock (배를) 부두에 대다 dine 식사를 하다 view 경관 delicate 우아한

27

동물과 마찬가지로, 생명의 가장 기본적인 단위인 개별 세포 또한 살아남기 위해 의사소통이 필요하다. 다른 존재와 다를 것 없이, 세포의 성공 여부는 주어진 환경에서 정보를 수집하고 처리하는 능력에 달려 있다. 여기에는 영양분의 이용 가능성에 관한 신호와 온도나 조도의 변화에 관한 신호가 포함될 수 있다. 분명, 세포는 다른 세포에게 말을 할 수 없다. 오히려 세포들은 화학적, 기계적 교환에 의존한다. 대부분의 경우, 세포의 의사소통은 비슷한 세포들이 함께 모여 혈액이나 근육 같은 조직을 형성할 수 있게끔 한다.

Q 이 글에 의하면 세포에 대해 다음 중 옳은 것은?
(a) 다른 유기체와 독립적으로 작동한다.
(b) 정보를 공유함으로써 협력할 수 있다.
(c) 변화에 순응하려고 서로 싸운다.
(d) 계속해서 비슷한 세포들을 찾고 있다.

글의 후반부에서 세포들이 화학적, 기계적 교환에 의존하여 소통하며, 그러한 소통으로 함께 모여 조직을 형성할 수 있다고 하므로 정보를 공유함으로써 협력할 수 있다는 (b)가 적절하다. 세포들은 서로 협력적인 관계이므로 (c)는 옳지 않다.

signal 신호 nutrient 영양분 rely on 의지하다 mechanical 기계적인 exchange 교환 enable 가능하게 하다 form 형성하다 tissue 조직 operate 작동하다 independently 독립적으로 organism 유기체 coordinate 협력하다 adapt 순응하다

28

시장 경제란 개념은 너무 광범위해서 전 세계 어떤 주요 경제든 설명할 수 있다. 어떤 의미에서 어떤 경제도 실제로 순수하게 시장의 힘만으로는 돌아가지 않는다. 거의 모든 시장은 정부 기관의 영향을 받는데, 각각의 경우에 정부가 얼마나, 어떤 분야에 관여하는지가 관건이다. 시장을 관리하는 한 가지 이유는 어떤 국가에 핵심적인 국내 산업을 보호하는 것이다. 따라서 정부는 종종 특정 산업을 경영하거나 재정적 지원을 하면서 외국 경쟁 기업들의 수입을 차단하거나 세금을 부과한다.

Q 글쓴이에 관해 다음 중 옳은 것은?

(a) 시장 경제의 이점을 믿는다.

(b) 몇몇 산업을 세금으로 지원하는 것에 동의한다.

(c) 순수 시장 경제는 존재하지 않는다고 본다.

(d) 정부가 시장의 힘을 통제하도록 권장한다.

두 번째 문장에서 어떤 경제도 실제로 순수하게 시장의 힘만으로는 돌아가지 않는다고 했으므로, 글쓴이는 순수 시장 경제가 존재하지 않는다고 본다는 (c)가 옳다. 시장 경제의 이점은 언급하지 않았고, 정부의 재정적 지원이나 정부의 시장 관여에 대한 개인적인 견해를 밝히고 있지 않다.

institution 기관 domestic 국내의 critical 결정적인 block 차단하다 tax 세금을 부과하다 import 수입

29

오늘 호텔 아침 식사 후에 2시간 도보 여행을 위해 루블린의 올드 타운으로 출발합니다. 중세의 거리를 지나며 마지막으로 캐슬 힐에서 그곳의 아름다운 경관을 보며 마무리할 것입니다. 그런 다음 함께 점심을 먹고, 루블린 박물관을 방문할 것입니다. 나머지 오후는 자유 시간입니다. 소콜 카페에서 커피와 케이크를 드셔도 됩니다. 아니면 거리를 거닐거나 마켓 스퀘어를 방문하실 수도 있습니다. 그 후 숙박을 위해 호텔로 돌아갑니다.

Q 안내문에 의하면 다음 중 옳은 것은?

(a) 루블린 박물관 방문은 이 단체에게 선택 사항이다.

(b) 여행은 다양한 문화 활동들이 결합되어 있다.

(c) 참가자들은 온종일 단체의 사람들과 함께해야 한다.

(d) 점심은 도보 여행 후에 따로 먹을 것이다.

단체 관광의 일정을 안내하는 글이다. 중세의 모습을 한 거리와, 성, 박물관을 방문하는 일정에 마켓 스퀘어도 갈 수 있다고 하므로, 이 여행이 문화적인 다양한 활동으로 결합되어 있음을 알 수 있다. 함께 점심을 먹고 루블린 박물관을 방문한 이후에 자유 시간이 주어지므로 나머지 선택지들은 옳지 않다.

depart for ~로 출발하다 walking tour 도보 여행 wander 거닐다 medieval 중세의 overnight stay 1박 optional 선택적인 separately 따로따로

30

지구의 온도가 올라가고 해수면이 상승하면서, 영국에서는 바다오리와 제비갈매기와 같은 해안가의 새들이 생존을 위해 분투하고 있다. 기후의 변화가 바다오리의 식습관에 걱정스러운 변화로 이어졌다. 그 새들은 일반적으로 까나리들을 마음껏 먹지만, 바닷물이 따뜻해지면서 더 차가운 바닷물을 찾아 먼 북쪽으로 이동하며 사라지고 있다. 새로운 종들이 이동해 왔는데, 이 실고기는 까나리보다 가시가 훨씬 더 많다. 바다오리들은 이 동물을 소화하는 데 애를 먹고 있어서, 굶어 죽는 경우도 생긴다.

Q 이 글에 의하면 바다오리의 먹이가 달라진 이유는?

(a) 새들이 먹을 경골어가 충분하지 않다.

(b) 바다오리가 까나리보다 더 많다.

(c) 해양종이 서식지 변화 후에 이동했다.

(d) 해수면 때문에 새가 물고기를 잡기가 어렵다.

해수의 온도가 따뜻해지면서 기존에 먹던 먹이들이 이동해 가고 새로운 종이 나왔다고 하므로 서식지의 환경적인 변화 이후에 이동했다는 (c)가 적절하다. 해수면 자체가 문제가 아니라, 수온의 상승이 원인이므로 (d)는 옳지 않다.

coastal 해안의 sea level 해수면 climate 기후 alarming 놀라운, 걱정스러운 typically 전형적으로 feast on ~을 마음껏 먹다 species 종 bony 가시가 많은 digest 소화시키다 starvation 굶어 죽음 marine 해양의 habitat 서식지

31

다른 기기와 소통하는 능력은 스마트 기기에 '스마트함'을 불어 넣는 필수 요건이다. 전선과 케이블 선이 데이터를 가장 빨리 전송하기는 하지만, 무선으로 하는 여러 가지 방법이 있다. 위성은 먼 거리라도 방송을 내보내는 반면, 보이지 않는 신호가 TV와 리모컨을 연결해 준다. 블루투스는 짧은 영역의 정보 교환에 적합한 기술이다. 블루투스는 특정 무선 주파수로 작동한다. 이 이름은 여러 개의 왕국을 하나로 통합한 블라탄드라는 덴마크 왕의 이름을 땄다. 그 왕은 블루베리를 즐긴 걸로 유명했는데, 그래서 치아 하나가 파랗게 변했던 것이다.

Q 이 글에 의하면 블루투스에 대해 다음 중 옳은 것은?

(a) 전송을 위해 블루투스로 위성을 사용할 수 있다.
(b) 서로 가까운 기기를 연결해 준다.
(c) 기기가 똑똑해지기 위해 필수적으로 소유해야 한다.
(d) 초기에 덴마크의 왕에 의해 개발되었다.

글의 중간에 블루투스가 짧은 영역 간의 정보 교환에 적합한 기술이라고 하므로 가까이에 있는 기기들을 연결해 준다는 (b)가 옳다. 위성은 원거리 전송을 위한 것이며, 블루투스라는 이름의 유래가 덴마크의 왕이다.

transmit 전송하다 means 수단 satellite 위성 broadcast 방송하다 remote 리모컨 appropriate 적합한 radio frequency 무선 주파수

32

지구와 태양의 관계는 '에너지 수지'라는 것을 이용해 생각해볼 수 있다. 에너지 수지는 우주로 반사되어 돌아가는 에너지와 비교하여 지구가 얼마나 많은 태양 에너지를 흡수하는지를 나타낸다. 들어오고 나가는 에너지가 동일할 때 에너지 수지는 균형을 이룬다. 하지만 되돌아가는 양에 비해 더 많은 태양의 복사열이 대기로 들어오면, 지구의 온도는 상승할 것이다. 이것은 지구 온난화 현상을 어느 정도 설명한다.

Q 이 글에 의하면 에너지 수지에 대해 다음 중 옳은 것은?

(a) 지구에 얼마나 많은 에너지가 필요한지 보여 준다.
(b) 지구의 에너지를 다른 행성의 에너지와 비교한다.
(c) 대기에 위험한 화학 물질을 감지한다.
(d) 그 변화가 온도 하락이나 상승을 추측하는 데 도움을 줄 수 있다.

에너지 수지는 우주로 반사되는 에너지와 비교해 지구에서 얼마나 많은 태양 에너지를 흡수하는지를 나타내며, 지구 온도 상승의 양에 따라 지구 온난화 현상을 어느 정도 설명할 수 있다고 하므로 (d)가 적절하다.

absorb 흡수하다 in comparison ~와 비교하여 equal 동일한 balance 균형을 이루다 radiation 복사 atmosphere 대기 bounce back 다시 회복되다 phenomenon 현상 global warming 지구 온난화 detect 감지하다

33

전 직원들에게

개발팀에서 회사의 새로운 로고와 브랜드 이미지를 발표합니다. 변화하는 기업 환경에 발맞춰 우리 회사의 이미지를 바꾸기 위해 개발팀에서 애써 주었습니다. 웹 페이지와 회사 문서, 문구류, 명함 등 모든 매체에 적용할 새 표준 가이드를 배포하고 있습니다. 회사 웹 사이트에서 최신 템플릿을 받으시고, 교육을 통해 여러분께 변환 과정을 차례로 보여 줄 것입니다. 우리 회사의 최신 로고를 선보이게 되면 우리 브랜드를 차별화하는 데 큰 도움이 될 것입니다.

Q 안내문으로부터 회사에 관해 유추할 수 있는 것은?

(a) 사람들이 새 로고와 옛 로고를 둘 다 보기를 원한다.
(b) 시장에 적응하기 위해 노력하고 있다.
(c) 새 로고는 주로 온라인에서의 노출을 바꿀 것이다.
(d) 직원들은 새 로고에 관해 제안을 할 수 있다.

변화하는 기업 환경에 발맞춰 자사의 이미지를 바꾸기 위해 새롭게 회사의 로고와 브랜드 이미지를 내놓았다고 하므로 이 회사는 시장에 적응하기 위해 노력하고 있음을 알 수 있다. 온라인을 비롯해 회사의 문서나 명함 등 모든 매체의 모습을 바꿀 것이므로 (c)는 알맞지 않다.

development team 개발팀 transform 바꿔 놓다 distribute 배포하다 stationery 문구류 business card 명함 instruction 교육 switching 전환 up-to-date 최신의 go a long way to ~에 크게 도움이 되다 distinguish 차별화하다 alter 바꾸다 adapt to ~에 적응하다

34

피어슨 카운티 경찰은 토요일에 한 남성이 총에 맞아 부상당한 범죄 현장을 보고했다. 가스파 해리슨 국장에 의하면, 사건은 오후 7시 15분 경, 웨인 가 31번지에서 발생했다. 아직 신원이 확인되지 않은 20대 피해자는 위독한 상태로 병원으로 급히 이송되었다. 목격자들에 의하면 또 다른 남성이 현장에서 도망쳤다고 한다. 용의자는 피해자와 비슷한 연령대인 남성으로 묘사된다. 경찰은 범인 수색에 나섰지만 아직 계속 찾고 있는 중이다.

Q 뉴스로부터 범죄에 관해 유추할 수 있는 것은?

(a) 경찰은 범인이 20대일 것으로 생각한다.
(b) 국장이 용의자가 현장을 떠나는 것을 보았다.
(c) 그 공격은 상점 강도와 관련이 있었다.
(d) 목격자들은 격한 언쟁을 벌이는 두 남성을 보았다.

용의자가 피해자와 비슷한 연령대일 것으로 보이므로, 20대라고 유추 가능하다. 또 다른 남성, 즉 용의자가 현장에서 도망치는 것을 보았다는 목격자들의 증언으로 (d)를 유추하기는 어렵다.

crime scene 범죄 현장 wound 부상을 입히다 incident 사건 be identified 신원이 밝혀지다 be in critical condition 위독하다 witness 목격자 suspect 용의자 manhunt 범인 수색 criminal 범인 robbery 강도(질) heated argument 격한 언쟁

35

체코 태생 예술가인 알폰스 무하는 프랑스에서 가장 유명한 여배우가 출연하는 연극의 극장 포스터를 디자인했을 때 처음으로 유명해졌다. 그 여배우는 무하의 작업을 무척 마음에 들어 해 그와 6년 계약을 했다. 그의 삽화는 종종 보통은 꽃에 둘러싸여 흐르는 듯한 고전적인 드레스를 입은 젊고 아름다운 여성들을 묘사했다. 그는 보석과 벽지, 카펫 디자인을 하기도 했다. 그는 자신의 작품이 스스로 갈망하던 영향력을 갖지 못했다고 생각했지만, 프랑스와 이후 1960년대와 1970년대 미국의 예술 운동에 큰 영향을 미쳤다.

Q 다음에 논의될 내용으로 가장 적절한 것은?

(a) 무하가 자신의 작품에 전적으로 만족하지 못했던 이유
(b) 후대 예술가들 사이에 무하의 영감이 나타난 증거
(c) 무하의 인기 있는 삽화에 대한 부정적인 반응들
(d) 무하가 디자인한 영화 포스터의 더욱 상세한 묘사들

무하 스스로는 자신의 작품이 영향력이 없다고 생각했지만, 후대의 예술 운동에 큰 영향을 미쳤다고 하므로 그러한 영향의 예시가 다음에 이어질 내용으로 적절하다.

star 출연하다 illustration 삽화 depict 묘사하다 classical 고전적인 surrounded by ~에 둘러싸인 inspiration 영감 negative 부정적인 detailed 상세한 description 묘사

36

우리의 현재 정부 체제는 고위층 사람들만 섬기고, 힘 있는 사람들이 타인보다는 자신들에게 도움이 되는 법을 만들 수 있도록 마련되어 있다. 대기업의 운영 방식에 이러한 모습이 나타난다. 최근 우리는 수많은 기업 범죄들에 관해 알았지만, 관련된 사람 누구도 벌을 받은 적이 없다. 이것은 기업들이 입법자들에게 그들의 환심을 사기 위해 수백만 달러를 주기 때문이다. 반면, 가난하게 사는 사람들은 수많은 인구가 사소한 마약 범죄에 투옥되어, 자신들의 권리를 빼앗아가는 수감 제도에 갇힌다.

Q 글쓴이에 관해 유추할 수 있는 것은?

(a) 국회의원들에 대한 기업의 기부를 반대한다.
(b) 교도소가 교육에 이용되어야 한다고 믿는다.
(c) 체제를 바로잡을 계획을 전개했다.
(d) 기업의 규모가 감시되어야 한다고 생각한다.

대기업들은 범죄를 저지르고도 입법자들에게 기부하기 때문에 처벌을 모면하게 된다는 비판을 하고 있으므로, 글쓴이는 이러한 기업들의 기부가 부정적으로 작용하고 있다고 생각하는 것을 알 수 있다. 잘못된 체제를 비판하고는 있지만 바로잡을 계획을 발표했다고 볼 근거는 없으므로 (c)는 알맞지 않다.

proof 증거 large corporation 대기업 involved 연루된 lawmaker 입법자 win favor 환심을 사다 in poverty 가난한 be jailed 수감되다 rob A of B A에게서 B를 빼앗아가다 donation 기부 remedy 개선하다 monitor 감시하다

37

1941년 영화 〈시민 케인〉은 대중의 논의를 통제하려는 힘 있는 신문사 경영주의 이야기이다. 이 작품은 영화 역사상 최고의 작품이면서 가장 영향력 있는 작품 중 하나로 간주된다. 이러한 영광의 일부는 영화 촬영에 사용된 기법 덕분이다. 감독은 익스텐디드 신에서 전경과 배경에 뚜렷한 초점을 주면서 세트장의 작은 상징적 디테일을 강조하였는데, 이는 그 이전에는 볼 수 없었던 장면이다. 또한, 카메라를 낮은 각도에 놓고 등장인물들을 뚜렷하게 올려다보게 했는데, 이는 등장인물의 힘과 나약함을 관객들에게 신호로 보여 준 것이다.

Q 글쓴이가 가장 동의할 만한 것은?
(a) 영화는 업계에서 아이콘이 되는 인물을 미화했다.
(b) 영화는 기존의 카메라 기술을 향상시켰다.
(c) 감독은 영화 제작의 새로운 스타일을 창조했다.
(d) 영화의 주인공은 일부분 곡해되었다.

감독이 이전에 없었던 새로운 장면들과 촬영의 기법들로 영화를 최고의 작품으로 만들었다고 하므로 글쓴이가 동의할 만한 내용은 감독이 영화를 만드는 데 새로운 스타일을 만들었다는 (c)가 적절하다. 카메라 기술을 발전시킨 것이 아니라 촬영의 새로운 기법을 창조해냈다고 볼 수 있으므로 (b)는 알맞지 않다.

influential 영향력 있는 attribute ~에 기인하다 foreground 전경 emphasize 강조하다 symbolic 상징적인 sharply 뚜렷하게 cue 신호를 주다 glorify 미화하다 advance 진보시키다 existing 현존하는 partially 부분적으로

Part III

38

반 고흐 박물관은 최근 예술 애호가들에게 판매하기 위해 반 고흐의 가장 유명한 그림들을 3D 사본으로 제작하기 시작했다. (a) 사본은 최첨단으로 발전된 스캐닝 장치로 제작되지만, 진품보다 훨씬 더 저렴하다. (b) 다른 예술 비평가들은 이것이 반 고흐 작품에 대한 모욕이라고 생각한다. (c) 이는 수집가들이 더 저렴한 가격으로 특별한 예술 작품을 소유할 수 있음을 의미한다. (d) 복제품을 판매함으로써 어려운 경제 상황에서 이 박물관은 새로운 전시회를 하고 시설을 유지할 돈을 벌 수 있다.

박물관에서 고흐의 작품을 판매용 3D 복제품으로 제작한 것과 그로 인한 이점에 대한 내용이다. 이 일에 대해 부정적인 견해를 담은 (b)는 글 전체의 어조에 반대되고 있다.

copy 사본, 복제품 evolved 발전된 reproduction 복제품 critic 평론가 insult 모욕 collector 수집가 affordable 가격이 알맞은 maintain 유지하다 facility 시설

39

북미의 영양학자들은 최근 아르헨티나의 일반 음료인 마테차를 마시는 사람들이 좋은 콜레스테롤 증가를 경험한다는 것을 발견했다. (a) 이 발견으로 마테차가 어떻게 이러한 효과를 발생시키는지 알아내기 위해 미국에서 연구가 터져 나오고 있다. (b) 초기의 결과는 마테차가 체내에서 건강을 증진시키는 산화 방지 효소를 자극한다고 시사했다. (c) 남미에서 이 음료는 정통적으로 말린 조롱박에 담겨 나오고, 금속 빨대로 마신다. (d) 이러한 소식에 기업들은 주스와 탄산음료, 맥주와 같은 다른 제품에 마테차를 포함시킬 방법을 찾고 있는 중이다.

몸에 좋은 효과를 발견하면서 마태차에 대한 관심이 커져, 기업에서도 마테차를 이용한 상품 제조 방법을 찾고 있다는 내용이다. (c)는 마테차의 전통적인 음용 방법을 언급하고 있으므로, 소재는 같지만 전체 맥락에서 벗어나 있다.

nutritionist 영양학자 beverage 음료 boost 증가 spate 내뿜음 initial 초기의 excite 자극하다 antioxidant 산화 방지 enzyme 효소 gourd 조롱박 in light of ~을 고려하여 incorporate 포함하다

40

비밀 감시의 범위에 관한 최근 보도들이 또 다시 사생활 대 안보에 대한 논쟁을 부채질하고 있다. (a) 9/11 테러는 필요한 거의 모든 수단을 동원해 테러에 맞서도록 대통령에게 폭넓은 권한을 주는 동기가 되었다. (b) 여기에는 군사 행동과 무인 공습, 정보 수집이 포함될 수 있다. (c) 위키리크스는 2006년에 기밀 정보를 폭로하는 문서와 동영상들을 대중에 공개하기 시작했다. (d) 한 컴퓨터 분석가는 자신이 몸담았던 미국 국가 보안국이 불법으로 일반 시민들을 감시한다고 주장했다.

9/11 테러 이후 국가의 정보 수집이 도를 넘어 사면서 사생활이냐, 안보냐의 문제로 논쟁이 다시 일었다는 내용이다. (c)는 과거의 한 단체의 기밀 정보 폭로에 대한 이야기로, 언뜻 주제가 어울려 보이지만 전체 맥락에서는 벗어나 있다.

extent 범위 surveillance 감시 privacy 사생활 motivation 동기, 원인 broad 폭넓은 unmanned 무인의 air strike 공습 intelligence gathering 정보 수집 expose 공개하다 reveal 폭로하다 classifiable 분류할 수 있는 analyst 분석가 spy on ~을 감시하다 unlawful 불법의

Actual Test 2 p.146

Part I

01 (a) 02 (c) 03 (d) 04 (c) 05 (b) 06 (d)
07 (c) 08 (d) 09 (d) 10 (c) 11 (a) 12 (d)
13 (b) 14 (a) 15 (c) 16 (a)

Part II

17 (d) 18 (b) 19 (a) 20 (b) 21 (c) 22 (d)
23 (c) 24 (b) 25 (a) 26 (b) 27 (c) 28 (b)
29 (a) 30 (c) 31 (d) 32 (c) 33 (b) 34 (c)
35 (d) 36 (b) 37 (d)

Part III

38 (c) 39 (b) 40 (a)

Part I

01

미국의 가장 유명한 소스 중 하나인 타바스코 소스는 지난 세기에 걸쳐 꾸준히 인기를 끌어왔는데, 그것은 아마도 **이 회사가 전통을 고수하기** 때문일 것이다. 이 매콤한 소스는 1868년 에드먼드 매킬레니에 의해 처음 생산되었다. 그의 가족은 그 이후로 줄곧 사업을 운영해 오고 있다. 타바스코에 쓰이는 고추는 원래 에이버리 아일랜드에서 생산된 것인데, 오늘날 그 종자는 같은 지역에서 나오지만 고추는 다른 지역에서 재배된다. 그리고 여전히 손으로 고추를 따고, 빻아서, 통에 저장해, 식료품점에 도달하기 전에 3년 동안 보관한다.

(a) 이 회사가 전통을 고수하기
(b) 미국인들이 음식에 맛내기를 좋아하기
(c) 생산 과정이 발달했기
(d) 그 고품질의 재료들

타바스코 소스의 생산 과정에서 여전히 손으로 따서, 빻고, 일정 기간 보관해 놓았다가 판매한다는 것이다. 즉, 예전부터 하던 방법 그대로 쓰고 있음을 강조하고 있으므로 (a)가 적절하다. 고품질의 재료 때문이라면 그 재료의 우수성에 대한 내용이 나왔을 것이므로 (d)는 알맞지 않다.

condiment 소스, 양념 steadily 꾸준하게 popularity 인기 pepper 고추 mash 으깨다 barrel 통 stick to ~을 고수하다 flavor 맛을 내다 evolve 발달하다 high-quality 고품질의 ingredient 재료

02

일상생활에 쫓기다 보면, 수많은 작고 사소한 것들에 질리기 쉽다. 분명히 세세한 것들도 중요하지만, 시험이나 축구 경기, 정시에 등교하는 것에 관한 걱정은 손해가 될 수 있다. 모든 중압감 속에서 우리는 주위의 아름다운 것들에 관심 갖는 것을 잊게 된다. 하지만 속도를 늦추고 주위를 돌아보면 사랑스러운 꽃들과 웃음 짓는 두 친구들, 또는 계단을 내려오는 어머니를 돕는 남자를 발견하게 될 것이다. 이러한 순간들이 우리에게 **사소한 일들에 너무 스트레스를 받지 않도록** 일깨워 준다.

(a) 우리의 많은 책임감들을 두고 가도록
(b) 미래에 성취할 모든 것들을
(c) 사소한 일들에 너무 스트레스를 받지 않도록
(d) 관찰이 개인적 위안으로 이어진다는 사실을

필자가 정말 하고 싶은 말은 But 이후에 나온다. 사소한 일에 스트레스를 받지 않고 천천히 주위를 둘러보면 주위의 아름다움을 볼 수 있을 거라고 하므로 (c)가 적절하다. 관찰 그 자체가 위로가 된다는 것은 아니므로 (d)는 적절하지 않다.

overwhelm 압도하다 on time 정시에 take one's toll 피해를 주다 pressure 압박감 slow down 속도를 늦추다 remind 상기시키다 leave behind 두고 가다 accomplish 성취하다 minor 사소한 observation 관찰 comfort 위로, 위안

03

캠든 박물관에서 전시하는 마야 문명의 보석들이 여러분을 초대해 **고대 아메리카의 전설을 탐구하도록** 합니다. 세계는 수 세기 동안 마야인의 성스러운 전통과 그 신성한 보물에 관해 소문으로만 들어 왔습니다. 돌로 만든 신전에서 그곳의 성직자들이 영적인 세계와 소통했다고 알려졌습니다. 스페인 사람들이 오늘날의 콜롬비아 땅에 발을 디뎠을 때, 그들은 이런 이야기들의 원천에 접근했습니다. 그 시대의 400여 점이 넘는 유물들의 전시는 콜롬비아 고대인들이 그들의 종교 의식에 음악과 향정신성 식물을 어떻게 이용했는지를 보여 줍니다.

(a) 고대 도시의 유적을 발굴하도록
(b) 마야인들의 예술과 공예를 실습하도록
(c) 콜럼버스가 미 대륙을 발견하기 이전의 기술을 배우도록
(d) 고대 아메리카의 전설을 탐구하도록

소문으로만 들었던 마야인의 종교적인 전통 의식에 썼던 보물을 보여 주는 전시라는 점이 가장 중요하므로 (d)가 가장 적절하다. 유적을 발굴한다거나 예술 공예품을 실습을 한다는 언급은 없다.

sacred 성스러운, 종교적인 local 현지의 priest 성직자 temple 사원 land 발을 디디다 artifact 유물 reveal 드러내 보이다 mind-altering 정신에 변화를 주는, 향정신성의 religious ceremony 종교 의식 ancestor 조상 craft 공예 pre-Columbian 콜럼버스가 미 대륙을 발견하기 이전의 excavate 발굴하다 remains 유적 legend 전설

04

네덜란드의 마스트리흐트 대학의 과학자들이 **보다 환경적이고 인도적이 되기 위한** 노력으로 암소 없이 소고기를 생산해 냈다. 인조육을 만들기 위해 동물의 근육 줄기 세포를 복제해 실험실에서 배양했다. 이 과정은 과거의 방식으로 같은 양의 고기를 키우는 데 필요했던 에너지의 약 90%를 절약하는 것으로 추정된다. 이것은 또한 열악한 환경에서 동물들을 키우거나 도축해야 했던 윤리적 문제들도 방지한다.

(a) 더 맛있는 고기 제품을 생산하기 위한

(b) 흥미로운 속임수로 고객들을 끌기 위한

(c) 보다 환경적이고 인도적이 되기 위한

(d) 가축 사육의 비용을 줄이기 위한

실험을 통해 인조육을 만들어서 에너지도 절약하고 윤리적 문제들도 해결한다고 했으므로, 두 가지의 내용을 모두 포괄하는 (c)가 알맞다. (d)는 글의 전체적인 내용을 담지 못하므로 적절하지 않다.

artificial 인조의 stem cell 줄기세포 clone 복제하다 estimate 추정하다 old-fashioned 구식의 ethical 윤리적인 poor 열악한 slaughter 도축하다 tasting 맛있는 humane 인도적인 expense 비용 cattle 가축

05

주로 콩고의 열대 우림 지역에서 볼 수 있는 오카피는 **몇 개의 종을 특이하게 섞은 것처럼 보인다**. 관광객들은 가끔 오카피의 크기와 모양이 당나귀나 말과 비슷한데 등은 검붉은 색이라는 데 놀란다. 하지만 오카피의 다리는 얼룩말의 무늬와 거의 똑같다. 동시에 머리 모양은 기린의 그것과 많이 흡사하다. 더욱이 오카피는 목이 긴 짐승의 강하고 유연한 혀를 가지고 있는데, 이 혀는 나무에 달린 잎을 뜯어 먹는 데 쓴다.

(a) 주로 진화 생물학자들에 의해 연구된다

(b) 몇 개의 종을 특이하게 섞은 것처럼 보인다

(c) 세 가지 다른 동물의 가장 좋은 특성을 섞은 것이다

(d) 사파리에 온 관광객들의 명물이 되었다

오카피는 당나귀, 얼룩말, 기린의 특성을 모두 갖고 있는 특이한 동물이라고 소개하고 있으므로 (b)가 적절하다. 세 가지 동물의 특성이 가장 좋은 특성이라고 언급하지 않았으므로 (c)는 알맞지 않다.

rainforest 열대 우림 marvel 경이로워하다 marking (얼룩) 무늬 flexible 유연한 evolutionary 진화의 biologist 생물학자 trait 특성

06

기술을 사용할 수 있기 전에 대부분의 농업은 개개 가정에 의해 이루어졌다. 20세기에 새로운 기계를 이용할 수 있게 되면서 산업형 농업이 출현했다. 기계화와 화학 제초제, 비료를 이용하여 기업들은 전국에 수급 가능한 식량을 대량으로 생산하고 유통시킬 수 있었다. 하지만 시간이 흐르면서 사람들은 이 방식이 자원을 급격하게 감소시키고, 식량의 영양가를 빼앗는다는 것을 알게 되었다. 최근 몇 년간 더 많은 언론 매체가 이에 대해 보도했고, 수천 명의 소규모 농부들은 전국에서 **전통적인 방법으로의 회귀를 나타내면서** 모습을 드러냈다.

(a) 대규모 농장이 더 이상 먹히지 않는다는 것을 입증하면서

(b) 예상하지 못했던 새로운 개발을 이끌면서

(c) 훨씬 더 많은 양의 식량을 공급하면서

(d) 전통적인 방법으로의 회귀를 나타내면서

20세기에 등장한 산업형 농업이 자원을 고갈시키고 영양가도 떨어뜨린다는 것을 알게 되면서 과거의 소규모 농부들이 모습을 드러냈다고 하므로 (d)가 가장 적절하다. 대규모 농장이 더 이상 효과가 없다는 것을 입증한다기보다, 산업형 농업의 부정적인 측면이 드러났기 때문에 소규모 농장이 다시 출현한 것이므로 (a)는 알맞지 않다.

mechanization 기계화 pesticide 제초제 fertilizer 비료 distribute 분배하다 massive 거대한 quantity 양 deplete 감소시키다 nutritional value 영양가 news outlet 언론 매체 demonstrate 입증하다 indicate 나타내다, 시사하다

07

버락 오바마의 2008년 대선 운동의 성공은 온라인 플랫폼을 현명하게 활용한 덕분으로 볼 수 있다. 무료 서비스인 유투브에 오바마는 국가에 대한 자신의 비전을 담은 메시지를 올렸다. 수백만 명의 사람들이 이 동영상을 보았다. 웹 트래픽의 속도 역시 오바마 진영이 상대방의 거짓 진술을 재빨리 바로잡을 수 있게 해 주었다. 이러한 도구가 없었더라면 선거 운동에 더 많은 돈과 자원봉사 단원들이 필요했을 것이다. 하지만 그들은 인터넷의 힘을 잘 알고 있었기 때문에 **수천 명의 유권자들이 자기들의 후보에게 투표하도록 효과적으로 동기를 부여했다**.

(a) 사람들의 표를 바꾸기 위해 선거 운동을 하는 동안 돈을 주었다
(b) 유권자들이 대통령에 대해 어떻게 생각하는지에 대한 새로운 통찰력을 얻었다
(c) 수천 명의 유권자들이 자기들의 후보에게 투표하도록 효과적으로 동기를 부여했다
(d) 선거에서 승리하기 위해 온라인에서 매일 상대방과 논쟁할 수 있었다

오바마는 웹의 특성과 효율성을 잘 이용해 많은 돈과 인력을 들이지 않고 높은 효과를 볼 수 있었다는 것이 핵심이므로 효율적으로 인터넷 도구들을 이용했다는 내용의 (c)가 알맞다. 인터넷의 힘을 활용한 것은 후보자를 드러내고 선거에서 표를 얻고자 하는 것이었으므로 (b)는 거리가 멀다.

presidential campaign 대통령 선거 운동 attribute to ~의 덕분으로 돌리다 correct 바로잡다 statement 성명 opponent 적수 army 집단 inspiration 영감 motivate 동기를 부여하다, 자극하다 candidate 후보

08

친애하는 회원들께
앞으로 몇 달간 **모두가 연례 기념행사에 참여하는 것**이 중요합니다. 회원들은 여러 가지 방법으로 도움을 줄 수 있습니다. 친구들이 신학기 파티 행사 티켓을 사게끔 할 수 있고, 아니면 음악가와 연주자들을 모집할 수 있습니다. 우리는 계획과 장식을 감독할 위원회도 필요합니다. 마지막으로, 캠퍼스 전역에 행사를 홍보할 경험 있는 회원이 필요합니다. 이것은 매년 열리는 우리의 가장 큰 프로젝트로, 역사상 가장 신 나는 축제가 되기를 바랍니다. 여러분의 참여가 있어야 성공할 것입니다.
캠퍼스 라이프 협회 회장 올림

(a) 모든 회원들이 새로운 설문 조사를 끝내는 것
(b) 단체를 위해 자원봉사 할 예술가들을 모집하는 것
(c) 다른 사람들에게 캠퍼스의 문제에 관해 알리는 것
(d) 모두가 연례 기념행사에 참여하는 것

축제를 위해 할 수 있는 여러 가지 일을 열거하면서 회원들의 참여를 독려하고 있으므로 적절한 내용은 (d)이다.

back-to-school 신학기의 recruit 모집하다, 선발하다 performer 연주가 committee 위원회 oversee 감독하다 experienced 경험이 풍부한 publicize 알리다, 홍보하다 participation 참여 contribute to ~에 기여하다 annual 연례의

09

2010년 건조(建造)된 역사에 남을 만한 배 한 척이 **환경 공학에 대해 생각하는** 방식을 변화시켰다. 이 배의 이름은 플라스티키이다. 이 배는 데이비드 드 로스차일드가 디자인했는데, 그는 후에 태평양을 건너 8천 마일을 항해했다. 플라스티키의 내부 구조는 재활용이 가능한 플라스틱으로 만들어졌으며, 배를 물에 계속 뜨게 하는 플라스틱 병 수천 개가 한데 묶여 있다. 드 로스차일드는 캐슈와 설탕으로 만든 접착제를 발명하기도 했는데, 이에 반하여 대부분의 해양용 접착제는 유해한 화학 물질을 사용한다. 플라스티키는 석유나 전기를 사용하지 않고 태양 전지판을 장착하고 있다.

(a) 바다를 건너 먼 거리를 여행하는
(b) 우리가 매일 사용하는 플라스틱을 재활용하는
(c) 해양 오염의 원인을 이해하는
(d) 환경 공학에 대해 생각하는

재활용할 수 있는 플라스틱 병과 천연 접착제를 이용해 만든 배인 플라스티키에 대해 설명하고 있다. 이 배는 환경 오염을 일으키지 않는 태양열을 연료로 사용하는 등, 환경을 생각한 기술로 볼 수 있으므로 (d)가 가장 알맞다. 플라스틱을 활용한 배인 것은 맞지만 이 배의 의미를 포괄하기에는 알맞지 않다.

watercraft 배 sail 항해하다 inner 내부의 recyclable 재활용이 가능한 afloat 물에 떠서 toxic 유해한 chemical 화학 물질 electricity 전기 be equipped with ~을 갖추고 있다 solar panel 태양 전지판

10

과학자들은 최근 매우 강력한 우주 망원경을 사용해 HFLS3라는 활동적인 은하계에서 온 상당량의 빛에 주목했다. 그 거리가 먼 것으로 보아 그 빛은 사실상 수십억 년 된 것이었다. 빛의 세기는 그 당시 HFLS3가 우리 은하수보다 2천배 이상 더 빨리 별을 형성하고 있었음을 나타내는데, 이는 천문학자들이 그때껏 본 적 없는 것이었다. 그들은 **놀라운 속도로 새로운 별을 만들어 내고 있던** 멀리 떨어진 태양계를 발견했다고 결론지었다.

(a) 완전히 이해하기에는 너무 멀리 있었던
(b) 지구라는 행성에 끝없이 에너지를 제공할 수 있던
(c) 놀라운 속도로 새로운 별을 만들어 내고 있던
(d) 셀 수 없이 많은 행성을 보유한

멀리 떨어져 있지만 그 빛의 세기로 보아, 이 은하계의 별 생성이 매우 빠르다는 것은, 바꿔 말하면 놀라운 속도로 새로운 별을 만들어내고 있었다고 말할 수 있다. 글의 요지는 이 은하계의 별의 생성 속도가 매우 빠르다는 것에 있다.

space telescope 우주 망원경 energetic 활발한 galaxy 은하계 solar system 태양계 astronomer 천문학자 astonishing 믿기 힘든, 놀라운 rate 속도 uncountable 셀 수 없는

11

정부가 사회 기반 시설 건설에 개입할 때는 **몇몇 영역에서 경제를 강화하도록 모색하는** 재정 정책을 시행할 것이다. 이러한 노력은 경기 침체기에 활기를 북돋우거나 일개 회사가 처리하기에는 너무 크고 복잡한 프로젝트를 수행하는 데 도움을 줄 수 있다. 어느 쪽이든 사회 기반 시설은 필요한 것으로 여겨지며, 따라서 정부에 의해 공공의 자금이 동원된다. 사회 기반 시설 자체가 사회에 유용할 뿐만 아니라 작업을 완료하기 위해 고용된 노동자들 역시 그 일로 인해 혜택을 입는다.

(a) 몇몇 영역에서 경제를 강화하도록 모색하는
(b) 기업들이 벌어들이는 수익을 나누도록 허용하는
(c) 필요한 천연 자원을 적소에 제공하는
(d) 근로자들을 자기 일자리에서 새로운 프로젝트에 투입하는

정부가 사회 기반 시설 건설에 재정적으로 개입함으로 인해 사회적인 필요를 충족시키고 노동자 개인에게도 도움을 주어 경기 침체기에 활기를 북돋울 수 있다고 하므로 여러 영역에서 경제를 강화하는 재정 정책이라는 내용이 적절하다. 천연 자원과는 거리가 먼 이야기이므로 (c)는 알맞지 않고, 정부의 이러한 정책이 새로운 일자리 창출로 노동자들에게 이익이 된다는 내용이므로 (d)도 적절하지 않다.

step in 개입하다 infrastructure 사회 기반 시설 set in motion ~에 시동을 걸다 fiscal 국가 재정의 slump 불황 public fund 공금 mobilize 동원하다 front (특정) 영역, 일선

12

가장 초기 모델의 물리적인 버튼에서 벗어나 터치스크린이 무선 기기를 점령했다. 최초의 화면 키보드는 화면에 가하는 물리적인 압력이 필요했다. 예를 들어, 많은 휴대 전화가 펜처럼 생긴 스타일러스를 제공했는데, 이 펜으로 화면을 터치하고 자판을 칠 수 있었다. 오늘날의 휴대 전화 키보드는 모든 압력 신호 없이, 오로지 인간의 몸에서 방출하는 작은 전기 신호에만 의존한다. 이러한 디자인 형태가 시장을 차지하면서 최신 휴대 전화는 **디지털 기기와 사용자 간의 상호 작용을 간소화한다**.

(a) 화면에 눈에 보이는 아이콘으로 버튼을 나타낸다
(b) 기계 장치의 메뉴를 탐색하기 위해 더 작은 스타일러스를 사용한다
(c) 작동을 위해 터치 및 목소리 인식을 사용한다
(d) 디지털 기기와 사용자 간의 상호 작용을 간소화한다

휴대 전화의 입력 체계가 과거 압력 신호에서 이제는 인간의 미세한 전기 신호에 의존한다고 하므로, 사용자가 기기를 사용하는 것이 점차 간소화되는 것으로 정리할 수 있다.

take over 차지하다 mobile device 무선 기기 on-screen 화면의 stylus 스타일러스(펜처럼 생긴 모바일 기구용 필기구) signal 신호 solely 온전히 radiate 방출하다 navigate 탐색하다 gadget 장치 recognition 인식 operation 작동 simplify 간소화하다 interaction 상호 작용

13

그리스 문자는 수학과 과학에서 등식을 설명하는 단축 기호로 사용된다. 한 예가 문자 파이(π)로, 원의 둘레를 계산하기 위한 숫자를 나타낸다. 델타(δ)는 선의 기울기 증가와 같은 값의 변화를 표시하는 데 쓰인다. 한편, 대문자 시그마(Σ)는 계산기로 긴 일련의 숫자를 더하도록 한다. 종합하여 볼 때, 그리스 문자들은 **다양한 방법으로 값과 연산을 전달하는** 기능을 한다.

(a) 학생들이 등식을 보다 빨리 배우도록 효율적으로 돕는
(b) 다양한 방법으로 값과 연산을 전달하는
(c) 그것이 어떻게 작용하는지 많은 사람들의 이해가 없이
(d) 수학적 이론에 필요한 세부 사항을 제공하는

그리스 문자가 수학과 과학에서 등식을 설명하는 기호로 사용된다고 하며, 그 예로 각각 다른 역할을 하는 파이와 델타, 시그

마를 들고 있다. 따라서 그리스 문자가 다양한 방식으로 값과 연산을 전달하는 기능이 있다는 내용이 알맞다.

shortcut 단축 기호 interpret 설명하다, 해석하다 equation 등식 calculate 계산하다 circumference 둘레 value 값, 가치 slope 기울기 uppercase 대문자의 calculator 계산기 symbol 상징, 기호 function 기능을 하다 communicate 전달하다 operation 연산 mathematical 수학의

14

고대에는 **정신적 특성을 신체적 외모 탓으로 돌리는** 일이 흔했다. 그리스로마 시대의 현자들은 인간의 특성을 그에 상응하는 동물에 비교하곤 했었다. 여기에는 얼굴형 및 체형의 비교가 포함되었다. 이러한 것들은 인간의 행동에 대해 예측하는 데 사용되었다. 중세 시대에는 선호도가 떨어졌지만, 이런 부류의 것은 다윈설의 결과로 부활했다. 이 현대적 버전은 어떤 의미에서 고대의 이론들보다 더 공격적이었다. 대신에 인종적 차이, 우생학, 범죄 행동이 주요 초점이 되었다.

(a) 정신적 특성을 신체적 외모 탓으로 돌리는
(b) 사람과 동물의 겉모습의 차이를 확인하는
(c) 인간을 신이 창조한 유일한 이성적인 창조물로 정의하는
(d) 각 인종이 다른 조상과 관련이 있다고 간주하는

고대에는 인간의 특성을 동물에 비교하여 외모를 비교하거나 인간 행동 예측하였다고 한다. 즉, 외형적 특성에 기반을 두어 인간의 행동을 예측한다는 것은 심리적, 정신적 자질과 신체적 외양을 연관 지어 생각하는 것이므로 (a)가 알맞다.

feature 특성, 특징 corresponding 상응하는 prediction 예측 based on ~에 기반을 둔 outward 표면상의 trait 특성 revival 재생, 회복 come about 발생하다 in the wake of ~의 결과로서 aggressive 공격적 racial 인종의 eugenics 우생학 assign ~의 탓으로 하다 psychological 정신[심리]의 attribute 자질, 속성 rational 이성이 있는 connection 관련성

15

비밀 투표에 의한 선거는 유권자들에 대한 외압의 가능성을 줄이는 하나의 방법이다. 이는 사람들을 위협과 압력으로부터 보호하기 위해 고안되었다. 어떤 사람이 비밀로 투표를 할 수 없다면, 다른 이들이 때로 강압적인 방법을 써서 그의 마음을 바꾸려 하는 것은 뻔한 일이었다. **그럼에도 불구하고** 비밀 투표는 19세기 서양에만 보급되었다. 고대 그리스에서도 이용되었지만, 프랑스에서는 1795년 의회에서 쓰기 시작했다. 그리고 1856년에는 영국령의 태즈메이니아에서, 1892년에는 매사추세츠에서 채택되었다.

(a) 그보다
(b) 정반대로
(c) 그럼에도 불구하고
(d) 대신에

빈칸 앞에서는 누구나 공감할 수 있는 비밀 투표의 필요성에 대해 설명하고, 빈칸 뒤에서는 비밀 투표가 지역별로 서서히 도입되었음을 이야기하고 있으므로 역접의 연결어가 적당하다.

secret ballot 비밀 투표 voter 유권자 intimidation 위협, 협박 keep private 비밀로 하다 forceful 강압적인 methode 방법 widespread 널리 퍼진 adopt 채택하다

16

상당수의 사람들이 휴대 전화에서 나오는 전자파의 잠재적인 건강상의 위험에 대해 걱정한다. 대중 매체의 상반되는 보도는 혼란을 더할 뿐이다. 휴대 전화와 기지국, 와이파이에 사용되는 주파수는 생물학적으로 안전한 수준에 있다는 확신이 있다. 자외선과 감마선, 엑스레이 같은 더 높은 에너지의 주파수만이 DNA를 손상시킬 수 있다는 것이다. **그렇기는 하지만** 세포가 전자파의 모든 영역의 영향을 받는다는 보도를 인용하며, 모든 사람이 이것이 유용한 과학이라고 수긍하는 것은 아니다.

(a) 그렇기는 하지만
(b) 게다가
(c) 마찬가지로
(d) 한술 더 떠서

빈칸의 앞에서는 휴대 전화에서 나오는 전자파는 안전한 수준이라는 내용이며, 빈칸 뒤에서는 그래도 세포는 전자파의 영향을 받는다며 모든 사람들이 전자파의 안전성에 수긍한 것은 아니라는 내용이 이어지므로 (a)가 적절하다.

potential 잠재적인 hazard 위험 electromagnetic radiation 전자기 방사선 conflicting 상반되는 assurance 확신 cell tower 휴대 전화 기지국 frequency 주파수 biologically 생물학적으로 convince 납득시키다 cite 인용하다 spectrum 스펙트럼, 범위

Part II

17

난독증에는 몇 가지 문제 유형이 있다. 하나는 시각적 과밀화 현상인데, 많은 글자가 한 페이지에 있기 때문에 한 번에 한 단어를 집중하기가 어렵다. 그러나 연구자들은 전자책 단말기가 이런 어려움을 해결한다는 것을 알아냈다. 문장의 줄이 짧아질 수 있고, 글자가 확대될 수 있기 때문에 난독증이 있는 사람들이 일반적으로 겪게 되는 정신이 산만해지는 상황을 줄인다는 것이다. 전자책 단말기를 이용해서 난독증이 있는 많은 이들이 글로 써진 정보를 더 빨리, 더 쉽게 읽을 수 있다.

Q 이 글의 주된 내용은?

(a) 난독증 학생들이 겪는 특정 어려움들 중 하나

(b) 독자가 개별적인 단어에 집중하도록 돕는 전략

(c) 구입 적정 가격이 되도록 책의 판형을 변경하기

(d) 학습 장애가 있는 사람들을 도울 수 있는 장치

전자책 단말기로 난독증이 있는 사람들의 어려움이 해소되어 글을 읽을 수 있다고 하므로 (d)가 알맞다. 이 글은 난독증이 있는 독자에 대한 내용이므로 일반적인 독자까지 포괄하는 (b)는 주된 내용으로 보기 어렵다.

dyslexia 난독증 component 구성하는 e-reader 전자책 단말기 alleviate 완화하다 enlarge 확대하다 distraction 집중을 방해하는 것 encounter 맞닥뜨리다 separate 개별적인 format 구성하다 disability 장애, 장애가 있는 사람

18

로진데일 출신의 45세인 데보라 오그렌 씨는 버지니아 주 생활 준비 캠페인의 새 얼굴이 될 것입니다. 이 프로그램은 사람들이 안정된 생활 환경을 유지하고 직업을 가질 수 있도록 훈련시킵니다. 한때 노숙자 보호소에서 생활했던 오그렌 씨는 로진데일의 새 주택 프로그램의 성공을 홍보하는 게시판 광고에 나오게 되어 기쁘다고 말했습니다. 오랜 세월 거리에서 생활한 끝에 그녀는 최근 교육을 마치고 폭스우즈 선박 회사에서 정비공으로서 꿈에 그리던 일자리를 얻었습니다.

Q 공고의 주된 내용은?

(a) 버지니아 주의 고용 광고

(b) 사회 프로그램을 홍보하는 새 얼굴

(c) 노숙자들을 위한 로진데일의 프로그램

(d) 실습생에서 근로자로 바뀌는 방법

노숙자 출신의 데보라 오그렌 씨가 버지니아 주의 사회 복지 프로그램인 생활 준비 캠페인의 새 얼굴이 될 것이라는 내용의 공지이다.

native 출신의 stable 안정된 rejoin 다시 합류하다 workforce 노동력 homeless 노숙자 shelter 보호소 billboard 게시판 ad 광고 highlight 강조하다 housing 주택 공급 land a job 취직하다 mechanic 정비공 employment 고용, 취업 publicize 홍보하다 transition 이행하다 trainee 수습, 실습생

19

'스미싱'이라고 부르는 신원 도용 수법이 휴대 전화 이용자들을 공격하고 있다. 유사한 방법이 컴퓨터상에도 있지만, 더 많은 사람들을 악용하기 위해 변용되었다. 이런 메시지는 어떤 사람의 쇼핑 웹 사이트나 인터넷 뱅킹 계정에 비정상적인 소비 활동이 있었다고 알린다. 그러고 나서 문자를 받은 사람에게 링크를 클릭해 아이디와 비밀번호, 신용 카드 등의 정보를 알려 달라고 하는데, 그 정보는 도난당해서 다른 사이트에서 구매하는 데 바로 이용된다. 그러니 조심하라. 보호 장치로 보이는 것이 속임수일 수 있다.

Q 이 글에 가장 알맞은 제목은?

(a) 흔한 신용 사기가 새로운 장치로 뛰어들다

(b) 휴대 전화, 해킹의 위험이 가장 높다

(c) 신원 도용을 이해하지 못하는 사람들

(d) 인터넷이 새로운 절도의 공간이 되다

'스미싱'이라고 하는 신분 도용 수법이 휴대폰 이용자들을 공격하고 있다는 내용이다. 그런데 이 수법이 전에는 컴퓨터상에서도 이용되었다고 하므로 새로운 기기로 넘어간 신용 사기라고 볼 수 있다. 휴대 전화를 이용한 신용 사기에 관한 글로, 휴대 전화의 해킹의 위험에 관한 내용은 아니므로 (b)는 적절하지 않다.

identify theft 신원 도용 tactic 전략 approach 접근법, 접촉 adapt 맞추다, 적응하다 take advantage of ~을 이용하다 claim 주장하다 account 계정 recipient 받는 사람 cautious 조심스러운 protective 보호하는 scam 신용 사기 at-risk 위험한 환경에 있는

Actual Test 2

20

화성과 목성 사이에서 태양 주위를 도는 왜성 케레스는 1801년 눈부신 태양 뒤로 사라지기 전에 한 달 간 처음 발견되었다. 몇 달 후 망원경을 이용해 그것을 다시 찾는 것은 불가능한 것으로 드러났다. 이 행성은 태양 궤도의 불확실한 지점에 있었고, 지구 자체도 계속 움직이고 있다. 행성을 찾을 유일한 방법은 지구에서 태양까지 고정 거리를 이용하는 것이었다. 천문학계에 다행히도, 수학자 칼 프리드리히 가우스가 이것을 알고 그 위치를 정확히 계산해 냈다. 이는 천문학의 관측 분야에 있어 중대한 발전이었다.

Q 이 글의 주된 내용은?

(a) 가우스가 수학의 새 분야를 만들었다.

(b) 궤도는 수학적으로 예측될 수 있다.

(c) 망원경은 행성까지 거리를 보여줄 수 있다.

(d) 태양계에는 아직도 알려지지 않은 행성들이 있다.

망원경으로 관찰할 수 없었던 행성을 한 수학자가 지구와 태양의 고정 거리를 이용해 그 위치를 정확히 계산해 냈다는 내용이므로 (b)가 적절하다. 천문학적 분야에 관한 내용이며, 수학의 새로운 영역을 만들었다고는 볼 수 없으므로 (a)는 알맞지 않다.

dwarf planet 왜성 circle ~의 주위를 돌다 track 추적하다 glare 눈부신 빛 telescope 망원경 orbit 궤도 consistent 불변의 distance 거리 astronomy 천문학 mathematician 수학자 catch on to ~를 알다, 이해하다 calculate 계산하다 crucial 중대한 astronomical 천문학의 observation 관측 mathematics 수학 solar system 태양계

21

기본 구조는 간단하다. 각 숫자는 0과 1에서 시작해 이전 숫자 두 개를 더한 결과이다. 비슷한 발상은 이미 고대 인도에서 두 숫자의 모든 가능한 조합을 계산할 때 존재했다. 하지만 오늘날 우리는 레오나르도 피보나치가 만들었던 중세 시대의 형태로 이 기법을 알고 있다. 이 수열은 그 부분의 합보다 진정으로 위대하다. 이 수열의 매력은 나뭇가지나 조개껍데기에서 발견되는 패턴도 면밀히 묘사한다는 점이다.

Q 이 글의 주제는?

(a) 한 수학 공식의 문화적 의의

(b) 어떤 발상이 국가에서 국가로 번지는 방법

(c) 자연의 특징을 묘사할 수 있는 수열

(d) 현재의 문제점에 과거의 방법 적용하기

피보나치수열의 개념에 대해 설명하면서, 이 수열이 자연의 모습 패턴을 설명할 수 있다는 데 진정한 위대함이 있다는 내용이다. 나뭇가지나 조개껍데기의 패턴도 묘사한다고 하므로 자연의 모습을 묘사할 수 있는 수열에 관한 글로 볼 수 있다.

combination 조합 medieval 중세의 sum 합 branch 나뭇가지 significance 중요성, 의의 seashell 조개껍데기 formula 공식 sequence 연속적인 것들, 수열 characterize ~의 특징을 묘사하다 method 방법

22

어린아이들이 친절함과 동정심을 가지고 행동하도록 하는 것은 부모로서 섬세한 균형감을 요구한다. 아이들에게 너무 많은 자유를 주고 그들이 원하는 모든 것을 제공하는 것은 자기중심적 태도와 자기가 원하는 모든 것들이 항상 충족되어야 한다는 기대감을 갖게 한다. 반면에 심한 훈육과 단호한 처벌은 아이들이 스스로 통제하는 법을 배우거나 자신감을 얻기 어렵게 한다. 이 양극단 사이에서 길을 찾음으로써, 부모는 자식들이 균형 잡힌 개인으로 성숙하는 것을 보게 될 것이다.

Q 이 글의 주된 요지는?

(a) 자기중심성은 어린아이들의 자산이 된다.

(b) 엄격한 가르침은 올바른 행동으로 이어질 수 있다.

(c) 부모가 자식이 원하는 모든 것을 충족시켜 줘야 하는 것은 아니다.

(d) 육아 기술에서 중심을 잡는 것이 최선이다.

자식을 키울 때, 부모가 자식에게 너무 많은 자유를 주는 방식과 지나치게 엄격하게 가르치는 방식 사이에 균형을 잘 잡아야 자식이 균형 잡힌 개인으로 성장할 수 있다는 내용이므로 글의 요지로 (d)가 적절하다.

compassion 연민, 동정심 delicate 섬세한 self-centered 자기중심적인 attitude 태도 expectation 기대 desire 욕구 discipline 훈육 confidence 자신감 path 길 extreme 극단 mature 성숙하다 asset 자산 strict 엄격한 proper 올바른 parenting 육아

23

세간의 이목을 끄는 세일즈맨인 케빈 트루도는 거짓 광고로 벌금 3천 7백만 달러를 내야 한다. 다이어트에 관한 자신의 최근 저서 홍보 광고에서 트루도는 체중 감량 계획은 '쉽다'고 주장했다. 하지만 그 책은 사람들에게 비싼 치료를 권하면서 충분한 칼로리 소모 없이 장기간 계속하기를 권한다. 트루도는 아직 벌금을 내지 않았는데 그가 벌금을 낼 만한 돈이 없었다는 걸 주장하면서도 사치품 구매에 수백 달러를 쓴 것을 판사가 알게 된 후에 법원에 불려 갔다.

Q 이 글에 의하면 케빈 트루도에 관해 다음 중 옳은 것은?

(a) 그는 벌금을 지불할 만한 충분한 돈을 벌 수 없었다.

(b) 그의 체중 감소 계획은 매우 효율적인 것으로 드러났다.

(c) 그의 소비 습관이 법 집행으로 감시되어 왔다.

(d) 자신에게 닥친 법적 문제를 해결하기 위해서 판사와 조치를 취하는 중이다.

사치품 구매에 수백 달러를 쓴 것을 판사가 알게 되었다는 것은 그의 소비 행태가 법에 의해 감시되었던 것으로 볼 수 있으므로 (c)가 알맞다. 사치스러운 생활을 하면서도 벌금을 내고 있지 않았다고 하므로 (d)는 적절하지 않다.

high-profile 세간의 이목을 끄는 fine 벌금 commercial 광고 treatment 치료 period 기간, 시기 consume 소비하다 luxury goods 사치품 monitor 감시하다 enforcement 집행 take a step 조치를 취하다 resolve 해결하다

24

벌새는 육안으로는 거의 보이지 않는데, 크기가 5센티미터 정도밖에 되지 않기 때문이다. 고속 카메라만이 벌새의 모습을 담을 수 있는데 이 새는 초당 80번 날갯짓한다. 벌새는 주로 혼자 지내며, 교미하기 위해서 짝을 맺을 뿐이다. 아주 작은 둥지(인형의 컵 만한 크기)를 지어 거미줄을 이용해 나뭇가지에 붙인다. 벌처럼 벌새도 다양한 식물을 수분시키는데, 그래서 식물의 생존에 필수적이다. 쿠바에서 아주 흔한 새지만 현재 개체 수가 감소하고 있다.

Q 이 글에 의하면 벌새에 관해 다음 중 옳은 것은?

(a) 안전상 나무 꼭대기에 알을 놓는다.

(b) 여러 면에서 곤충들과 유사점이 있다.

(c) 개체 수 감소는 쿠바의 서식지 변화 때문이다.

(d) 포식자로부터 살아남기 위해 무리를 형성한다.

크기가 매우 작은 특징을 갖고 있는 벌새는 벌처럼 다양한 식물을 수분시켜 식물의 생존에 중요한 역할을 한다고 하므로 곤충과 유사점이 있다는 (b)가 알맞다.

high-speed camera 고속 카메라 flap 퍼덕이다 primarily 주로 form 형성하다, 맺다 mate 교미하다 pollinate 수분하다 survival 생존 on the decline 내리막에 similarity 유사성 population 인구, 개체 수 habitat 서식지 flock 떼, 무리 aid 거들다 protection 보호 predator 포식자

25

다음 주 토요일 오후에는 지난해 다양한 방법으로 지역을 개선하는 데 시간을 보냈던 고등학생들을 표창하기 위해 이웃들과 함께 개리슨 공원으로 오세요. 10대들과 방문해서, 벽화와 나무 심기, 야외 공연을 비롯해 더 나은 동네를 만들기 위한 그들의 프로젝트에 관해 알아보세요. 지역 사회 정신에 입각해 파티 참가자들과 함께 나눌 좋아하는 음식을 가져오세요. 어린이들과 애완동물도 환영합니다. 행사는 학생들을 위한 시상식으로 마칠 것입니다.

Q 공고에 의하면 파티에 관해 다음 중 옳은 것은?

(a) 지역의 자원봉사자들의 노력이 인정받을 것이다.

(b) 참석자들은 공원 개선을 도울 것이다.

(c) 음식은 파티 주최측에서 제공할 것이다.

(d) 학생들은 학업 성적을 보여 줄 것이다.

지역 개선을 위해 봉사 활동을 했던 고등학생들을 표창하기 위한 모임으로 학생들의 노력이 인정받는 자리가 될 것이다. 음식은 파티 기획자들에 의해 제공될 것이 아니라 각자 가져와야 하므로 (c)는 적절하지 않다.

honor 표창하다 better 개선하다 mural painting 벽화 planting 심기 outdoor performance 야외 공연 in the spirit of ~의 정신에 따라 party-goer 파티 참석자 conclude 마치다 award ceremony 시상식 volunteer 자원봉사자 attendee 참석자 organizer 주최자 display 내보이다 academic achievement 학업 성취도

26

잭슨 폴락의 미술 작품에 대해 몇몇 비평가들은 그것을 예술로 여기기는커녕 무가치한 것이라고 생각하곤 했다. 그럼에도 불구하고, 1억 4천만 달러에 그의 작품 〈No. 5, 1948〉는 2006년 경매에서 세계에서 가장 비싸게 팔린 그림으로 나왔다. 팬들은 물감을 떨어뜨리는 그의 그림 스타일이 캔버스 위의 선에 관한 화가들의 생각을 바꾸었다고 말한다. 그는 뭔가 사실적인 것을 표현하려 하기보다 무작위적이고 순간적인 색의 창조에 기댔다. 일부에서는 그의 작품이 단순하고 성의 없다고 생각했지만, 다른 쪽에서는 뭔가 완전히 추상적인 것에 주목한 점에 박수를 보냈다.

Q 이 글에 의하면 잭슨 폴락의 작품들에 관해 다음 중 옳은 것은?

(a) 작품들은 실제로 유치하고 쓸모없다.
(b) 폴락의 작품들은 상반된 의견들을 불러일으킨다.
(c) 그들은 다양한 예술적 접근을 조합한다.
(d) 그의 최고 작품들에는 숨겨진 상징주의가 있다.

일부에서는 그의 작품이 단순하고 성의 없다고 생각했지만 다른 이들은 완전히 추상적인 것에 주목한 점에 갈채를 보냈다고 하므로 그의 작품에 대한 평가가 상반된 의견을 낳는다는 (b)가 알맞다. 물감을 떨어뜨리는 그림 스타일에 무작위적이고 순간적인 색의 창출에 기댔다고 하므로 숨겨진 상징주의가 있다고 보기는 어렵다.

critic 비평가 worthless 쓸모없는 auction 경매 admirer 숭배자 drip 뚝뚝 떨어짐, 물방울 realistic 사실적인 resort to ~에 기대다 random 무작위의 creation 창작 lazy 성의가 부족한 applaud 박수를 보내다 abstract 추상적인 attract 불러일으키다 contrasting 상반된 combine 결합하다 varied 다양한 hidden 숨겨진 symbolism 상징주의

27

특정 온도에서 우유에 두 가지 박테리아가 더해지면 요거트가 된다. 오늘날 식료품점에서는 브랜드와 유형, 맛에 따라 온갖 종류의 요거트를 취급하여, 그것이 마치 현대 문명의 산물인 양 보인다. 하지만 인간은 수백 년 동안 요거트를 즐겨 왔다. 중앙아시아에서는 기상 조건과 냉장의 부족으로 수 세기 전에 요거트가 주식이 되었다. 오늘날 서양에서는 가벼운 아침 식사로 꿀이나 과일을 섞어 먹지만, 터키 같은 나라에서는 저녁 식사에 사용된다.

Q 이 글에 의하면 요거트에 관해 다음 중 옳은 것은?

(a) 생산을 위해 복잡한 기술이 필요하다.
(b) 식량 공급에 비교적 최근에 더해진 것이다.
(c) 전 세계적으로 다양한 방식으로 이용된다.
(d) 세계의 한 지역의 한 문화에서만 발견된다.

환경적 조건에 의해 수 세기 전부터 중앙아시아에서 주식이 되었던 요거트에 관한 글이다. 오늘날 식료품점에서 다양한 제품을 만날 수 있고, 서양에서는 간단한 아침 식사 대용으로 먹지만 터키 같은 나라에서는 저녁으로 먹는다고 하므로 (c)가 가장 알맞은 내용이다.

bacteria 박테리아, 세균 carry 취급하다 assortment 모음, 종합 modern civilization 현대 문명 weather conditions 기상 조건 lack of ~의 결여 refrigerator 냉장고 dietary staple 주식 relatively 비교적 complicated 복잡한 in a wide variety of 매우 다양한

28

2010년의 미국 이민 사회 보고서에 의하면 농업과 어업의 전체 노동 인구의 45.8%가 이주민들로 구성되었다. 그것은 그 분야 노동자 1,250만 명 중 약 569,400명에 해당한다. 이는 미국의 총 노동 인구 1억 2,800만 명에서 이민자들이 차지하는 16%의 비율보다 더 높다. 스펙트럼의 반대편 끝에 있는 미국 전체 변호사와 법률 전문직 종사자의 약 5.8%가 이주민들이다.

Q 이 글에 의하면 다음 중 옳은 것은?

(a) 많은 이민자들이 변호사다.
(b) 이주 노동자들은 미국 전체 노동자의 16%에 해당한다.
(c) 미국에는 대략 1,200만 명의 이주 노동자가 있다.
(d) 전체 이민자의 거의 절반이 농업과 어업에 종사한다.

미국의 총 노동 인구 1억 2,800만 명에서 이주민이 차지하는 16%라고 설명했으므로 (b)가 적절하다. 이주민들 중 많은 비율은 농업과 어업에 종사하므로 (a)는 적절하지 않고, 미국 내 어업과 농업의 노동자 중에 이주민이 절반가량인 것이지 이주민의 절반가량이 종사한다는 내용은 아니므로 (d) 또한 적절하지 않다.

immigration 이민 labor force 노동력 agriculture 농업 fishing 어업 be comprised of ~로 구성되다 immigrant 이주민 approximately 대략 sector 부문 spectrum 스펙트럼, 영역 legal professional 법률 전문직 percentage 비율 roughly 대략

29

'비전'이라는 판타지 왕국에서 마법의 보물 모으기, 누군가의 운명을 결정하는 운명의 여신 찾기. 부모의 이혼으로 힘든 시기를 보내는 어린 와타루의 미스터리한 여행이 그러하다. 작가 미야베 미유키는 책 <브레이브 스토리>에서 그동안 통상적으로 쓰던 범죄 소설 장르로부터 벗어나는 모습을 보인다. 이 책은 특히 애니메이션으로 제작되어 인기를 끌면서 더 많은 독자가 생겨났다.

Q 이 글에 의하면 이 책에 관해 다음 중 옳은 것은?
(a) 이런 종류의 이야기가 그 작가에게는 흔하지 않다.
(b) 동명의 만화 소설에서 영감을 받았다.
(c) 가상의 마법적인 배경에서 범죄를 쫓는다.
(d) 수년 전 작가 부모의 이혼에 관해 상세히 얘기한다.

글의 중반 이후에 이 책에서 작가가 그동안 썼던 범죄 소설 장르에서 벗어난 모습을 보여 준다고 하므로 (a)가 알맞다. 만화로 제작되면서 더 많은 독자가 생겨났다고 하므로, 영감을 받았다는 (b)는 적절하지 않다.

collect 수집하다 gem 보석 realm 영역, 왕국 locate 발견하다 determine 알아내다 undertake 착수하다 cope with ~에 대처하다 departure 벗어남 well-received 잘 받아들여진 animated 만화 영화로 된 inspire 영감을 주다 graphic novel 만화 소설 imaginary 가상적인 setting 배경, 환경 detail 상세히 알리다

30

경영은 '일을 올바르게 하는 것'인 반면, 리더십은 '올바른 일을 하는 것'이다. 이는 영향력 있는 기업 컨설턴트이자 작가인 피터 드러커의 인용문에서도 볼 수 있다. 그는 '지식 노동자'라는 말을 만들어 냈다. 그는 정보 사회와 평생 학습의 필요성을 예견했다. 그렇지만 그는 회사의 성공이 리더십에 달려 있다고 기술하지는 않았다. 자신의 경험상 회사는 직원들이 자신이 훈련 받은 것들을 자유롭게 할 수 있을 때 가장 제대로 기능을 한다고 결론지었다.

Q 이 글에 의하면 다음 중 옳은 것은?
(a) 경영은 컨설턴트를 얼마나 잘 이끄는가에 달려 있다.
(b) 드러커는 강한 리더십의 중요성을 강조했다.
(c) 회사들은 주로 숙련된 노동력을 기반으로 성공한다.
(d) 정보 사회는 집중된 경영을 요구한다.

마지막 문장에서 직원들이 훈련 받은 일을 자유롭게 할 때 회사가 잘 돌아갈 수 있다고 하므로, 숙련된 노동력이 비즈니스 성공의 주요 기반이 된다는 (c)가 적절하다.

management 경영 quote 인용구 influential 영향력 있는 corporate consultant 기업 컨설턴트 coin (새로운 말을) 만들다 foresee 예견하다 lifelong learning 평생 학습 state 진술하다 conclude 결론짓다 emphasize 강조하다 primarily 주로 skilled 숙련된 focused 집중된

31

영어에서 대개는 친척끼리 서로 많이 닮았다는 뜻으로 '빼닮았다'고 말하는 것을 들을 수 있다. 어떤 사람의 외모와 '내뱉다'라는 말을 연결 짓는 것은 이상하게 보일 수 있지만, 이 말은 수백 년 동안 영어에 있었다. 예를 들어, "그는 자기 아버지의 입에서 내뱉어진 것 같아"라는 식이다. 이런 발상은 두 사람이 너무 닮아서 한 명이 다른 한 명의 몸에서 만들어졌을 거라는 생각이다. 번식의 법칙에 의하면 이런 관용구는 상당 부분 진실을 품고 있다.

Q 이 글에 나온 관용구에 관해 다음 중 옳은 것은?
(a) 현재는 원래 형태를 잃어버렸다.
(b) 친척들 사이에 어떻게 같은 성격을 갖는지를 설명한다.
(c) 큰 차이점이 있는 사람들의 유사점을 보여 준다.
(d) 거의 똑같이 보이는 사람들을 가리킨다.

사람들끼리 서로 많이 닮았다는 걸 의미하는 표현이므로 (d)가 적절하다.

spit (침을) 뱉다 resemble 닮다 relative 친척 in connection with ~와 관련되어 look alike 같아 보이다 reproduction 생식, 번식 idiom 관용구 personality 성격 identical 동일한

32

이제 졸업률이 <유에스 뉴스 & 월드 리포트>에서 발표하는 연례 학교 순위에서 가장 중요한 요소가 될 것이다. 매년 입학하는 신입생의 수를 세는 다른 카테고리는 덜 중요해질 것이다. 이 새로운 방식은 고등 교육의 실증적인 결과를 좀 더 보는 최근의 추세와 사고방식을 반영한다. 최고 학교들은 상위권에 남아 있지만 몇몇 대학은 순위가 껑충 뛰어오를 것이다. 교육부는 사회적으로 혜택을 받지 못하는 학생을 돕는 데 중점을 두기 위해 등급제 역시 조정하고 있다.

Q 이 글에 의하면 대학 순위에 관해 옳은 것은?
(a) 정부는 잡지들에게 초점을 바꿀 것을 요청하고 있다.
(b) 현재 빈곤한 신입생 비율이 증하고 있다.
(c) 교육에 관한 관점과 가치가 변화하고 있다.
(d) 새로운 시스템으로 최고 순위가 바뀌었다.

Actual Test 2

학교의 순위를 매기는 데 신입생의 수를 세는 것은 덜 중요해질 것이고 이제는 졸업률이 중요한 요소가 되며, 이것은 교육에 대한 최근 변화된 추세를 반영한 것이라고 하므로 (c)가 적절하다. 새로운 시스템에도 최고 순위의 학교는 그대로 남아 있다고 하므로 (d)는 알맞지 않다.

school ranking 학교 순위 reflect 반영하다 attitude 사고방식 practical 실용적인 adjust 조절하다 disadvantaged 사회적으로 혜택을 받지 못한 perspective 관점 shift 이동하다

33

희토류는 주기율표에서 17개의 상당히 비중이 있는 원소 중 하나이다. 희토류가 반드시 지구상에서 가장 희귀한 원소인 것은 아니다. 희토류가 발견되는 광물 암석들이 일반적으로 광대한 지역에 분포되어 있기 때문에 희귀한 것으로 불린다. 이로 인해 희토류를 캐내는 일은 힘들고 비용이 많이 든다. 사실, 암석에서 희토류를 발굴하는 기술은 1950년대에만 개발되었다. 희토류의 수요가 그 시대 전자 제품 제조업의 번성과 함께 증가했기 때문에 이는 우연이 아니었다.

Q 이 글로부터 유추할 수 있는 것은?

(a) 최근 개발된 기술로 희토류를 발견할 수 있다.

(b) 이 원소들은 주로 전자 기기 제조에 쓰인다.

(c) 대규모 광업은 희토류의 비용을 낮출 것이다.

(d) 지도를 만드는 새로운 능력으로 희토류 찾기가 쉬워질 것이다.

글의 마지막에서 희토류의 수요가 그 시대 전자 제품 제조업의 번성과 함께 증가했다는 것에서 희토류가 전자 기기를 만드는 데 이용된다는 것을 유추할 수 있다. 희토류를 찾아내는 기술은 1950년대에만 개발되었으므로 (a)는 적절하지 않고, 규모가 작아서 비용이 높은 것이 아니므로 규모가 커진다고 해서 비용이 준다고 볼 수는 없으므로 (c)도 적절하지 않다.

rare earth 희토 element 요소, 성분 periodic table 주기율표 mineral 광물 mine 캐다 costly 돈이 많이 드는 extract 추출하다, 꺼내다 accident 우연 shoot up 급속히 자라다 mapping 지도 제작

34

여름 청소년 연수원(SYI)에 지원하세요. 자신이 선택한 분야에 대해 안내를 받고 싶어 하는 고등학생들에게 딱 맞는 훈련 프로그램입니다. 연수원의 2주 과정 동안 참가자들은 정치 캠페인, 행사 편성, 제품 개발, 비즈니스 문제 해결 같은 실습 활동에 참여합니다. 참가자들은 또한 그룹으로 항의 사안을 처리하거나 불만족스러워하는 직원들에게 대처하는 방법과 같은 전문적인 문제를 다루는 것도 훈련하게 됩니다. 이러한 활동들로 연수원은 많은 대학과 기업체가 지원자들에게 기대하는 직접적인 경험을 제공합니다. 오늘 지원하세요!

Q 광고로부터 유추할 수 있는 것은?

(a) 연수원은 대부분 정치에 필요한 기술에 초점을 둔다.

(b) 학업적 교습만 필요한 학생들이 지원해야 한다.

(c) 참가자들은 자신의 목표를 달성하는 데 더욱 성공할 것이다.

(d) 연수원은 청소년들이 근무 중에 배우도록 한다.

참가 학생들에게 본인이 선택한 분야에 직업적인 실습 활동을 제공하여, 대학과 업체에서 기대하는 직접적인 경험을 제공한다고 하므로 참가자들의 목표 달성에 도움이 될 것임을 알 수 있다. 연수원은 일을 하는 중에 배우도록 한다는 언급은 없으므로 (d)는 적절하지 않다.

participant 참가자 take part in 참여하다 coordinate 편성하다 navigate 처리하다, 다루다 first-hand 직접적 applicant 지원자 academic 학업적인 tutoring 교습 on the job 근무 중에

35

점점 더 많은 의사들이 환자들이 병과 싸우는 데 도움이 되도록 진료실에 '도우미 개들'을 데리고 있다. 병원에 방문했을 때 그들은 개를 데리고 산책할 수 있고 혹은 개가 환자와 함께 휴식하면서 위로와 애정을 주기도 한다. 그 개들은 또한 다른 방식으로도 이용될 수도 있다. 좀 더 구체적으로, 한 환자가 도전을 극복하거나 목표를 달성하면 보상으로 병원의 애완견과 시간을 보내도록 허가받을 수 있다. 이 동물들은 긍정적인 영향을 준다. 혈압과 스트레스 호르몬, 일반적인 불안 증상 등 모두 환자의 회복을 더디게 할 수 있는 요소들을 줄이는 데 도움이 될 수 있다.

Q 글쓴이가 가장 동의할 만한 것은?

(a) 병원에 개를 데려오는 것은 주요 건강상의 위험을 가져올 수 있다.

(b) 의사들은 다른 방법이 들지 않을 때 애완동물을 이용할 수 있다.

(c) 동물은 고통스러운 치료로부터 주의를 돌리는 용도다.

(d) 동물은 치유를 촉진하는 진정 효과가 있다.

병원의 동물들이 환자의 회복에 긍정적인 영향을 미칠 수 있다는 내용이므로 유추할 수 있는 것은 (d)가 적절하다. 다른 치료 방법이 들지 않을 때 동물을 이용하는 것이 아니라 보조적으로 환자에게 도움을 주도록 하는 것이므로 (b)는 적절하지 않다.

assistance 도움, 원조 combat 싸우다 clinic 병원 affection 애정 specifically 구체적으로 overcome 극복하다 challenge 해볼 만한 문제, 난제 reward 보상 impact 영향 blood pressure 혈압 anxiety 불안 slow 속도를 줄이다 recovery 회복 pose (위험 · 문제를) 제기하다 distraction 주의 분산 calming effect 진정 효과 promote 촉진하다 healing 치유

36

탄소 발자국은 어떻게 사람들이 천연자원을 사용하고 에너지를 낭비하여 환경에 영향을 미치는지를 측정한다. 흔히 차량과 가정에서 얼마나 많은 석유와 전기를 사용했는지에 관한 문제일 거라고 생각한다. 하지만 수많은 다른 행동들이 탄소 발자국의 요인에 포함된다. 화학 약품으로 처리된 가공 식품을 구입하거나 에너지 효율 기기를 사용하지 않는다면 원래 해야 하는 것보다 더 많은 천연자원을 낭비하고 지구를 더 상하게 하고 있을 가능성이 크다.

Q 다음에 논의될 내용으로 적절한 것은?

(a) 도시에서의 태양 에너지를 증가시킬 창조적 노력

(b) 지구에게 덜 부담이 될 추천 전략

(c) 탄소 발자국을 계산하기 위해 사용되는 공식

(d) 식량 생산 방법에 제안된 변경 사항

탄소 발자국에는 생각보다 여러 가지 요인들이 포함된다며 글의 후반부에 그 예시를 보여 주고 있다. 이후에는 이렇게 지구에게 부담이 덜 되는 방법들을 제시한다는 (b)가 가장 자연스럽다.

carbon footprint 탄소 발자국 measure 측정하다 waste 낭비하다 a number of 수많은 factor into ~을 요인으로 포함하다 processed food 가공 식품 energy-efficient 에너지 효율적인 appliance 기기 strain 상하게 하다

37

오스트레일리아 건국 기념일은 1788년 오스트레일리아 섬에 온 영국 정착민의 도착을 기념하는 연례 기념일이다. 이 날은 1800년대 초에 처음으로 기념되었다. 이후, 1900년대에 오스트레일리아 섬에 수 세기 동안 거주했던 원주민들은 항의의 의미로 그들만의 기념일을 만들었다. 그들은 이 날을 애도의 날이라고 부르고, 영토 찬탈과 원주민 아이들을 가정에서 빼앗아 영국 학교로 보낸 것 등 영국인들이 행한 수년의 잔인한 처사에 반대하며 거리를 행진한다. 토착민들은 평등한 권리를 요구했고, 영국식 '진보'에는 희생이 따랐다고 주장했다.

Q 이 글로부터 유추할 수 있는 것은?

(a) 두 반대 세력이 마침내 화해할 수 있었다.

(b) 식민지적 전통이 긍정적인 시위로 대체되었다.

(c) 두 개의 기념일을 열어 문화적 경험을 풍부하게 했다.

(d) 이 나라를 세우기 위한 행동이 전적으로 공정한 것은 아니었다.

오스트레일리아 건국 기념일이 영국의 정착을 기념하는 반면, 원주민들은 영국의 잔인한 처사에 항의하는 의미로 애도의 날을 지정하여, 영국식 진보라는 것이 원주민들의 희생과 대가에 의한 것이라고 주장했다는 내용으로 보아 유추할 수 있는 것으로 (d)가 적절하다.

celebration 기념행사 aborigine 원주민 found 설립하다 in protest 항의하여 object to ~에 반대하다 cruel 잔인한 takeover 탈취, 장악 removal 제거, 이동 opposing 맞서는 make peace 화해하다 colonial 식민지의 protest 항의, 시위 enrich 풍성하게 하다 entirely 완전히 just 공정한

Actual Test 2

Part III

38

서양인들이 해초의 이점과 좋은 맛을 알아차리기 시작하면서 더 자주 해초를 즐겨 먹고 있다. (a) 아직 수프나 샐러드처럼 다른 음식들에 이용되지는 못했지만, 대개 말린 간식으로 먹고 있다. (b) 그래도 적어도 서양인들은 미네랄이 풍부한 이 저칼로리 식품의 가치를 이해하고 있다. (c) 아시아에서는 해조류가 식단의 중요한 부분으로 적어도 하루에 한 번 식탁에 오른다. (d) 더욱 고무적인 것은 건강 관련 뉴스 보도에서 해초에 들어 있는 단백질이 얼마나 혈압을 낮출 수 있는지에 관해 설명하고 있다는 점이다.

아직은 제한적이지만 서양인들이 해조류의 가치를 알고 더 많이 즐기게 되었다는 글이다. (c)는 아시아의 식단에 오르는 해조류에 관한 이야기로 글의 흐름에 가장 어울리지 않는다.

recognize 인식하다 flavor 풍미, 맛 seaweed 해초 catch on to ~을 이해하다 value 가치 mineral 미네랄, 무기질 marine plant 해조류 encouraging 고무적인 blood pressure 혈압

39

북한의 정치적 이론인 주체사상은 국가의 발전이 국민들의 집단적인 작업으로 가능하다고 주장한다. (a) 이 사상은 '자립적인 정신'이나 '독립적인 자세'라고도 설명한다. (b) 1970년대 말, 북한은 이웃 국가들과 이 사상을 공유하기 위해 국제 세미나를 열었다. (c) 이는 훌륭한 발상처럼 들리지만, 실제로 북한 주민들에게 해를 끼치는 정책의 개발로 악용되었다. (d) 북한의 공격적인 군대와 필수적인 해외 자원을 수입 금지하는 결정은 이 사고방식에 기초한 것이다.

북한의 주체사상에 대한 글로, 이 사상이 북한에서 어떻게 적용되어 어떤 결과를 가져왔는지에 관해 주로 설명하고 있으므로 국제적으로 이 사상을 공유했다는 (b)가 문맥에 가장 어울리지 않는다.

Juche 주체사상(북한의 통치 이념) collective work 집단 작업 spirit 정신 self-reliance 자기 의존 independent 독립적인 noble 훌륭한, 뛰어난 aggressive 공격적인 import 수입하다 way of thinking 사고방식

40

좀비는 최근 비디오 게임과 TV 방송, 영화, 심지어 문학에도 등장하면서 현대 시장의 큰 부분을 차지하고 있다. (a) 이야기 속에서 좀비는 인류를 위협하는 것으로 보인다. (b) 일부에서는 좀비들이 현대 생활의 무서운 특성을 나타내기 때문에 인기가 있다고 주장한다. (c) 우선, 좀비를 정의하는 특징이 좀비가 가진 더 많은 것에 대한 끊임없는 갈망과 만족하지 못하는 점이다. (d) 같은 맥락에서 선진국들의 현대 소비자들은 더 많은 옷과 더 좋은 집, 새로운 기기와 자동차를 항상 갈망하고 있다.

좀비가 현대 시장에서 인기가 있는 것은 좀비의 특성과 현대인들의 특성이 서로 관련이 있기 때문이라는 내용이다. (b)가 주제이고, (c)와 (d)에서 근거를 제시하고 있다. 하지만 (a)에서는 일반적으로 이야기 속에 나타나는 좀비의 모습을 이야기하고 있으므로 전체 맥락에 가장 알맞지 않다.

marketplace 시장 literature 문학 menace 위협하다 threat 위협 humanity 인류 frightening 겁을 주는 characteristic 특징, 특질 ongoing 지속적인 hunger 갈망 inability 할 수 없음 consumer 소비자 first world 선진국들 long for 열망하다 gadget 기기

Actual Test 3

p.168

Part I

01 (c) 02 (c) 03 (d) 04 (b) 05 (d) 06 (b)
07 (b) 08 (c) 09 (d) 10 (a) 11 (c) 12 (d)
13 (a) 14 (b) 15 (c) 16 (b)

Part II

17 (b) 18 (b) 19 (c) 20 (c) 21 (a) 22 (b)
23 (c) 24 (a) 25 (b) 26 (c) 27 (c) 28 (d)
29 (b) 30 (d) 31 (c) 32 (a) 33 (a) 34 (b)
35 (d) 36 (a) 37 (c)

Part III

38 (a) 39 (b) 40 (b)

Part I

01

놀랄 수도 있지만 우리는 개로부터 **보다 효과적으로 일하는 방법**에 대해 많은 것을 배울 수 있다. 예를 들어, 개가 노는 시간을 즐기는 것처럼 일을 하는 중에도 휴식을 취하고 뭔가 즐거운 일을 하는 것이 중요하다. 이로써 뇌가 휴식하고 재충전할 수 있다. 그리고 우리의 강아지 친구들이 꼬리를 흔들고 코를 우리 다리에 비비며 애정과 감사를 표하는 것처럼 동료들의 기여에 감사한 마음을 나누는 것이 매우 중요하다. 이는 스트레스 수준을 낮추고 모든 직원들이 더 만족스럽고 성공적이게 느끼도록 한다.

(a) 동료들을 알아가는 것
(b) 힘든 프로젝트에 협력하는 것
(c) 보다 효과적으로 일하는 방법
(d) 가장 유용한 의사소통 능력

개의 모습을 통해, 우리 인간도 휴식을 취하고 애정과 고마움을 표현하면 스트레스를 덜 받고 성공적으로 느끼게 된다고 하므로 적절한 것은 (c)이다. 동료들을 알아가는 것은 부분적으로 언급되어 전체 내용을 포괄하지 못하므로 (a)는 적절하지 않다.

thrive on ~을 즐기다 take a break 휴식을 취하다 recharge 재충전하다 canine 개의 affection 애정 appreciation 감사 wag 흔들다 nuzzle 코[입]을 비비다 gratitude 고마움, 감사 contribution 기여 decrease 줄이다 cooperate 협력하다 effective 효과적인 communication skill 의사소통 능력

02

비만만큼 그렇게 많은 우려를 불러일으키지는 않지만 과체중이 되는 것 **역시 개인에게 문제가 된다**. 적정 수준 이상의 체지방이 있으면 정서적 고통과 육체적 고충을 야기할 수 있다. 이 주제에 관한 웹 사이트와 기사에서는 과체중인 사람들에게 자신의 생활 습관을 조절하라고 권고한다. 비록 그렇다 하더라도, 값비싼 헬스클럽 회원권이나 야외 운동 공간 부족과 같은 외적인 조건들이 과체중이 되는 위험과 관련될 수 있다.

(a) 사람이 운동할 가능성을 적게 한다
(b) 훨씬 더 큰 위협이 될 수 있다
(c) 역시 개인에게 문제가 된다
(d) 사람들이 관리할 수 있는 것이다

빈칸 다음 문장에서 과체중이 되면 정서적, 육체적 고충을 겪을 수 있다고 하므로 과체중이 개인에게 문제를 야기할 수 있다는 내용의 (c)가 적절하다. 첫 문장에서 비만만큼 심한 것은 아니라고 했으므로 (b)는 적절하지 않다.

concern 걱정, 근심 obesity 비만 overweight 과체중의 optimal level 적정 수준 body fat 체지방 distress 고통 article 기사 external 외부의 be linked to ~와 연관되다 less likely to ~할 가능성이 더 적은 manage 관리하다

03

미국 사진작가 안셀 애덤스는 사람들이 여행하지 않고서도 미국의 숨이 멎을 듯한 경치를 볼 수 있게 해 주었다. 그의 유명한 흑백 사진은 한 프레임에 수 마일의 산과 사막을 담아 놀랄 만큼 멋진 고요를 경험하게 한다. 그의 작품을 보면서 많은 사람들이 야외로 옮겨지는 느낌을 받았다. 애덤스는 미국이 댐을 더 많이 건설하고자 석유와 광물 같은 천연자원을 채굴하기 위해 공유지를 더 많이 사용하고 있던 때에 유명해졌다. 하지만 애덤스의 사진은 사람들이 **미국의 훼손되지 않은 지역을 보호하기** 위해 준비하도록 자극했다.

(a) 더 아름다운 경관을 기록하기
(b) 도심 지역에 새로운 공원을 조성하기
(c) 대체 연료 자원에 투자하기
(d) 미국의 훼손되지 않은 지역을 보호하기

안셀 애덤스는 사진을 통해 자연의 아름다움을 보여줌으로써 자연의 훼손에 대해 각성하면서 아직 훼손되지 않은 지역을 보호하는 노력을 이끌어냈다는 결론이 적절하다. 그의 사진 자체보다 사진으로 인한 환경의 아름다움을 깨닫는 데 글의 초점이 있으므로 (a)는 알맞지 않다.

breathtaking 숨이 멎는 듯한 landscape 경치 capture 포착하다 stunning 놀랄 만큼 멋진 transport 운송하다 outdoors 야외로 mine 채굴하다 mineral 광물 motivate 동기 부여를 하다 organize 계획[준비]하다 documentation 기록 scenery 경관 urban 도시의 investment 투자 alternative fuel 대체 연료 unspoiled 훼손되지 않은 territory 지역

04

다음 이색 여행은 기프트 트래블과 함께 계획하세요! 미얀마의 해변을 방문해서 그곳의 해안 지대의 침식을 막는 프로젝트를 도울 수 있습니다. 아니면 브라질로 여행을 떠나 그곳의 열대 우림 복원을 도우며 음식과 아름다운 풍경을 즐길 수 있습니다. 남아프리카로 떠나면 그곳의 역사적 건축물들을 보며 코뿔소 개체 복원 노력에도 참여합니다. 저희는 휴식하고 관광할 충분한 시간을 드리지만, 여러분은 환경 문제를 다루고 있는 지역 단체들과 함께할 것입니다. 이국적인 지역을 보고 **중요한 대의에 여러분의 시간을 내줄** 완벽한 방법입니다.

(a) 여러분이 지금 마주하고 있는 개인적인 문제들에 대해 배울
(b) 중요한 대의에 여러분의 시간을 내줄
(c) 도움이 필요한 원주민들에게 도움을 줄
(d) 동시에 새로운 언어들을 공부할

세계 곳곳을 여행하면서, 해안 지대 침식을 막거나 열대 우림 복원을 돕고 코뿔소의 개체 복원을 위해 노력하는 등의 환경 문제에 참여하는 여행 프로그램을 알리고 있다. 이색적인 지역을 여행하며 환경 문제와 같은 중요한 대의에 시간을 낼 좋은 기회라는 내용으로 맺는 것이 자연스럽다. 환경 문제가 궁극적으로 우리가 마주하고 있는 문제들인 것은 맞지만, 개인적인 문제라고 보기 어려우므로 (a)는 알맞지 않다.

exotic 이색적인 assist with ~을 돕다 erosion 침식 coastline 해안선 cuisine 요리 restore 복구하다 rainforest 열대 우림 historical monument 역사적 기념비 rhino 코뿔소 ample 충분한 address 다루다 cause 대의, 목적 lend a hand 도움을 주다

05

용감무쌍한 우주 소년 아톰에게 있어 일이 항상 순탄하게 흘러가는 것만은 아니다. 텐마 박사는 원래 사고로 잃은 친아들인 토비오를 대신하기 위해 아톰을 만들었다. 하지만 박사는 로봇이 나이를 먹지 않고, 그래서 사람과 전혀 다르다는 것을 깨닫고 낙심하게 된다. 그래서 박사는 로봇을 폭력적인 서커스 사장에게 팔기로 한다. 다행히 텐마의 동료 중 하나가 서커스에서 아톰을 보고 그를 구해 준다. 그렇게 하여 오늘날 우리가 아는 범죄에 맞서 싸우는 아톰이 처음에는 **버림받고 나서 또 다른 기회를 얻었던 것이다.**

(a) 처벌받고 나서 범죄자가 되었던 것이다
(b) 훈련받고 나서 서커스 단원으로 남았던 것이다
(c) 자유가 되고 나서 서커스에 의해 구조되었던 것이다
(d) 버림받고 나서 또 다른 기회를 얻었던 것이다

아톰을 창조했던 박사가 서커스에 팔았으나 이후 동료에 의해 구출되고 오늘날 우리가 아는 영웅이 된 것이므로 버림받은 후 기회를 얻었던 것으로 정리할 수 있다.

go smoothly 순탄하게 진행되다 heroic 영웅적인 replace 대신하다 abusive 폭력적인 colleague 동료 rescue 구조하다 punish 벌주다 criminal 범죄자 remain ~인 상태로 남다 entertainer 연예인 set free 풀려나다 abandon 버림받다

06

무인 승용차가 앞으로 몇 년 내로 시장에 소개될 테지만, 그 인기를 예측하기는 어렵다. 전자 센서와 GPS 내비게이션은 수년 간 있어 왔고, 고급 승용차는 이미 주차용 카메라 보기를 제공한다. 이 모든 것을 차량 조종 장치에 장착하는 것은 알아서 주행하는 차량을 위한 다음 단계다. 하지만 알아서 주차하는 차는 인기를 끄는 데 더뎠다. 고객은 그런 차량이 필요한가에 대해 의구심을 갖는다. 아마도 무인 차량 역시 **운전자들의 외면과 함께 비슷한 반응에 직면할** 것이다.

(a) 미숙한 운전자들에게 더 많은 이점을 줄
(b) 운전자들의 외면과 함께 비슷한 반응에 직면할
(c) 큰 찬사를 받았던 똑같은 기술을 가질
(d) 현재 고객과 잠재 고객 모두에게서 충성심을 얻을

첫 문장부터 무인 승용차에 대해 회의적인 견해를 보이고 있다. 빈칸 앞에 '역시'라고 전제하고 있으므로 스스로 주차하는 차량의 인기가 더뎠던 것과 유사한 내용이 이어지는 것이 알맞다.

popularity 인기 predict 예측하다 electronic sensor 전자 센서 steering 조종 장치 park 주차하다 catch on 유행하다, 인기를 얻다 doubt 의심 inexperienced 미숙한 turn away 외면하다 praise 칭찬하다 loyalty 충성, 성실 existing 현재의 potential 잠재적인

07

수십 년 동안 보스턴의 마피아 두목인 와이티 벌저는 **오랜 범죄 이력에도 불구하고 자유롭게 살았다**. 하지만 2013년 8월, 배심원단이 그가 자신의 사업을 계속 운영하려고 저질렀던 일들을 밝히며 32개 기소건 중에서 31개에 대해 유죄 판결을 내렸다. 돈세탁과 불법 총기 소지, 마약 거래를 포함한 몇몇 범죄는 40년 전에 일어난 일이다. 벌저의 피해자들과 그 가족들은 그가 마침내 벌을 받게 되었다는 사실에 안도감을 표했다. 그 재판이 벌저가 저질렀을 법한 모든 범죄를 다루지 않았더라도 그는 30년을 감옥에서 보낼 것이다.

(a) 도시를 많이 개선했다
(b) 오랜 범죄 이력에도 불구하고 자유롭게 살았다
(c) 어떻게 해서든 판사들을 속이고 기만했다
(d) 다른 많은 이들에게 입힌 피해를 보상했다

빈칸 뒤의 But으로 보아 다음 문장의 반대되는 내용이 빈칸에 알맞다. 유죄 판결을 받았다는 내용이 이어지므로 범죄를 저지르고도 법의 구속 없이 자유롭게 지냈다는 (b)가 적절하다. 그가 판사들을 속이고 기만했는지에 관한 내용은 언급되지 않으므로 (c)는 적절하지 않다.

mob 마피아, 패거리 jury 배심원단 convict 유죄를 선고하다 reveal 폭로하다 go the lengths 실컷 ~하다 money laundering 돈세탁 illegal 불법적인 gun possession 총기 소지 drug dealing 마약 거래 victim 피해자 relief 안도, 안심 trial 재판 commit 저지르다 criminal history 범죄 이력 cheat 속이다 fool 기만하다 court system 사법 제도 damage 피해

08

재훈에게
올해 청소년 리더십 캠프에 참가하도록 선발된 것을 알립니다. 저희는 매년 30명의 학생들만 초청하는데 200명 이상이 지원했습니다. 자원봉사 활동과 교내 클럽 참여, 그리고 학업 성취도 면에서 볼 때 귀하는 뛰어난 지원자였습니다. 몇 주 내로 추가 정보 서류를 보내 드릴 것입니다. 우선은 **이 권위 있는 프로그램에 참가 허가를** 축하드립니다.
캠프 책임자
데이비드 마스터즈 드림

(a) 귀하의 지역 사회에서 뛰어난 리더가 되는 것을
(b) 학생 자치 위원회에서의 귀하의 업적을
(c) 이 권위 있는 프로그램에 참가 허가를
(d) 리더십을 보이도록 다른 학생들을 고무하는 것을

수련회의 지원자 200명 중에 30명의 인원 안에 재훈이 선발되었다는 편지이므로 축하할 내용은 (c)가 가장 적절하다.

retreat 수련회 participation 참여 distinguished 뛰어난 candidate 지원자 packet 꾸러미, 뭉치 notable 중요한 accomplishment 업적 student council 학생 자치 위원회 acceptance 수락, 수용 respected 권위 있는, 훌륭한 inspiring 고무하는

09

전 세계는 히로시마 폭격에 의한 파괴를 알지만, 많은 사람들이 생존자들이 신체적 장애뿐만 아니라 고통스러운 사회적 어려움을 직면했다는 것은 모른다. 폭탄에 영향을 받은 사람들을 '폭격의 영향을 받은 사람들'이라는 의미의 '히바쿠샤'라고 한다. '히바쿠샤'는 일본 정부로부터 보조금을 받기는 했지만, 이웃들은 방사능 질환이 퍼질 수도 있다는 두려움에 그들을 고용하지 않았다. 같은 이유로 그들은 좀처럼 결혼을 하거나 아이를 가질 수 없었다. 그렇게 전 세계 최악의 사건 중 하나를 겪은 후 **그들은 자국민에게 거부당했다**.

(a) 정부는 그들을 묵살하고 잊었다
(b) '히바쿠샤'는 고통스러운 기억을 극복했다
(c) 미국은 이민을 허가해 주었다
(d) 그들은 자국민에게 거부당했다

히로시마 폭격의 영향을 받은 사람들은 정부의 지원을 받았지만 사람들은 방사능에 대한 걱정 때문에 고용하지 않았고 결혼을 하거나 자식을 갖기도 어려웠다고 하므로, 폭격 사건 후에 자국민들로부터 거부당했다는 결론이 적절하다. 정부가 그들에게 보조금을 주었다고 하므로 (a)는 적절하지 않고, 히바쿠샤들이 극복해 냈다는 내용은 문맥에 맞지 않으므로 (b) 또한 적절하지 않다.

devastation 황폐, 파괴 bombing 폭격 survivor 생존자 explosion 폭발 hire 고용하다 radiation sickness 방사능 숙취[병] spread 퍼지다 live through 겪고 지내다 ignore 묵살하다 permit 허가하다 immigration 이민 reject 거절하다

10

치명적인 결과를 가진 것으로 나타난 벼룩 방지 제품에 주의하세요. 덱스타라고 부르는 이 약을 고양이와 개들이 매달 하나씩 삼킬 수 있습니다. 덱스타에는 번식이 불가능하도록 벼룩을 불임시키는 화학 물질이 들어 있습니다. 벼룩의 생애 주기가 매우 짧기 때문에 빠르게 죽습니다. 원래 불임 화학 물질은 포유동물에게 해가 없다고 생각되었지만, 보도에 의하면 그 약을 여러 해 동안 복용한 대부분의 개와 고양이가 암에 걸린다고 합니다.

(a) 치명적인 결과를 가진 것으로 나타난
(b) 실제로는 애완동물들의 벌레 물림을 증가시키는
(c) 주인들의 바람과 다르게 동물들을 불임시킬 수 있는
(d) 이제 대부분의 수의사들이 추천하는

덱스타라는 벼룩 방지 제품이 불임 화학 물질을 이용해 벼룩을 박멸하는 데에는 효과적이지만, 오랫동안 이 약을 복용한 대부분의 개와 고양이가 이 암에 걸리는 치명적인 결과가 나타났다고 하니 조심하라는 내용이다.

beware 조심하다 flea 벼룩 ingest 삼키다 orally 입을 통해 sterilize 불임시키다 reproduce 번식하다 die off 차례로 죽다 sterilization 불임화 develop cancer 암에 걸리다 deadly 치명적인 veterinarian 수의사

11

로체스터 생명 공학 그룹은 국가마다 상이한 엄격한 규제에 따라 법적 조언을 해 드립니다. 이곳은 110개국 이상의 최고 변호사들의 세계적인 네트워크의 진정한 힘이 나오는 곳입니다. 계시는 지역에서 상담을 제공할 수 있을 뿐더러 국경을 넘나드는 쟁점을 처리하는 데에도 부족함이 없이 조직화되어 있습니다. 생명 공학 분야의 복잡성을 다룰 수 있는 각 지역의 최상의 변호사만을 고용합니다. 현지 정부와 법원에서 고객을 대변하는 데 있어 저희의 전문 지식의 혜택을 확실히 받으실 수 있습니다.

(a) 세계적인 규모로 생명 공학 분야에 영향을 미치는 데
(b) 생명 공학의 정당성에 대한 의식을 도모하는 데
(c) 현지 정부와 법원에서 고객을 대변하는 데
(d) 국경 없는 다국적 조직을 지지하는 데

전 세계적으로 생명 공학 분야에 관한 법적인 분쟁을 다루는 업체의 홍보글이다. 고객이 있는 곳이 어디든 각 지역의 최상의 변호사만을 고용하여 상담을 해 주고, 법과 관련된 전문성으로 고객에게 혜택을 준다는 것이므로 빈칸에는 (c)가 적절하다. 법적 문제에 관한 서비스 제공이므로 (a)와 (b)는 적절하지 않다.

bioscience 생명 공학 regulation 규제 differ from ~에 따라 다르다 attorney 변호사 consultation 상담 coordinate 조직화하다 qualified 자격 있는 cross-border 국경을 넘는 locality 인근, 소재지 complexity 복잡성 expertise 전문 지식 justice 정당성 stand for ~을 지지하다 multinational 다국적의

12

범죄자들은 대부분의 사람들이 다수의 계정에 동일한 아이디와 비밀번호를 사용한다는 것을 알고 있기 때문에 사람들의 신용 카드 정보를 수집하기 위해 단일 데이터베이스를 해킹해 다른 웹 사이트에서 구매에 이용한다. 그들은 특히 소비자가 동일한 로그인 정보를 사용하는 여러 사이트들을 찾을 수 있다면 쉽게 많은 돈을 쓸 수 있다. 그런 이유로 전문가들은 소비자에게 각 온라인 계정에 다른 비밀번호를 사용할 것을 권한다. 그들은 또한 온라인 쇼핑과 인터넷 뱅킹 의존도가 올라가는 것은 신용 도용의 기회를 높일 뿐이라고 지적한다.

(a) 웹에서의 범죄 행위를 약화시킬
(b) 재정 문제에 관한 우리의 인식을 높일
(c) 인터넷 비즈니스의 증가를 지지할
(d) 신용 도용의 기회를 높일

여러 개정에 동일한 아이디와 비밀번호를 사용하면, 해킹으로 개인 정보가 노출될 금전적인 피해가 커질 수 있다는 내용이다. 따라서 온라인 쇼핑과 인터넷 뱅킹에 의존도가 높을수록 신용 도용으로 인한 피해는 늘어날 것이므로 (d)가 알맞다.

criminal 범죄자 multiple 다수의, 많은 account 계정 point out 지적하다 reliance on ~에 대한 의존 weaken 약화시키다 elevate 높이다 financial 재정의 identity theft 신원 도용

13

어린이 학습은 개인의 가치를 정하고 그에 의해 결정을 내리는 방식에 거의 중점을 두고 있지 않다. 학교는 수학과 과학 같은 학업 영역만 강조하는 반면, 어린아이들이 자신에게 무엇이 중요한지, 타인에게 어떻게 대해야 하는지에 대해 초기부터 배우도록 도와주는 수업은 회피한다. 결과적으로, 많은 어른들이 그런 상황에 대해 연습을 거의 하지 않았기 때문에 자신의 진가를 그대로 나타내지 않는 결정을 하게 된다. 하지만 학교가 교수 접근법의 영역을 넓힐 수 있다면 아이들은 보다 완벽한 교육을 받게 될 것이다.

(a) 아이들은 보다 완벽한 교육을 받게 될 것이다
(b) 선생님들은 그들의 수업에 보다 만족하게 될 것이다
(c) 우리의 아이들은 보다 많은 학습 도구를 만들 수 있다
(d) 어려운 과목의 교육이 더 쉬워질 것이다

학교가 학업의 영역만 강조할 게 아니라 가치 판단을 배우는 인성적인 부분까지 교수 접근법의 영역을 넓힌다면, 아이들이 커

서 자신의 진가를 나타낼 수 있다는 내용이다. 따라서 (a)가 가장 적절하다. 학습 도구를 만드는 것과는 별개의 내용이므로 (c)는 알맞지 않다.

determine 결정[확정]하다 accordingly 그에 맞춰 matter 중요하다 treat 대하다 reflect 반영하다 true value 진가, 진정한 가치 practice 연습 broaden 넓히다 instruction 교수 subject 과목

14

자전거와 버스에 주로 의존하는 대도시 거주자들을 위한 새로운 사업이 **의지할 만한 교통수단이 없는 사람들에게** 도움을 준다. 이는 집카라고 불리며, 도시 곳곳의 주차장에 차를 비치해 둔다. 특별한 날에 운전을 해야 하는 사람들은 미리 또는 이용 직전에 온라인이나 전화로 차를 예약할 수 있다. 서비스에 가입해서 1년치 요금을 내야 하지만, 예약된 시간 동안은 차를 열 수 있는 출입 카드를 받게 된다.

(a) 구입하고 싶은 차를 사람들이 시험하는 데
(b) 의지할 만한 교통수단이 없는 사람들에게
(c) 새로운 유형의 자동차를 홍보하는 데
(d) 시에서 증가하는 온라인 접속량을 줄이는 데

자가용이 없지만 필요할 때 예약해서 쓸 수 있는 차량 서비스업에 관한 글이다. 이 서비스는 차가 없는 사람들에게 도움이 될 것이므로 (b)가 적절하다. 차를 구입하는 게 아니라 빌려 쓰는 것이므로 (a)는 적절하지 않으며, 온라인 문제를 언급하고 있지 않으므로 (d)는 문맥에 맞지 않다.

dweller 거주자 rely on ~에 의존하다 place 놓다 occasion 특별한 일 reserve 예약하다 in advance 미리 subscribe 가입하다 access 접근 unlock 열다 reliable 믿을 만한 transportation 교통수단 automobile 자동차

15

윌리엄 셰익스피어는 수백 편의 희곡과 시를 쓴 것으로 알려져 있지만, 오랫동안 그의 작품은 의문시되어 왔다. 그가 정말 그의 이름이 붙은 모든 시와 희곡들의 저자일까? 윌리엄 셰익스피어에 관해 알려진 게 거의 없기 때문에 진실을 알기란 어렵다. **하지만** 최근 그 시대의 것으로 발견된 문서들이 여러 희곡을 쓴 셰익스피어라는 이름의 남성이 언급되어 있음을 보여 주고 있다. 이것이 미스터리를 잠재울 충분한 증거를 제공할지도 모른다.

(a) 그렇지 않으면
(b) 이후에
(c) 하지만
(d) 그에 따라

빈칸 앞에서 윌리엄 셰익스피어의 작품에 의문이 있어 왔고, 그 진실을 알기 어렵다고 했지만, 여러 문서에서 그의 증거들이 발견되었다고 하므로 역접 관계의 접속사인 (c)가 가장 적절하다.

play 극, 희곡 poem 시 in doubt 의심스러운 author 저술하다 bear (이름을) 지니다 refer to ~을 나타내다 sufficient 충분한 evidence 증거 put ... to rest ~을 가라앉히다

16

경극은 중국의 문화적 정신을 대변한다고 한다. 이 예술 형태는 18세기 후반에 처음 나타나서 오늘날까지 이어지고 있다. 무대 위의 드라마를 탄생시키기 위해 음악과 노래, 무술을 사용한다. 경극의 줄거리는 배우의 섬세한 의상과 암시적인 움직임을 통해 주로 전달된다. **그래서** 연기자들은 각 등장인물의 역할을 전달하는 화려한 얼굴 화장을 한다. 동시에 무대 배경은 무척 간단하고 소품은 거의 쓰이지 않아, 관객이 무대 위 사람들에 집중하게끔 한다.

(a) 오히려
(b) 그래서
(c) 마침내
(d) 그렇기는 하지만

빈칸 앞에서 경극의 줄거리가 전달되는 방식을 설명하고 빈칸 뒤에 이에 따른 구체적인 방법이 언급되고 있다. 앞부분은 이유로, 뒷부분은 결과로 보면 (b)가 가장 적절하다.

Beijing Opera 경극 represent 대변하다 martial art 무술 elaborate 정교한 costume 의상 suggestive 넌지시 비추는 ornate 화려하게 장식한 convey 전달하다 prop 소품

Part II

17

우리는 흔히 텔레비전이 휴식을 취하고 즐거움을 얻는 방법이라고 생각한다. 하지만 우리는 하루를 마무리하면서 느긋한 시간을 보내고 스트레스를 푸는 다른 방법이 있다는 것을 잊고 있다. 2주만 텔레비전을 멀리해 보라. 대신 야외에서 새를 관찰하거나 오랜 친구와 대화를 나누면서 시간을 보내면 어떨까? 이런 활동으로 주변의 세상과 관계들을 우리와 연결할 수 있는 반면, 텔레비전은 종종 고립감과 혼자라는 느낌을 줄 수 있다.

Q 이 글의 주된 내용은?
(a) 온종일 TV 시청의 위험성
(b) 휴식을 위한 대안
(c) 여흥의 뜻밖의 형태
(d) 자연을 즐기는 것의 중요성

Actual Test 3

텔레비전을 보는 것 외에 휴식을 취할 수 있는 방법을 제안하고 있으므로 (b)가 알맞다. 자연을 즐기는 일이 언급되었지만 글의 초점은 휴식을 취하는 방법에 맞추어져 있으므로 (d)는 적절하지 않다.

entertain 즐겁게 하다 slow down 느긋해지다 relieve 완화하다 do away with ~을 없애다 isolated 고립된 relax 휴식을 취하다 alternative 대신의 unexpected 뜻밖의

18

중독은 일시적으로 위안을 주는 행위지만, 현재의 상황을 변화시키지는 않는다. 그런 이유로 중독은 반복되는데, 대개 불쾌한 현실에 대처할 수 없다고 느끼는 환경에서 반복된다. 보통 이런 현실은 우리에게 중요한 일이지만, 이것을 바꿀 방법이 없다. 상황을 통제하지 못하도록 막는 것이 무엇인가를 아는 것이 중독의 패턴을 끝내는 것의 시작이다. 그저 충동에 맞서 싸우는 것은 문제의 근원을 해결하지 않는 단기적 접근이 될 뿐이다.

Q 이 글의 주된 내용은?

(a) 중독은 사악한 것을 피하려는 수단이다.

(b) 사람들은 자신의 환경을 관리하도록 배워야 한다.

(c) 중독적인 행위에서 패턴을 볼 수 있다.

(d) 충동과 싸우는 것이 치유를 향한 첫걸음이다.

만족하지 못한 현실에 대처하지 못할 때 중독이 일어나며, 중독은 상황을 변화시키지 못하기 때문에 계속 반복된다고 한다. 중독을 끊기 위해서는 그 충동과 싸우는 것보다, 만족하지 못한 현실에 대해 아는 것이 우선이라는 내용이므로 (b)가 주된 요지이다.

addiction 중독 temporarily 일시적으로 comfort 편안하게 하다 circumstance 상황 repetitive 반복적인 cope with ~에 대처하다 means 수단, 방법 hold back ~을 저지하다 merely 그저 urge 충동 short-term 단기적인 resolve 해결하다 root 근원

19

19세기 초반 스페인은 군주제가 재건되고 있었고, 러시아는 알래스카와 아메리카 대륙의 서부 해안을 따라 확장하고 있었다. 당시 미국의 외교 정책은 그 시점 이후로 유럽과 미국이 정치적으로 분리된다는 것이었다. 후에 먼로주의라고 알려진 원칙에서 미국 정부는 서반구에 새롭게 건국된 나라들은 더 이상 식민 세력의 간섭에 있지 않다고 선언했다.

Q 이 글에 가장 적절한 제목은?

(a) 미국에 대한 유럽의 위협

(b) 미국이 서양을 차지한 방법

(c) 아메리카 대륙의 독립

(d) 제임스 먼로, 제5대 대통령

아메리카 대륙에 대한 유럽의 불간섭주의를 선언한 미국의 외교 정책인 먼로주의에 관한 글이다. 유럽과 미국의 정치적 분리와 식민 세력으로부터의 자유를 선언했다고 하므로 (c)가 가장 적절하다.

monarchy 군주제 restore 복구하다 sphere 영역 politically 정치적으로 Monroe Doctrine 먼로주의 declare 선언하다 Western Hemisphere 서반구 interference 간섭, 방해 threat 위협 independence 독립

20

전 세계에서 가장 돈이 많은 드는 도시 중 7곳이 중국에 있는데, 그중에서도 베이징이 단연 최고다. 베이징에서는 평범한 가정이 평균적인 집을 사는 데 25년이 걸린다. 가격은 너무 빨리 오르고 있으며, 한 달 새 7% 이상 뛰어올랐다. 이것은 중국 정부의 커다란 골칫거리인데, 중국 정부는 생활 물가를 제어하려고 노력 중이다. 가격이 치솟는 만큼, 시민들의 불만도 커지고 있다. 그들은 재정적인 압박을 받고 있고 다른 재화나 서비스에는 소비를 줄일 모양새다.

Q 이 글의 주제는?

(a) 중국 정부가 국가 위기를 해결하기 위해 어떻게 노력하고 있는지

(b) 집 임대료가 치솟는 원인에 대한 자세한 내용

(c) 단 하나의 경제 문제로 인한 복합적인 결과

(d) 사람들이 집을 사기 위해 저금하는 데 쓰는 전략

베이징의 물가 상승으로 파생되는 여러 가지 문제점에 대한 글이므로 가장 적절한 보기는 (c)이다.

out-price (가격 경쟁에서) 이기다 typical 일반적인 average 평범한 living expense 생활비 soar 치솟다 discontent 불만이 있는 crisis 위기 rental 임대 multiple 복합적인 consequence 결과 strategy 전략 housing 주택

21

'큰 권력에는 큰 책임이 따른다'라는 말은 어쩌면 아주 옛날부터 있었던 인간 본성에 대한 현대식 표현이다. 사람들은 자연스럽게 권력이 있는 사람들의 지도를 기대한다. 혁명 전 프랑스 귀족 시대에 귀족이라는 이름이 있는 이들은 이런 도덕적 부담의 무게에 직면했다. 좋은 가문에서 태어난 사람들에게는 특권과 재정적인 지원이 있었던 반면, 이번에는 평민이 귀족으로부터 적절한 행동과 자비를 기대했다. 이런 유산은 '노블레스 오블리주'라는 말로 계속 존재하는데, 귀족은 올바르게 행동할 의무가 있음을 의미한다.

Q 이 글의 주된 내용은?

(a) 사회적 역할은 특정한 종류의 행동을 필요로 한다.
(b) 일반 시민은 권한이 있는 사람들에게 자선을 베푼다.
(c) 노블레스 오블리주는 현대 사회에 더 이상 적용되지 않는다.
(d) 귀족 계급은 친절이 요구되는 법에 따라야 했다.

특권층의 사람들에게는 그에 합당한 자비와 사회적 행동을 기대했다는 내용으로 (a)가 적절하다. 노블레스 오블리주는 현대에도 적용된다는 것을 앞부분으로 알 수 있다.

reword 바꾸어 말하다 instinct 본능 as old as time 매우 오래된 guidance 지도 aristocratic 귀족적인 era 시대 nobility 귀족 (계급) moral 도덕적 privilege 특권 well-born 가문이 좋은 commoner 평민 in turn 차례로, 이번에는 generosity 자비 legacy 유산 obligate 의무를 지우다 assume (성질을) 띠다, 나타내다 authority 권위, 권한

22

미국에서 가장 유명한 한국 영화 한 편이 2003년에 만들어졌고, 현재 유명 미국 감독 스파이크 리에 의해 리메이크되고 있다. 관객들은 새롭게 제작될 영화가 원래 명작에 미치지 못할까 우려한다. 하지만 조시 브롤린이 주연을 맡고 사무엘 L. 잭슨이 조연을 맡아, 이 신작의 조짐이 좋다. 최근 다른 영화에서의 역할로 이제 유명한 브롤린은 리 감독의 버전에는 새로운 장면과 요소가 첨가될 것이지만, 원작의 가장 유명한 장면들은 그대로 재현할 거라고 말했다.

Q 뉴스 보도에 가장 잘 어울리는 제목은?

(a) 곧 개봉할 한국 영화의 미국 버전 미궁에 빠지다
(b) 한국 명작이 새로운 관객을 위해 수정될 예정이다
(c) 영화를 개선하기 위해 예전 이야기가 새로운 형태로 나오다
(d) 유명 미국 배우들이 외국 영화를 되살리고 있다

한국 영화가 미국에서 리메이크될 것이며, 새로운 요소가 들어갈 것이지만 가장 유명한 장면은 그대로 재현할 것이라 했으므로 (b)가 가장 적절하다. 이미 명작 영화이며, 리메이크가 원작에 미치지 못할까 우려한다고 하므로 (c)는 적절하지 않다. 영화 자체에 대한 보도이므로 배우에 대해 언급하는 (d)도 알맞지 않다.

director 영화감독 live up to (다른 사람 기대에) 부응하다 masterpiece 명작 play the lead 주연을 맡다 supporting role 조연 promising 유망한, 촉망되는 in doubt 의심하여 revise 수정하다, 바꾸다 revive 소생하게 하다

23

과학자들이 줄어드는 꿀벌의 개체수 복원을 시도하는 한편, 지역 사회 단체들도 자신의 역할을 하고 있다. 그들은 벌 보호에 관한 인식을 높이기 위해 미국과 캐나다에서 전국 꿀벌의 날을 출범했다. 곤충들이 정상적인 식물 개체 수 유지를 책임지고 있기 때문에 꿀벌의 수가 감소한다는 소식은 사람들의 행동을 이끌었다. 최근의 이러한 응답은 사람들이 자신의 벌집을 갖기 시작하는 데 도움이 된다. 그리고 꽃을 만발하게 하는 이 날아다니는 일꾼들과 조화롭게 사는 방법과 유해한 살충제에 관한 교육도 제공한다.

Q 이 글에 의하면 다음 중 옳은 것은?

(a) 전국 꿀벌의 날은 이제 몇 년이 되었다.
(b) 살충제는 꿀벌의 개체 수에 영향을 주지 않는다.
(c) 새로운 단체들이 꿀벌의 복원을 도우려 애쓰고 있다.
(d) 곤충의 중요성을 이해하는 사람들이 거의 없다.

과학자들 외에도 지역 사회의 단체들이 꿀벌 개체 수 복원을 위해 노력하고 있다는 내용이다. 따라서 새로운 단체가 꿀벌의 복원을 위해 애쓰고 있다는 (c)가 옳다.

declining 줄어드는, 감소하는 launch 착수하다 raise 일으키다 diminished 감소된 prompt 유도[촉발]하다 beehive 벌집, 벌통 pesticide 살충제 live in harmony with ~와 사이좋게 지내다 bloom 꽃을 피우다 recover 복원, 회복

24

시드니 인근의 벨뷰 호텔은 머무는 동안 휴식을 취하시도록 아늑하고 편안한 객실을 제공합니다. 무료 셔틀 버스를 타고 15분 만에 시내 중심가를 다녀오실 수 있습니다. 버스는 시드니 타워와 컨벤션 센터, 달링 하버에서 5분밖에 안 걸리는 서큘러 부두에 정차합니다. 호텔 시설을 말씀드리면, 회의실은 초고속 인터넷과 시청각 장비를 갖추고 있습니다. 헬스클럽과 24시간 룸서비스도 이용하실 수 있습니다. 모든 객실에는 무료 와이파이와 위성 채널이 나오는 텔레비전이 있습니다.

Q 광고에 의하면 다음 중 옳은 것은?

(a) 투숙객은 비즈니스 발표 준비를 할 수 있다.
(b) 호텔은 달링 하버까지 도보로 가능한 거리이다.
(c) 호텔에서는 수영과 웨이트 리프팅이 가능하다.
(d) 출장 온 사람들은 자유롭게 회의실을 이용할 수 있다.

호텔에 인터넷과 시청각 장비를 갖춘 회의실이 있다고 했으므로 비즈니스 발표를 호텔에서 할 수 있음을 알 수 있다. 달링 항구에서 서큘러 부두까지가 5분 거리이지만 호텔과의 거리는 알 수 없으므로 (b)는 적절하지 않고, 수영장이 있다는 언급은 없으므로 (c) 또한 적절하지 않다. 회의실을 투숙객이 자유롭게 이용할 수 있다는 언급은 없으므로 (d) 또한 옳지 않다.

comfortable 아늑한 quay 부두 harbour 항구 audio-visual 시청각의 equipment 장비 satellite channel 위성 채널 within walking distance 걸어서 갈 수 있는 거리에

25

로켓 과학은 대개 수준이 높은 과학자들과 관련이 있다. 하지만 고대 역사를 보면 기본적인 로켓 연료, 즉 화약은 우연히 개발된 것일 수 있다. 로켓의 정의에 들어맞는 최초의 장치는 중국에서 발명되었다. 많지 않은 자료에 근거하여, 역사가들은 중국 화학자들이 영원히 살 수 있는 약을 만들기 위해 애쓰는 중에 불꽃놀이용 화약을 발견했다고 본다. 다른 물질들을 결합해 시험하던 중에 마침내 물체를 공중으로 쏘아 올릴 수 있는 발상을 알아냈다.

Q 이 글에 의하면 로켓 과학에 관해 다음 중 옳은 것은?

(a) 고대 중국의 의학적 치료였다.
(b) 그 역사가 완벽하게 문서로 기록되어 있지 않다.
(c) 무기 제작을 위해 빠르게 발전되었다.
(d) 계획된 실험의 산물이었다.

많지 않은 자료에 근거하여 역사가들이 중국 화학자들이 화약을 발견했다고 생각한다고 하므로 (b)가 가장 적절하다. 불로초를 찾기 위해 실험하던 중 우연히 발견된 것이므로 (d)는 적절하지 않다.

associate 연관 짓다 rocket fuel 로켓 연료 gunpowder 화약 accidentally 뜻하지 않게 definition 정의 collection 수집 historian 역사가 chemist 화학자, 약사 firework 불꽃놀이 substance 물질 uncover 알아내다, 폭로하다 launch 발사하다 treatment 치료 document (상세한 내용을) 기록하다 evolve 발달[진화]하다 weapon 무기 experiment 실험

26

오늘날 대학생들은 졸업 후에 갚아야 하는 상당 금액의 대출을 받는다. 하지만 어려운 경제 상황에서 보수가 많은 일자리는 거의 없고, 졸업생들은 빚더미에서 벗어나기 위해 수십 년을 고생한다. 새로운 방침은 그 부담을 줄여 줄 것이다. 이 방식은 학생들의 등록금을 선불로 내준다. 졸업 후에 대출자들은 돈을 얼마나 버는지에 상관없이 매년 소득의 고정된 비율을 낼 것이다. 현재 체계와 비슷하게 들리지만, 경제적으로 어려운 시대에 저임금을 받는 학생들의 숨통을 트이게 해 줄 것이다.

Q 이 글에 의하면 제안된 방침에 대해 다음 중 옳은 것은?

(a) 대학이 등록금을 낮추도록 할 것이다.
(b) 학업적으로 최고의 성적을 보이는 학생들에게 수여한다.
(c) 대출자의 졸업 후 소득을 고려한다.
(d) 대학이 덜 소비하고 더 저축하도록 하도록 독려한다.

대학생들 대출의 문제는 졸업 후 보수가 좋지 않아도 대출금을 갚느라 고생한다는 것이다. 이를 해결하기 수입에 상관없이 자기 소득의 고정 비율을 내게끔 하는 것이므로 (c)가 가장 적절하다.

decade 10년 debt 빚 lessen 덜어 주다 tuition 등록금 up front 선불로 borrower 빌리는 사람 income 소득 spare 면하게 하다, 할애하다 wage 임금 financial 재정적인 reward 상을 주다

27

1982년 포클랜드 전쟁 30년 후, 영국 해군이 전쟁 관련 문서를 공개했다. 문서는 우리의 해양 친구들에 대한 별나고 약간은 슬픈 소식을 담고 있었다. 아르헨티나 잠수함으로 오인하여 영국 해군 함정이 고래 두 마리를 어뢰로 공격했고, 헬리콥터가 세 번째 고래를 사살했다. 바다에 고래 기름이 떠 엉뚱한 표적이 맞았다는 것을 알았을 때, 비행사는 그린피스에 가입하겠다는 모순적인 생각을 했다. 군사 전문가들에 의하면 수중 음파 탐지 기술이 이후로 향상되어 그런 사고가 되풀이될 일은 거의 없다고 한다.

Q 이 글에 의하면 다음 중 옳은 것은?

(a) 영국 해군이 해양 동물을 부당하게 죽인 것을 사과했다.

(b) 군사 전문가들은 이러한 실수는 전쟁에서 불가피하다고 말했다.

(c) 문서에서는 의도한 표적을 탐지하는 데 오류가 있었음을 인정했다.

(d) 한 환경 단체는 모든 음파 탐지 기술의 개선을 약속했다.

전쟁 관련 문서에 고래를 아르헨티나 잠수함으로 오인하여 공격했다고 했으므로 옳은 것은 (c)이다. 군에서 사과했다는 내용은 없으며, 군사 전문가는 음파 탐지 기술이 발전하여 이런 실수는 거의 없다고 말했다.

release 공개[발표]하다 navy 해군 mistake for ~으로 오해하다 submarine 잠수함 torpedo 어뢰로 공격하다 ironic 모순적인 sonar technology 수중 음파 탐지 기술 incident 일, 사건 wrongful 부당한 unavoidable 회피할 수 없는 admit 인정하다 detect 발견하다, 탐지하다 intended 의도된

28

〈폴리애나〉는 메리 픽포드가 1919년에 공동 설립을 도왔던 유나이티드 아티스트 영화사에서 찍은 그녀의 첫 영화였다. 이 영화는 같은 제목의 유명 아동 도서를 바탕으로 한 것이었다. 영화 제목이기도 한 주인공 폴리애나는 아버지가 돌아가신 후 차갑고 냉혹한 숙모 집에 와서 살게 된다. 하지만 무한한 낙관주의로 그녀는 만나는 모든 이들에게 긍정적으로 생각하도록 영향을 준다. 심지어 자신의 엄격한 후견인의 삶도 나아지게 한다. 픽포드는 27살이었지만, 12살의 주인공을 연기했다.

Q 이 글에 의하면 영화에 관해 다음 중 옳은 것은?

(a) 주인공은 젊고 낙관적인 여배우였다.

(b) 등장인물이 도시 기능을 바꾼다.

(c) 그 영화사는 어린이 이야기는 거의 만들지 않았다.

(d) 명랑한 소녀에 관한 이야기였다.

아동 도서를 원작으로, 낙관적이고 밝은 소녀가 주변 사람들을 긍정적으로 변화시킨다는 내용의 영화라고 하므로 옳은 것은 (d)이다. 주인공인 여배우의 성격에 대한 언급은 없으므로 (a)는 적절하지 않다.

co-found 공동 설립하다 harsh 냉혹한 pass away 죽다 optimism 낙관주의 strict 엄격한 guardian 후견인 protagonist 주인공

29

알래스카의 만연의 골짜기는 1912년 화산 분출로 형성되었는데, 100번이 넘는 지진을 겪으며 모양이 형성된 곳이다. 최초 분출로 20세기 다른 어떤 때보다 큰, 13입방킬로미터의 땅을 바꾸어 놓았다. 이 골짜기의 이름은 최초 폭발 후 그곳을 조사했던 지질학자가 지었다. 그가 도착했을 때 땅의 수천 곳에서 연기가 올라오는 것을 목격했다. 결국에는 무너진 그 지역은 무수한 작은 협곡을 남겼고, 이제는 100제곱킬로미터에 걸쳐 있다.

Q 이 글에 의하면 이 골짜기에 관해 다음 중 옳은 것은?

(a) 한 번의 폭발이 오늘날 그곳의 모양을 만들었다.

(b) 그곳의 풍경은 여러 지질학적인 사건들의 산물이다.

(c) 새어 나오는 연기 때문에 동물이 살 수 없는 곳이 되었다.

(d) 지구상에 가장 강력한 화산 분출로 형성되었다.

이 골짜기는 화산 분출로 형성되어 100번이 넘는 지진으로 형성된 것이므로 (b)가 가장 적절하다. (d)는 지문으로 보아서는 알 수 없다.

volcanic 화산의 eruption 폭발 displace 옮겨 놓다 cubic 입방체의 geologist 지질학자 survey 조사하다 explosion 폭발 collapse 붕괴되다 canyon 협곡 escape (가스가) 새다 unlivable 살 수 없는

30

수단에서 22년간의 게릴라전 이후 아프리카의 최장기간 내전은 2005년 평화 협정으로 마무리되었다. 그리고 2011년 투표로 그 나라는 수단과 남수단으로 나뉘어 1993년 에리트레아 건국 이후 처음으로 새로운 아프리카 국가가 되었다. 이 새로운 국경 아래, 수단 석유 매장량의 3/4이 현재 남수단에 위치해 있지만, 그럼에도 이 국가는 후진국 상태로 남아 있다. 남수단 자체는 여러 민족적, 언어적 집단으로 구성되어 있다. 대부분이 이슬람교인 수단과 대조적으로, 대다수가 그 지역의 오래된 종교들을 따른다.

Q 이 글에 의하면 남수단에 관해 다음 중 옳은 것은?

(a) 1993년에 수단으로부터 독립하였다.
(b) 수단보다 석유 자원을 더 적게 보유하고 있다.
(c) 남수단은 에리트레아 독립의 결과였다.
(d) 남수단의 문화는 다양하다.

글의 후반부에 남수단은 여러 가지 민족적, 언어적 집단들로 구성되어 있고 종교도 다양하므로 (d)가 적절하다. 남수단은 1993년이 아니라 2011년에 독립하였으며, 에리트레아 독립과의 연관성에 대한 언급은 없다.

guerilla warfare 게릴라전 civil war 내전 peace agreement 평화 협정 oil reserves 석유 매장량 underdeveloped 저개발국의 ethnic 민족의 linguistic 언어의 majority 대다수 in contrast to ~와 대조적으로 petroleum resources 석유 자원

31

리차드슨 씨께
업타운 콘도의 침실 두 개짜리 아파트의 대기자 명단에 귀하의 성함이 다음 순서입니다. 거주자가 막 이사를 가서 다음 차례가 되셨습니다. 하지만 모든 지원자는 범죄 이력 심사를 통과하셔야 합니다. 승인이 완료되면 첫 달 집세는 6월 15일까지 내셔야 합니다. 아파트 예약을 위해 4일 안에 이 이메일에 답을 주셔야 하며, 그렇지 않으면 다음 분에게 연락이 될 것입니다. 아시다시피 많은 분들이 업타운 콘도에 살고 싶어 하십니다.
업타운 콘도 관리부 드림

Q 편지에 의하면 리차드슨 씨가 5일을 기다렸다가 답신하면 어떻게 될 것인가?

(a) 배경 심사에서 떨어질 것이다.
(b) 월세를 더 많이 내야 할 것이다.
(c) 이사할 기회를 놓칠 것이다.
(d) 자기 집을 당장 떠나야 한다.

4일 안에 답신하지 않으면 다음 사람에게 연락할 것이라고 했으므로, 5일 뒤에 연락한다면 이 아파트로 이사할 수 없을 것이다.

waiting list 대기자 명단 resident 거주자 move out 이사 나가다 applicant 지원자 criminal background 범죄 이력, 전과 기록 screening 조사, 심사 approve 승인하다 be eager to ~하고 싶어 하다

32

더치커피라고 알려진 것은 사실 우연히 발견되었다. 17세기 네덜란드 상인들은 인도네시아에서 이국적인 물건들을 싣고 고향으로 돌아오기 위해 출항했다. 이러한 선박 중 한 척이 커피를 싣고 가던 중, 높은 파도에 찬물에 푹 젖어 버렸다. 남은 커피는 독특하지만 좋은 맛이 났다. 오늘날 카페에서 차가운 물에 더치커피를 우리는 일은 몇 시간이 걸리는데, 끓는 물을 이용할 때보다 빻은 원두에서 색다른 맛을 뽑아낸다. 원두에서 더 적은 산도와 카페인이 추출되어 마시기에 더 부드럽다.

Q 이 글에 의하면 더치커피에 관해 다음 중 옳은 것은?

(a) 스팀으로 내린 커피보다 맛이 더 풍부하고 부드럽다.
(b) 네덜란드인들은 커피를 내리는 대체 방법을 고안할 생각이었다.
(c) 시간이 걸리는 제조 과정으로 인해 가격이 비싸다.
(d) 주로 인도네시아에서 자란 커피 원두로 만든다.

끓는 물로 내릴 때보다 색다른 맛이 나고, 더 적은 산도와 카페인이 추출되어 마시기에 더 부드럽다고 하므로 (a)가 적절하다. 우연히 발견된 것이므로 발명의 의도가 있었던 것은 아니므로 (b)는 옳지 않다. 인도네시아는 네덜란드 배의 출항지로 언급되었을 뿐, 더치커피 원두의 원산지라는 내용은 없으므로 (d) 또한 적절하지 않다.

by chance 우연히 sail from ~에서 출항하다 exotic 이국적인 soak 흠뻑 젖다 brew (차를) 끓이다, 우려내다 ground 빻은 acid 산, 신맛이 나는 것 time-consuming 시간이 걸리는 manufacturing procedure 제조 과정

33

질병에 대한 저항력을 높이는 것에 관해서 흔히 많을수록 좋다고 생각한다. 실제로 건강한 신체에는 박테리아가 많이 몰려 있는데, 이 박테리아의 다수가 소화 기관과 다른 내부 기관의 유지에 기여한다. 결론적으로 체내 정교한 박테리아 서식지가 건강을 조정하는 데 도움을 준다. 다양한 신체 기관들이 잘 작동하도록 하는 것은 바로 이런 미세한 세계의 균형이다. 면역 체계를 높이기 위해 영양제나 비타민을 섭취하는 것만으로 우리가 볼 수 없는 다른 과정들도 향상시키지 못할 뿐 아니라 몸의 저항력을 높일 수 없다.

Q 이 글에 의하면 면역 체계에 관해 다음 중 옳은 것은?

(a) 요소들의 정교한 결합 속에서 잘 자란다.

(b) 우리를 둘러싼 외부 요인들에 의해 규칙적으로 방해를 받는다.

(c) 자주 약을 투여하면 질병과 싸울 때 가장 좋은 위치에 있다.

(d) 좋은 영양이 매일 공급되면 가장 긍정적으로 반응한다.

면역 체계를 강화하기 위해서는 박테리아가 정교하게 모여 있어야 도움이 된다는 내용으로 (a)가 가장 적절하다. 글의 말미에 영양제나 비타민을 섭취하는 것만으로 몸의 저항력을 강화하는 것은 아니라고 하므로 (c)와 (d)는 알맞지 않다.

when it comes to ~에 관한 한 boost 신장시키다 resistance 저항력 disease 질병 concentration 집중 digestive 소화의 maintenance 유지 microscopic 극히 작은 supplement 보충물 immunity 면역력 enhance 강화하다 thrive 번창하다 exterior 외부의 medicate 약을 투여하다

34

〈쥐라기 공원〉의 원작 소설에는 마지막 장면에서 티라노사우루스 렉스가 등장하지 않는다. 스티븐 스필버그 감독이 관객을 열광시키기 위해 영화의 마지막 장면에 이 공룡을 넣었다. 사실 티라노사우루스 렉스는 쥐라기 시대 다음인 백악기 시대가 되어서야 존재했다. 두 개 공룡 종만 빼고, 소설과 영화에서 등장한 대부분의 공룡은 쥐라기 시대가 끝난 후 수백만 년 뒤에나 출현하는 것들이다. 진화 생물학은 이런 경우, 스크린으로 살아 돌아온 공격적인 공룡을 본다는 스릴에 밀려난다.

Q 이 글로부터 영화 〈쥐라기 공원〉에 관해 유추할 수 있는 것은?

(a) 원작 소설에서 볼 수 있는 공룡들을 면밀히 따라갔다.

(b) 몇몇 공룡만이 연대기적으로 일치한다.

(c) 티라노사우루스 렉스는 영화의 시대에 속하지 않았던 유일한 공룡이었다.

(d) 스필버그 감독은 정확성을 기하기 위해 철저하게 공룡학자들의 의견을 구했다.

실제 쥐라기 시대에 출현했던 공룡은 영화와 소설 속에서 두 개의 종밖에 없었다고 하므로 (b)가 가장 적절하다.

finale 대단원 wow 열광시키다 dinosaur 공룡 evolutionary biology 진화 생물학 take a backseat to ~에 밀리다 aggressive 공격적인 chronologically 연대순으로 accurate 정확한

35

심혈관계 운동은 특히 뇌로 가는 혈액과 산소의 흐름을 도와 새로운 신경 세포 형성을 돕는다. 특히 나이 든 사람들은 신체적으로 활동적인 생활을 유도함으로써 근육량과 정신 기능이 감소하는 것을 어느 정도 막을 수 있다. 이에 더하여 연구에 의하면 야외 운동은 이점을 더해 준다. 야외 운동은 실내의 트레드밀이나 페달 운동 기구에서의 반복적인 움직임이 필요 없고, 다양한 근육을 사용한다. 또한 사람들은 야외 운동이 더 즐거워, 더 규칙적으로 운동하게 되었다고 한다.

Q 이 글로부터 유추할 수 있는 것은?

(a) 실외 운동은 실내 운동보다 뇌에 훨씬 더 좋다.

(b) 트레드밀은 페달 운동 기구보다 건강상의 이점이 더 적다.

(c) 심장 건강을 목표로 하는 활동들은 나이가 들었을 때 가장 좋다.

(d) 체육관에서 하는 운동은 신체 단련의 의지를 약화시킬 수 있다.

심혈관계 운동의 이점에 대해 언급하면서 여기에 도움이 될 수 있는 야외 운동의 장점에 대해 이야기하고 있다. 실내의 반복적인 운동보다 다양한 근육을 사용하고, 더 규칙적으로 운동할 수 있기 때문에 좋다고 하므로 그 반대인 실내에서 하는 운동은 비교적 의지가 약화될 수도 있다는 것을 유추할 수 있다.

cardiovascular 심혈관계 workout 운동 nerve cell 신경 세포 folk 사람들 muscle mass 근육량 repetitive 반복적인 stationary bicycle 실내 페달 운동 기구 work 사용하다 target 목표로 삼다 cardio health 심장 건강 undermine 약화시키다 commitment 의지, 약속 fitness 신체 단련

36

퀴즈 쇼 〈당신의 머리는 5학년보다 똑똑한가요?〉는 참가자들에게 초등학교 교과서의 문제들을 풀도록 하는데, 정답을 맞힐 때마다 상금을 현금으로 지급했다. 질문이 너무 어려울 때는 5학년짜리 초대 패널 한 명이 도와줄 수 있었다. 영국판 프로그램도 구성이 유사하다. 그런 방송들이 양국에서 모 인기가 있었던 것은 시민들의 지적 수준 하락에 대한 관심을 나타낸다. 사람들이 비디오 게임과 생각할 필요가 없는 시트콤을 더 좋아하는 것과 함께, 그 퀴즈 쇼는 아이큐 수준이 떨어지고 있는 안타까운 추세를 부각시키고 있다.

Q 다음에 논의될 내용으로 가장 적절한 것은?

(a) 사회의 지적 능력 저하에 대한 증거

(b) 다른 나라들의 파생 프로그램 목록

(c) 참가자들에게 묻는 질문의 예

(d) 사람을 더 똑똑하게 만드는 활동들에 관한 상세 내용

마지막 문장에서 지적 수준이 하락하고 있는 추세에 대해 언급하고 있으므로 이다음에 논의될 내용으로 이를 뒷받침하는 (a)가 가장 적절하다.

contestant 참가자 elementary 초등의 textbook 교과서 reward 보상, 상금 correct 옳은 spinoff 파생 popular 인기 있는 intelligence 지능 appetite 욕구 mindless 머리 쓸 필요 없는 highlight 부각시키다 brainpower 지적 능력

37

예수 탄생 몇 세기 후, 새 종교 지도자인 마호메트는 이슬람 종교를 창시했다. 젊은 시절에 마호메트는 평범한 상인이었지만 신의 목소리를 들은 후로는 자신의 종교적인 통찰을 기록하기 시작했으며, 이것은 이후에 코란으로 정리되었다. 마호메트는 수많은 신봉자들을 끌어들여 다양한 부족을 통합했다. 하지만 많은 사람들은 수 세기 동안 자리 잡고 있던 종교를 유지하기를 원하며 저항했다. 그럼에도 불구하고, 마호메트의 신봉자들은 그의 사후에 무슬림 제국을 일궜으며, 이슬람을 세계에서 두 번째로 큰 종교로 바꿔 놓았다.

Q 이 글로부터 이슬람에 대해 유추할 수 있는 것은?

(a) 반대 세력은 가까스로 이슬람을 한 지역에 가둘 수 있었다.

(b) 반대하는 자들이 이슬람이 퍼지는 것을 막았다.

(c) 많은 사람들을 매료시켰으며 시간이 흐르면서 퍼져 갔다.

(d) 이슬람의 이념은 다른 부족에게로 구전되었다.

수많은 신봉자들을 끌어들였고, 오늘날 세계에서 두 번째로 큰 종교로 커졌다고 하므로 (c)가 가장 적절하다. 마호메트의 기록은 코란으로 정리되었다고 하므로 (d)는 알맞지 않다.

merchant 상인 numerous 수많은 follower 신봉자, 추종자 unite 통합하다 tribe 부족 resist 반항하다 spiritual 영적인 in place 자리 잡은 oppose 반대하다 appeal to ~의 호감을 사다 orally 구두로, 입을 통해서

Part III

38

영화 〈레인맨〉의 이야기에 맞게, 작곡가 한스 짐머는 특이한 악기를 선택했다. (a) 그와 함께 작업한 사람들은 그의 방식이 효율적일 거라는 것에 강한 의심을 보였다. (b) 여행 영화에서 들을 수 있는 보통의 기타나 현악기 대신, 신시사이저와 드럼을 이용했다. (c) 이런 이상한 음들로 주인공인 레이먼드의 불안한 감정을 반영했다. (d) 이것은 효과가 있었고, 그는 영화 음악으로 아카데미상 후보에 올랐다.

작곡가 한스 짐머의 일반적이지 않은 악기 선택이 영화에 긍정적인 효과를 더해 성공적이었다는 내용이다. 하지만 (a)에서는 동료들의 의구심에 대해 언급하고 있으므로 글의 흐름에 어울리지 않는다.

composer 작곡가 unorthodox 특이한 doubtful 의심을 품은 approach 접근법 synthesizer 신시사이저 reflect 반사하다 be nominated for ~의 후보로 지명되다 score (영화의) 배경 음악

39

유럽은 LTE쪽으로 기울이는 최근 미국의 추세에 진지하게 주목해야 할 것이다. (a) 그 전환은 버라이존 사가 휴대폰 산업에서의 선두를 탈환하려고 시도하면서 박차를 가하고 있다. (b) 유럽의 여러 경영자들이 초반의 전략을 유지하는 한면, 기술들을 혼합하여 적용하고 있다. (c) 버라이존 사는 이미 LTE-A와 VoLTE 방식으로 전환하고 있는 아시아를 따라잡으려 애쓰고 있다. (d) 그러는 동안 고속 3G+ 네트워크에 대한 유럽의 투자는 LTE로의 전환에 경쟁력 없는 압박이 되고 말았다.

유럽이 미국의 LTE 추세에 주의를 기울여 경쟁력을 확보해야 한다는 내용이다. 첫 문장에 이어 (a)와 (c)에서 버라이존 사의 활동에 대해 언급하고, (d)에서는 그런데도 유럽은 경쟁력 없는 투자를 한다는 내용으로 연결되는 것이 자연스럽다.

take note of ~에 주목하다 switch 전환 strategy 전략 operator 경영자 play catch-up 따라잡으려 애쓰다 convert 전환되다 investment 투자 competitive 경쟁력 있는

40

연방 통상 위원회가 확인한 바로, 재택근무 공고들은 2-3% 정도만이 합법적이다. (a) 겉으로는 손쉬워 보이는 기회들의 대다수가 실제로는 일자리를 찾는 사람들에게서 돈을 갈취하려는 속임수일 뿐이다. (b) 정당한 제안들이 있는데 종종 학위나 경력, 전문 지식을 요구한다. (c) 대표적인 예가 봉투 넣는 일인데, 실제로는 경제적 가치가 없는 쓸모없는 제품들을 만지는 일이다. (d) 뭔가 문제가 있다는 다른 징후로는 고용 전에 피해자가 수수료를 내야 하는 것으로, 이것은 엄밀히 말해 불법이다.

재택근무 공고의 대다수가 불법적이라는 내용이다. (b)는 합법적인 광고에 대한 것이므로 불법적인 재택근무에 관한 내용에서 벗어난다.

work-at-home 재택근무 legitimate 적당한, 합법적인 majority 대다수 seemingly 겉보기에 steal 훔치다 degree 학위 expertise 전문 지식 classic 전형적인 pay a fee 수수료를 지불하다 technically 엄밀히 말해 illegal 불법인

Actual Test 4

p.190

Part I

01 (d) 02 (c) 03 (a) 04 (b) 05 (b) 06 (a)
07 (a) 08 (d) 09 (b) 10 (c) 11 (b) 12 (d)
13 (d) 14 (b) 15 (d) 16 (a)

Part II

17 (b) 18 (d) 19 (a) 20 (a) 21 (c) 22 (b)
23 (b) 24 (c) 25 (c) 26 (c) 27 (d) 28 (b)
29 (c) 30 (a) 31 (a) 32 (b) 33 (d) 34 (b)
35 (c) 36 (a) 37 (d)

Part III

38 (d) 39 (a) 40 (c)

Part I

01

오늘날 기업들은 **제품을 빠르게 대량으로 생산하는** 기술 없이는 사업을 할 수 없다. 이 기술은 헨리 포드가 자동차를 개발했던 100년도 더 전에 가능했던 일이다. 최초의 차 중 하나인 포드 사의 모델 T가 큰 인기를 끌면서 회사는 그만큼 빨리 차량을 생산해 낼 수 없었다. 바로 그때 포드는 공장을 확장하고 이동식 조립 라인을 새로 만들어, 노동자들이 보다 효율적이 되도록 했다. 이 발명으로 회사는 더 빠르게 제품을 만들 수 있었고, 낮은 비용을 유지할 수 있었다.

(a) 사람들이 요구하면 차량을 생산하는
(b) 기계만을 이용해 제품을 만드는
(c) 전기로 달리는 차량을 만들어 내는
(d) 제품을 빠르게 대량으로 생산하는

헨리 포드가 공장을 확장하고 이동식 조립 라인을 만들어 제품을 빨리, 낮은 비용으로 만들 수 있었다는 내용이 이어지므로 빈칸에는 제품을 빨리, 많이 생산하는 기술이 적절하다.

corporation 기업 do business 사업하다 expand 확장하다 assembly line 생산 라인 efficient 능률적인, 효율적인 cost 비용 rapidly 빠르게 in large numbers 대량으로

02

더 많은 고등학교에서 학생들을 주방에 투입하여 학교 급식을 돕도록 하고 있다. 이것은 학생들이 요리 기술을 배우고 식당 운영에 무엇이 필요한지 이해할 수 있도록 하는 훈련 프로그램이다. 참가 학생들은 재료와 메뉴, 조리법에 관한 결정을 돕는다. 교내 식당에서 그들의 반 친구들도 이제 냉동 포장 음식 대신 점심으로 건강에 좋은 것들을 먹기 때문에 그 프로그램을 좋아한다. 학교 관계자들은 많은 요리사들을 고용할 필요가 없고 학생들이 직접 해보는 학습을 경험하기 때문에 좋아한다. **이 제도가 모두에게 득이 되는** 것이다.

(a) 학생들이 공부하지 않고 일을 하는
(b) 이 프로그램이 학생들의 대학 준비를 돕는
(c) 이 제도가 모두에게 득이 되는
(d) 학교가 그들의 교수법을 점검했던

고등학교에서 학생들이 급식을 돕는 것에 대한 이점을 말하고 있다. 그리고 이런 프로그램을 학생들과 학교 관계자들 모두 좋아하므로 가장 알맞은 것은 (c)이다.

school meal 학교 급식 culinary 요리의 run 운영하다 ingredient 재료 cafeteria 교내 식당 frozen 냉동된 packaged 포장된 official 관계자, 당국 hands-on 실전의, 직접 해 보는 arrangement 제도, 방식 benefit 득이 되다, 유익하다 overhaul 정비[점검]하다

03

수십 년간 수백 만 명의 사랑을 받아온 록밴드 롤링스톤스는 2010년에 멤버 키스 리차드가 자신의 회고록을 출간하면서 거의 해체될 뻔했다. 그 책에서 그의 밴드 친구들에 관한 일부 내용이 매우 안 좋은 감정을 불러일으켜 밴드가 해체되었다. 하지만 2012년 관계를 회복하기 위해 그룹이 뭉쳤다. 그들은 심지어 전 세계 재결합 투어도 시작했다. 롤링스톤스의 공연을 다시 들을 수 없을 거라고 우려했던 팬들은 이제 **좋아하는 가수의 부활을 축하하고 있다.**

(a) 좋아하는 가수의 부활을 축하하고 있다
(b) 잃어버린 시간으로 인해 슬퍼졌다
(c) 밴드의 최신 앨범을 구입하고 있다
(d) 이전 라이브 공연의 추억을 즐기고 있다

많은 사랑을 받았던 록밴드가 해체되었다가 재결합하여 세계 투어를 착수했다는 내용이다. 따라서 그들의 공연을 다시 들을 수 없을 거라고 생각했던 팬들은 기뻐하고 축하한다는 내용이 빈칸에 알맞다. 새로운 음반을 내는 것이 아니므로 (c)는 적절하지 않다.

adore 숭배하다 fall apart 산산조각 나다 memoir 회고록 mate 친구 sour 안 좋은, 불쾌한 break up 해산하다 come together 뭉치다 repair 바로잡다 set out on ~에 착수하다 reunion 재결합 fear 걱정[우려]하다 revival 부활 be saddened by ~로 슬퍼지다

04

모든 애완견들에게 매일 털 손질이 필요한 여러 가지 이유가 있다. 주요 이점은 문제점들을 살펴보면서 동물의 건강 유지를 돕는 데 있다. 피부의 상처나 기생충을 조기에 발견할 수 있다. 부기나 불편한 움직임, 체온 변화는 모두 경고 신호이다. 게다가 이런 일상적 행위를 통해 주인은 개와 더 가까운 유대감을 형성할 수 있어 개들이 더 가족의 일원처럼 되도록 한다. 이런 식으로, 개는 **더 행복하고 더 건강한 애완동물**이 된다.

(a) 벌레나 피부 문제로부터 더 자유로운 동물
(b) 더 행복하고 더 건강한 애완동물
(c) 더 어리고 건강한 동물
(d) 벼룩 검사를 받는 대상

애완견의 털을 손질해 주면 여러 가지 이점이 있다고 한다. 우선 동물의 건강을 유지시킬 수 있고, 그 다음으로 정신적 유대감을 느낄 수 있다는 것이다. 따라서 털 손질로 인해 개는 더 건강하고 행복한 동물이 된다는 내용이 빈칸에 어울린다. (a)는 이점의 일부만을 언급하므로 적절하지 않다.

necessity 필요 grooming (동물의) 털 손질 primary 주된, 기본적인 monitor 지켜보다 cut 상처 parasite 기생충 swelling (살의) 부기 body temperature 체온 warning sign 경고 신호 bond 유대감 flea 벼룩

05

미국의 성인들이 40년 전보다 당분을 2배나 더 섭취하고 있다는 것을 아십니까? 우리는 단것을 너무 많이 먹으면 건강에 좋지 않다고 알고 있습니다. 하지만 새로운 연구에 의하면 당분은 유독할 수 있다고 합니다. 과학자들은 쥐를 실험 대상으로 하여, 식단에 당분이 증가하면 조기 사망에 이를 수 있다는 사실을 발견했습니다. 쥐들에게 25프로의 당분을 더 투여했을 때 자신의 영역을 지키거나 새끼를 낳을 가능성이 더 낮아졌습니다. 이것은 동물들이 **스스로를 돌볼 능력**을 잃었다는 신호였습니다.

(a) 불어났던 추가 체중
(b) 스스로를 돌볼 능력
(c) 다른 음식 재료에 대한 내성
(d) 문제 해결을 위한 사고력

당분이 유독할 수 있다는 증거로 쥐에게 당분을 더 투여하면 자기 영역을 지키거나 번식할 가능성이 낮아졌다고 하므로 동물들이 잃은 것은 스스로를 챙길 능력이라고 볼 수 있다.

sweet 단것 test subject 실험 대상 early death 조기 사망 territory 영역 weight 무게, 체중 gain 얻다,

증가하다 care for 돌보다 tolerance 내성, 저항력 food source 음식 재료 thinking skill 사고력

06

철도에 열광하는 사람들은 업계를 중심에 둔 팬 층의 가장 오래된 예를 대표한다. 자동차 팬들과 성질은 비슷하지만 역사적으로 나중에 등장했다. 기차에 매료된 이유는 아무래도 이해하기 쉽다. 기차에는 경치의 엄청난 모습과 기계의 아름다움, 철로를 달리는 낭만이 있다. 모형 철도는 기차 팬이 되는 것의 일부이다. 어떤 사람은 간소하게 기차 세트를 보유하는 반면, 다른 이들은 **모형 경치를 완성하는** 정교한 설계를 만드는 데 투자한다.

(a) 모형 경치를 완성하는
(b) 기차역이나 기차에서 일하는
(c) 팬들이 취미로 시작하게끔 독려하며
(d) 여행자들에게 현대적이고 최신인

접속사 while을 중심으로 앞뒤의 내용이 대조되는 구조이다. 앞 문장에서 간소한 세트를 언급했으므로 빈칸에서는 그에 대조되는 (a)가 가장 적절하다.

enthusiast 열광적인 팬 fandom 팬 층 center around ~에 중점을 두다 nature 속성 fascination 매혹, 매료됨 understandable 이해하기 쉬운 colossal 엄청난 mechanical 기계와 관련된 elaborate 정교한 layout 배치, 설계 take up 시작하다 up-to-date 최신의

07

상상하기 힘들겠지만 혼자 춤추는 것이 부적절한 때가 있었다. 1960년대까지 미국에서는 거의 모든 춤을 파트너와 함께 췄다. 하지만 전국에 걸쳐 문화적인 변화가 시작되면서 많은 사회적 기대들이 도전을 받았다. 기성세대와 젊은 세대는 전쟁, 관계, 예술 등 많은 주제를 둘러싸고 더욱 분열되었다. 동시에 음악은 더욱 시끄럽고, 더 공격적이고, 노골적인 예술가들을 포함하는 방향으로 발전하였다. 노래가 변화하면서 **음악에 맞춰 움직이는 방식도 달라졌다**.

(a) 음악에 맞춰 움직이는 방식도 달라졌다
(b) 새로운 정치적 관심들을 반영했다
(c) 세대 간의 관계도 달라졌다
(d) 사회적 신념 체계도 바꾸었다

글의 도입부터 주목해 보면 예전에는 파트너와 같이 춤을 추었던 것이 문화적으로 변하고 음악도 변화하면서 사람들의 춤의 방식도 달라졌다는 결론을 낼 수 있다. 사회와 문화가 바뀌어 음악에 변화가 생겼다는 것이므로 (d)는 적절하지 않다.

improper 부적절한 set in 퍼지기 시작하다, 일어나다 social expectation 사회적 기대 generation 세대 divided on ~을 둘러싸고 분열된 evolve 발달[진화]하다 aggressive 공격적인 outspoken 노골적인 belief system 신념 체계 transform 변형시키다

08

신입생들에게 알립니다!

교육부에 따르면 내년 모든 9학년 학생들은 **새로운 학업 기준을 충족시켜야 합니다.** 전 학생들은 미술 수업을 4시간 대신 6시간 이수해야 합니다. 우등으로 졸업하고 싶은 학생들은 미적분학 I과 미적분학 II를 통과해야 합니다. 하지만 체육 교육이 필요하다면 이제 헬스장이나 학교 이외의 체육 수업에 참석하는 것을 허가합니다. 마지막으로 전 학생들은 총 30시간 중 6시간 이상 인증된 자원봉사 활동을 수행해야 합니다. 그에 맞춰 계획을 짜고 졸업에 필요한 모든 것을 확실히 하기 위해 학교 상담 교사와 이야기하세요.

(a) 학업 전략을 개선해야만 합니다
(b) 예술적인 기술을 슬며시 배우게 됩니다
(c) 신체 활동을 늘릴 필요가 있습니다
(d) 새로운 학업 기준을 충족시켜야 합니다

빈칸 뒤에 instead of, now 등의 표현을 봤을 때 새로운 학업 기준을 제시하고 있음을 알 수 있다. 따라서 (d)가 가장 적합하다. 학업 전략에 관한 것이 아닌 학업 수료 기준을 공고하는 것이므로 (a)는 알맞지 않다.

calculus 미적분학 requirement 필수 physical education 체육 certificated 인증된 ensure 확실히 하다 refine 개선하다 tactic 전략 slip in 알아채지 않게 들어가다 physical 신체적인

09

유명한 미국 흑인 토크쇼 진행자 오프라 윈프리가 최근 방송에서 취리히의 고급 상점에서 쇼핑을 하던 중 푸대접을 받았다고 말했다. 오프라의 말에 의하면, 그녀는 여점원에게 값비싼 핸드백을 보여 달라고 요청했다. 그 여점원은 그 핸드백이 '너무 비싼' 것이라며 거부했다. 오프라는 그 여성이 자신이 유명한 연예인이라는 것을 알아보지 못했고 자신의 인종 차별적인 생각을 드러냈던 것이라고 말한다. 이는 오프라가 자주 이야기해 왔던 이슈로, 유색인은 결코 **디자이너 제품을 살 만큼 성공할** 수 없을 것이라는 생각이다.

(a) 미국의 유명한 TV 연예인이 될
(b) 디자이너 제품을 살 만큼 성공할
(c) 최첨단 유행 아이템을 맵시 있게 입을
(d) 인종 차별적 사건을 보도할 만큼 용감할

윈프리에게 '너무 비싼' 것이라며 물건을 보여 주지 않은 것은 그녀에게 그만한 돈이 없을 것이라고 가정했다고 볼 수 있고, 바꾸어 말하면 빈칸에는 (b)가 알맞다. 빈칸 앞의 부정어 never에 주의하자.

host 진행자 mistreat 홀대하다 celebrity 유명인사, 연예인 reveal 드러내다 discriminatory 차별적인 assumption 추측, 추정 a person of color 흑인, 유색인 personality 유명인 prosperous 번영한, 성공한 stylishly 맵시 있게 fashionable 유행하는 courageous 용감한 racist 인종 차별적인

10

한국의 명절인 추석의 전통 음식인 송편은 **그 안에 다양한 소가 들어 있는** 반달 모양의 떡이다. 그 안에는 참깨와 꿀을 버무린 것이나 달콤한 팥 반죽을 넣는다. 송편이라는 이름은 문자 그대로 소나무와 찐 떡이라는 의미로, 원래 떡을 솔잎과 함께 쪄 그 향이 스며들도록 했던 것에서 유래한다. 이 음식의 역사는 고려 시대로 거슬러 올라가는데, 전통적으로 가족들끼리 공동으로 준비했다.

(a) 사람들에게 행운을 주기 위해 먹는
(b) 다른 음식들과 곁들이는
(c) 그 안에 다양한 소가 들어 있는
(d) 그 모양이 추석의 보름달과 비슷한

빈칸 뒤에 송편의 소로 들어가는 것에 대해 설명하고 있으므로 가장 적절한 것은 (c)이다.

half-moon 반달 rice cake 떡 sesame seed 참깨 combination 혼합, 화합 sweetened 달콤한 paste 반죽 adzuki bean 팥 literally 문자 그대로 pine tree 소나무 steamed (음식을) 찐 pine needle 솔잎 absorb 빨아들이다 fragrance 향 date back to ~로 거슬러 올라가다 communally 공동으로 accompany 곁들이다 filling (음식의) 속, 소 resemble 닮다 harvest moon 보름달

11

아시아 패션은 여러 면에서 유럽에서 흔히 입는 옷보다 더 과감하고 대담한 것 같다. 한국과 일본에서 종종 입는 미니스커트와 무릎 양말은 재치 넘치고 동시에 우아한데, 이런 의상은 독일이나 런던의 거리에서는 흔히 찾아볼 수 없다. 맵시 있고 세련된 옷은 유럽 국가에서 분명히 찾아볼 수 있지만 대부분의 사람들이 매일 입는 의상은 아니다. 하지만 한국과 일본의 대중문화는 서구에서 더 많은 관심을 얻고 있기 때문에 그들의 **옷 입는 트렌드에도 영향을 미칠지도 모른다**.

(a) 의상 선택이 그들 자신을 표현할지도 모른다
(b) 옷 입는 트렌드에도 영향을 미칠지도 모른다
(c) 음악과 영화는 새로운 패션에 영감을 줄지도 모른다
(d) 디자인 회사들은 돈을 더 벌 듯하다

아시아의 옷 입는 스타일은 과감하지만 유럽에서 그런 스타일은 일상적이지 않다고 한다. 하지만 아시아의 대중문화의 영향으로 서구의 패션에 영향을 미칠지 모른다는 내용이 적절하다. 음악과 영화는 직접 언급하지 않았으므로 (c)는 옳지 않다.

daring 과감한 bold 대담한 knee-high 무릎 높이의 playful 재치 넘치는 elegant 우아한 outfit 의상 sleek 맵시 있는 sophisticated 세련된

12

많은 사람들은 순수하게 운동으로 요가를 하지만 불교 사상과 명상을 포함하는 수업도 있다. 이런 수업들도 근육을 강화하고 유연성을 증가시키는 트레이닝을 하면서 정신적 보상 또한 제공한다. 그런 수업은 사람들로 하여금 느긋하고 마음을 진정시키면서 일상의 감정과 압박에서 물러나 시간과 고요, 공간을 준다. 결과적으로, 이런 수업은 **정신적, 육체적 보상을 모두 제공한다**.

(a) 사람들이 종교적 의문들을 해결하도록 돕는다
(b) 지역 사회에서 신체 단련을 더 쉽게 하도록 한다
(c) 일상생활의 일부로 명상을 장려한다
(d) 정신적, 육체적 보상을 모두 제공한다

요가를 하면 육체적으로 좋지만 정신적인 보상도 있다고 하므로 (d)가 가장 적절하다.

practice yoga 요가를 하다 purely 순전히, 전적으로 Buddhist thought 불교 사상 meditation 명상 strengthen 강화하다 flexibility 유연성 spiritual 정신적인 reward 보상 quiet 고요 religious 종교적 fitness 신체 단련, 운동

13

원자력의 개념은 1933년 런던에서 일하던 헝가리 과학자가 처음 생각해낸 것이다. 하지만 이 초기의 발상에는 핵에너지에 매우 중요한 핵분열이 들어 있지 않았다. 분열은 원자들을 분열시켜서 자유 중성자를 생성하고, 따라서 **전기 생성에 필요한 물질을 만드는 것이다**. 이 기술은 1942년에 개발되었다. 이 새로운 능력으로 1951년 아이다호에 세계 최초의 원자력 발전소가 건설되었다. 우연한 일이지만 이곳은 세계 최초의 원자력 발전소 용융 사건이 일어난 곳이기도 했다.

(a) 최신 핵무기 제작에 이용될 수 있다
(b) 불필요한 에너지원인 태양 에너지를 만든다
(c) 전기가 정전될 가능성을 없앤다
(d) 전기 생성에 필요한 물질을 만드는 것이다

빈칸 뒤의 내용을 보면 이러한 아이디어를 이용해 발전소를 건설했다고 했으므로 전력을 생산하는 것이 주된 목적이었음을 알 수 있다. 따라서 (d)가 가장 적절하다. 나머지 선택지들은 원자력의 개념과 거리가 멀다.

nuclear power 원자력 nuclear fission 핵분열 split 분열시키다 atom 원자 free neutron 자유 중성자 capability 능력, 역량 nuclear plant 원자력 발전소 incidentally 우연히 meltdown (금속의) 용융 utilize 이용[활용]하다 nuclear weapon 핵무기 solar energy 태양 에너지 energy source 에너지원 possibility 가능성 blackout 정전

14

건물의 건축 양식에 대해 이야기할 때 **다양한 해석이 가능할** 수 있다. 대부분의 주택들이 여러 가지 스타일의 혼합체이기 때문에 종종 혼란스럽다. 자재들은 어느 한 시기에 속하는 것인 반면, 그 구조 체계는 다른 것에 영향을 받아 왔을지도 모른다. 그 구조상의 다른 부분들도 찾아볼 수 있다. 지붕은 현대주의자나 스페인의 영향을 받은 것인 반면, 지붕, 문이나 방 전체는 보다 고전적인 느낌일 수 있다. 이런 이유로 부동산 중개인과 건축가 같은 두 전문가들이 같은 건물을 다르게 설명할지 모른다.

(a) 하나의 정의에 동의하기 쉬울
(b) 다양한 해석이 가능할
(c) 새로운 디자인 창조의 가능성이 있을
(d) 다소 애매모호한 용어로 설명될

건물이 여러 가지 스타일로 혼합된 경우가 많다는 이야기로 보아 건물에 다양한 해석이 가능할 수 있을 것이라는 (b)가 가장 적절하다. 새로운 디자인을 창조한다는 것과 한 건물에 여러 가지 양식이 있다는 내용은 다르므로 (c)는 적절하지 않다.

architectural style 건축 양식 mixture 혼합체 material 재료, 자제 modernist 현대주의자 classical 고전적인 real estate agent 부동산 중개인 architect 건축가 interpretation 해석 vague 애매모호한 term 용어

15

기업들은 보통 이용 가능하고 가격이 적정한 도시 경계에 월마트 같은 '커다란 상자 같은 상점'을 짓는다. 앨라배마 주에 있든 미네소타 주에 있든 상점은 똑같이 생겨서 기업들이 동일한 디자인을 반복해서 이용하면 돈을 절약할 수 있다. 하지만 이제 도시가 커지고 자리를 찾기 더 힘들어지면서 상점 모델을 수정해야 한다. **그 결과**, 기업들은 옛날 거리의 상점과 창고 같은 기존의 공간을 사용하고 평면도를 꼭 맞게 다시 디자인해야 한다. 결국 사업적으로 돈을 더 쓰게 되는 것이지만 점포는 더 흥미롭고 다양한 모습을 갖추게 된다.

(a) 또한
(b) 그에 반해서
(c) 간단히 말해서
(d) 그 결과

빈칸 앞에서 도시가 커짐에 따라 반복적으로 이용했던 상점 모델을 수정해야 한다고 했고, 뒤에서 새로운 환경에 맞게 다시 디자인해야 한다고 했으므로 인과성을 나타내는 (d)가 가장 적절하다. 빈칸 앞뒤의 내용이 병렬적으로 연결되지 않으므로 (a)는 올 수 없다.

city limit 도시 경계 identical 똑같이 생긴 alter 수정하다 existing 현재 있는 storefront (거리에 면한) 상점 정면 warehouse 창고 floor plan (건물의) 평면도 varied 다양한

16

매일 같은 경로를 길동무와 함께 걸어서 출근하는 한 남자가 있었다. 함께 가는 사람은 대개 말이 없었지만, 그 남자는 가는 길이 단조롭다고 느꼈다. 그래서 생각을 많이 하지 않고 떠오르는 것은 뭐든지 쉴 새 없이 말했다. **그럼에도 불구하고** 그의 친구는 듣기만 하고 아무런 말도 하지 않았다. 어느 날, 그 친구는 남자에게 일주일 전에 이야기했던 것을 기억할 수 있느냐고 물었다. 그가 기억하지 못하자, 친구는 그에게 대화는 중요한 것이며, 지금 하는 말이 나중에 스스로를 대변할 것이라고 주의를 주었다.

(a) 그럼에도 불구하고
(b) 그런 이유로
(c) 분명히
(d) 예를 들어

빈칸 앞에서는 남자가 아무 말이나 계속했다는 이야기가 나오고 빈칸 뒤에서는 친구가 듣기만 하고 아무 말도 하지 않았다고 했으므로, 역접의 의미인 (a)가 가장 적절하다.

companion 동료, 말동무, 길동무 route 경로 journey 여정 monotonous 단조로운 continuously 끊임없이 caution 경고하다 speak for ~을 대변[대표]하다

Part II

17

마타 하리라고 알려진 마그레타 젤은 가장 유명한 20세기 여성 중 한 명이다. 이 네덜란드 출신의 미인은 수많은 유명한 남성들을 즐겁게 한 이색적인 무대 공연자였다. 화려한 그녀의 삶은 첩보 행위로 프랑스에서 처형당하면서 비극적인 끝을 맞이했다. 그런데 새로 출간된 도서에서는 마타 하리가 범죄에 전혀 연루되지 않았을지도 모른다는 점을 시사한다. 그녀가 유죄임을 밝히는 데 사용된 문서의 결함을 인용하면서, 이 책은 마타 하리는 프랑스가 주변국들을 극도로 두려워했을 당시에 억울하게 처벌받았다고 주장한다.

Q 이 글의 주요 내용은?
(a) 유명세에서 불행으로 치달은 한 여성의 몰락
(b) 한 역사적인 인물에 대한 새로운 정보
(c) 오랫동안 해결되지 않았던 범죄
(d) 유명한 공연자의 유산

공연자였지만 첩보 행위로 처형당한 여성에 대한 이야기로, 처형이 잘못된 것이었을지도 모른다는 사실을 밝히고 있으므로 그녀에 대한 새로운 정보라고 볼 수 있다. 마타 하리가 명성을 얻었다가 처형을 당하면서 비극적으로 몰락했다는 것은 맞지만 그 자체에 관한 내용이라기보다 그 사실에 관한 새로운 정보가 주된 내용이므로 (a)는 알맞지 않다.

exotic 이국적인 glamour 화려함 tragically 비극적으로 execute 처형하다 spying 첩보 행위 commit 연루되다, 저지르다 cite 인용하다 gap 갈라진 틈, 결함 falsely 속여서, 부정하게 punish 처벌하다 intensely 극도로 fall 추락, 몰락 fame 명성, 유명세 disaster 재해, 불행 figure 인물 unsolved 해결되지 않은 legacy 유산

18

중앙아메리카 고지에서 재배된 풍부한 맛을 즐기는 분들은 멀리서 찾을 필요가 없습니다. 해발 고도 4천 피트의 다양한 희귀 게이샤 상록 관목에서 자라는 코아바는 그 최고급 품질로 차별성을 이어오고 있습니다. 그랑하 리초 고원의 기업 농장은 그 지역에 식물의 다양성을 가져오기 위한 정부의 지원으로 나무를 심었습니다. 혼합 재배로 강한 열대 과일 맛이 시큼한 초콜릿 맛과 섞이도록 합니다. 유기농 재배의 소규모 로스팅을 전문으로 하는 이 회사는 커피콩의 신선함과 독특함을 자부합니다.

Q 주로 광고하고 있는 것은?
(a) 중앙아메리카 산의 프리미엄 과일
(b) 수확을 위한 혁신적인 기법
(c) 인정받은 가정 재배 사업
(d) 고품질의 가공된 농산물

한 커피 상품을 광고하는 글로, 후반부에서 커피콩 상품임을 알 수 있다. 최고급 품질의 유기농 커피콩을 로스팅해서 상품으로 내놓는 것이므로 (d)가 가장 적절하다. 로스팅하는 커피콩을 과일이라고 보기는 어려우므로 (a)는 적절하지 않다.

high-grown 고지에서 재배된 rare 희귀한 evergreen shrub 상록 관목 elevation 고도 distinguish 차별화하다 plateau 고원 botanical 식물의 intense 강한 tropical 열대의 fruitiness 과일 맛 tart 시큼한 organically 유기농으로 small-scale 소규모의 roasting 굽기 pride 자부하다 distinctive 독특한 premium 고급의, 값비싼 innovative 혁신적인 harvesting 수확 established 인정받은, 정평이 난 home-grown 집에서 가꾼 processed 가공된

19

환경과 식품 건강에 관한 최근의 논쟁은 유전적으로 변형된 유기체, 즉 GMO를 중점적으로 다루고 있다. 이 유기체는 추운 날씨에 견디는 것과 같이 특정 결과를 이루기 위해 그것의 DNA 구조가 변형된 식품들이다. 현재에는 GMO가 인체에 해를 끼친다는 얼마 되지 않은 증거들이 있을 뿐이다. 하지만 불확실함과 우려로, 활동가들은 기업들이 자기 제품에 GMO가 들어 있는지 여부를 구매자에게 알릴 필요가 없기 때문에 걱정하고 있다. 최근 보다 많은 구매자들이 정보를 제공받기를 원하고, 그것에 관해 공개적으로 말하고 있다.

Q 이 글의 주제는?
(a) GMO 제품에 라벨을 붙이기 위한 노력들
(b) DNA의 변화에 대한 연구
(c) 식품 가격이 적정하도록 만들 방법들
(d) 농작물이 겨울을 견디도록 돕기

GMO가 인체에 미치는 해로움에 대한 증거는 적지만 어떤 제품에 GMO가 들어 있는지 회사에서는 알릴 의무가 없기 때문에 모르고 먹을 수 있다고 우려한다. 그리고 그것에 관해 알기를 원하고, 공개적으로 이런 문제에 대해 발언한다고 하므로 (a)가 글의 주제로 가장 적절하다. GMO가 DNA 변형을 통한 것이지만, 이 글은 DNA 변형 연구보다는 GMO가 인체에 미치는 영향과 모르고 먹을 수 있다는 우려에 초점이 있으므로 (b)는 알맞지 않다.

genetically 유전적으로 modified 변형된 organism 유기체 alter 변경하다 outcome 결과(물) tolerance 내성 cause damage 해를 끼치다 uncertainty 불확실성 label 라벨을 붙이다, 필요한 정보를 적다 method 방법 crop 농작물 survive ~에서 살아나다, 견디다

20

이탈리아의 모험적인 동굴 잠수부들이 로마 외곽의 하드리아누스 황제의 고대 궁전의 인근에서 길과 통로로 된 지하 조직망을 발견했다. 2세기 동안 하인과 상인들이 이 길을 이용해 궁전들 사이로 사치품들을 수송했다고 알려진다. 터널이 지하에 있었기 때문에 이는 농부들이 물건을 옮길 때 황제가 자신의 시야를 방해하는 그들을 보지 않아도 됐으며, 이전에 역사가들에 의해 알려지지 않았던 계급 의식을 의미했다. 연구자들은 또한 제국의 수준 높은 삶의 방식을 암시하는 용수와 하수 시설도 발견했다.

Q 이 글에 가장 적절한 제목은?

(a) 고대 생활에 관한 새로운 증거를 발굴하다

(b) 매장되었던 길들이 새로운 이동 방법을 제공하다

(c) 로마 황제는 시민들이 안 보이길 원했다

(d) 가망 없는 발견으로 이끄는 사건

지하 장치의 발견을 통해 고대 수송에 대한 새로운 정보들을 알게 되었다는 내용의 지문이다. 따라서 제목으로 가장 적절한 것은 (a)이다. 이 발견이 새로운 이동 방법을 제시한다고는 볼 수 없으며, 이 시스템이 당시에 단순히 시민들을 감추기 위한 것이라는 요지도 아니므로 적절하지 않다.

underground 지하의 passage 통로 servant 하인 merchant 상인 transport 수송하다 luxury good 사치품 emperor 황제 peasant 소작농 interrupt 방해하다 view 시야 class distinction 계급 의식 previously 이전에 historian 역사가 sewage system 하수 시설 sophisticated 수준 높은, 정교한 empire 제국 unearth 발굴하다, 파내다 buried 파묻힌, 매장된 adventure 모험, 희한한 사건 unlikely 있을 법하지 않은

21

캘리포니아에서 자폐증 진단을 받은 어린이의 수가 불과 8년 만에 4만 명으로 꾸준히 증가하고 있다. 자폐아들이 특수 교육 학생의 대다수를 차지하고 있는 반면, 다른 진단 역시 증가 추세를 보이고 있다. 이 기록은 또한 심장 상태와 천식, 간질 때문에 장애 수가 증가하고 있음을 보여 준다. 동시에 학습 장애가 있는 아이들은 줄어든 것으로 보고되었다. 한 부문은 증가했는데 다른 부문은 감소한 것이 환경 조건이나 다른 원인 때문인지 그 이유는 분명하지 않다.

Q 이 글의 주된 내용은?

(a) 진단의 더 정밀한 방법

(b) 아동의 자폐증에 대해 밝혀진 이유

(c) 발육기에 영향을 미치는 건강의 추세

(d) 장애인들을 위해 변화하는 상황들

어린이들 사이에 자폐증, 심장병, 천식, 간질 등 진단 수가 증가했고 학습 장애가 있는 아이들은 줄었다고 설명하고 있으므로 어린이들의 건강 상태의 변화에 관한 내용으로 볼 수 있다.

diagnose 진단하다 autism 자폐증 steadily 꾸준히 comprise 차지하다 majority 대다수 special education 특수 교육 impairment (신체적·정신적) 장애 asthma 천식 epilepsy 간질 learning disability 학습 장애 decline 쇠퇴, 하락 the disabled 신체장애자들

22

몇 년간 전쟁 통에 살았던 아프가니스탄은 최근 파키스탄 원정팀을 초청해 십몇 년 만에 처음으로 축구 경기를 열었다. 그 경기는 두 나라 간의 평화적인 노력을 위한 것이었지만, 관람석에 모든 이들은 경기를 매우 진지하게 받아들였다. 아프가니스탄 팀이 3대0으로 이기자 팬들은 마치 월드컵에서 우승한 것 같았다고 말했다. 역시 점수가 중요했지만, 그 경기는 분명 사람들을 화합시키고 잠시나마 전쟁의 부담을 잊게 하는 데에는 성공했다.

Q 이 글의 주제는?

(a) 아프가니스탄에 스포츠 행사들의 재개

(b) 한 힘겨운 국가에 의미 있는 경기

(c) 향후 정치적 결정을 판가름할 경기

(d) 경기가 국제 현안을 해결하는 방식

오랫동안의 전쟁에 지친 국가가 축구를 통해 국민이 화합의 시간을 가지고 전쟁을 잊게 해 주었다고 하므로, 주제로 적절한 것은 (b)이다. 스포츠 행사들이 정상적으로 재개되었다는 것이 아니라 다른 나라와 한 번의 축구 경기를 가졌고 그 의미에 초점을 맞추고 있으므로 (a)는 적절하지 않다.

stand 관중석 matter 중요하다, 문제되다 return 재개
meaningful 의미 있는, 중요한 struggling 발버둥이 치는
determine 결심시키다 competition 경쟁, 시합

23

신 나는 주말을 위해 세계에서 가장 유명한 로큰롤 밴드들이 뉴욕 시에 모여 3일간 공연을 할 것입니다. 이 밴드 무리들은 50개국에 상당하는 세계 각지에서 오고 있습니다. 음악 애호가들은 싱글 패스를 구입해 축제의 모든 공연에 입장할 수 있습니다. 1일 패스나 단일 공연 티켓을 구입할 수도 있습니다. 밴드들은 첼시와 그리니치빌리지, 소호에 있는 클럽에서 무대를 펼칠 것입니다.

Q 공고에 의하면 축제에 관해 다음 중 옳은 것은?
(a) 인기 있는 현지의 음악가들을 축하한다.
(b) 다양한 티켓 패키지를 제공한다.
(c) 다양한 예술 형식들을 화합한다.
(d) 많은 음악적 다양성을 특징으로 한다.

싱글 패스를 구입할 수도, 1일 패스, 단일 공연 티켓을 구매할 수도 있으므로 다양한 티켓 종류를 판다고 한 (b)가 가장 알맞다. (a)는 세계에서 유명한 밴드들이 오는 것이므로 현지 공연가들이 아니다. (d)는 로큰롤 음악들이라고 했으므로 다양성과는 거리가 멀다.

notable 유명한, 주목할 만한 collection 무리, 더미
represent ~에 해당[상당]하다 music-lover 음악 애호가
access 입장하다, 이용하다 take the stage 무대를 펼치다
performer 공연가 diverse 다양한 feature 특징으로 하다 variety 다양(성), 갖가지

24

한국계 미국 작가인 폴 윤이 신작 소설 〈스노 헌터스〉는 젊은 남성 요한이 한국 전쟁 말에 포로수용소에서 풀려난 후의 이야기를 그리고 있다. 북한으로 돌아가는 대신 요한은 브라질로 가서 일본인 재단사 밑에서 일한다. 책은 요한의 새로운 삶과 수용소에서의 절망적인 장면들을 오고 간다. 이제 자유의 몸이 된 요한은 여전히 고독에 시달리지만, 새로 사귄 친구들은 빗속에서 그에게 우산을 주고, 여행복을 대신할 새 옷 한 벌을 주는 등 그에게 소소한 도움을 준다.

Q 이 글에 의하면 책에 관해 다음 중 옳은 것은?
(a) 주인공은 영웅의 역할을 한다.
(b) 한국의 정치적 복잡성을 탐구한다.
(c) 전쟁 전후 한 남성의 삶을 묘사한다.
(d) 줄거리는 하나의 직선적인 연대기로 흐른다.

한국 전쟁을 겪은 요한이라는 남자 주인공의 삶을 전쟁의 기억들과 함께 묘사한다고 하므로 (c)가 가장 적절하다. 책은 주인공의 새로운 삶과 전쟁 중의 절망적이었던 삶을 교차해서 보여준다고 하므로 (d)는 옳지 않다.

release 석방 war camp 포로수용소 tailor 재단사
alternate 엇갈리다, 교차하다 despairing 절망적인
plague 괴롭히다 loneliness 고독 complexity 복잡함
depict 묘사하다 linear 직선의 timeline 연대표

25

듀어 씨께
저는 맬러리라고 하며 집에서 요리를 즐기는 사람들을 위한 블로그 HomeCookery.com을 운영합니다. 이 사이트에는 엄마들을 위한 수많은 요리법이 있으며, 고정 방문자 수가 3만 명 정도고 하루에도 수천 명이 보러 옵니다. 저는 귀하의 회사가 제가 온라인에 올리는 제품 후기의 일부로 참여하고 싶으신지 궁금합니다. 이런 일은 제 블로그에 상당히 도움이 되고, 귀하의 회사를 광고하는 효과도 있습니다. 모든 제품들은 솔직한 후기를 받게 되며 귀하의 제품에 관심이 있을 만한 사람들이 보게 될 것입니다.

Q 편지에 의하면 맬러리에 관해 옳은 것은?
(a) 요리하는 엄마나 다른 사람들과 접촉할 길을 모색하고 있다.
(b) 그녀의 블로그는 매일 평균 3만 개의 조회 수가 있다.
(c) 자기 블로그에 회사의 제품을 리뷰하길 원한다.
(d) 그녀는 최신 주방 기기를 이용해서 집에서 요리하는 것을 좋아한다.

맬러리는 요리 블로그를 운영하는 사람으로 듀어 씨의 회사 제품 리뷰를 자신의 블로그에 올리고 싶다는 의사를 전하고 있다. 블로그는 이미 고정 방문자가 많기 때문에 (a)는 적절하지 않고, 리뷰를 올리기 위해서 요리 관련 제품을 쓰겠지만 그것이 최신 기기인지는 알 수 없으므로 (d)도 알맞지 않다.

operate 운영하다 recipe 요리법 approximately 거의
spread the word 말을 퍼뜨리다 average 평균 ~이 되다
high-end 고급의 gadget 도구

26

많은 사람들이 풍미를 높이기 위해 음식에 흔히 사용하는 재료인 MSG가 술이나 흡연보다 훨씬 더 위험하다고 생각한다. 특히 미국의 식품에서는 크래커나 샐러드 드레싱 같은 엄청나게 많은 종류의 통조림 식품과 포장 식품에 MSG를 쓴다. 많은 사람들은 자신이 MSG를 많이 먹고 있다는 것을 자각하지 못할 뿐만 아니라, 그것의 안 좋은 점도 알아차리지 못한다. MSG는 해를 입는 정도까지 몸 안의 세포를 자극한다. 이것은 대부분 뇌와 신경계에 영향을 미쳐 학습 장애나 파킨슨병을 유발할 수 있다.

Q 이 글에 의하면 MSG에 관해 다음 중 옳은 것은?
(a) 좋은 맛 때문에 확인하기가 힘들다.
(b) 유해성을 알기 때문에 종종 적게 쓴다.
(c) 해로운 영향이 일반적으로 알려져 있지 않다.
(d) 식품 라벨 표시 목록에 없기 때문에 널리 먹고 있다.

중간에 많은 사람들이 자신이 MSG를 많이 먹는 것을 모르고 MSG의 안 좋은 점도 알지 못한다고 하므로 (c)가 가장 적절하다. (b)는 글과 반대의 내용이며, 사람들이 스스로 많이 먹는다는 것을 모른다고 했지 식품의 라벨에 쓰여 있지 않다는 언급은 없으므로 (d) 또한 적절하지 않다.

ingredient 성분 enhance 높이다 flavor 맛, 풍미 canned 통조림을 한 packaged food 포장 식품 aware 알아차리고, 깨닫고 downside 안 좋은 점, 단점 excite 자극하다 nervous system 신경계 learning disability 학습 장애 Parkinson's disease 파킨슨병

27

오늘날의 청소년들은 휴대 전화를 손쉽게 이용할 수 없을 때는 시간도 제대로 기억하지 못한다. 기기에 대한 그들의 애착이 때로는 부모들에게 궁금증을 일으킨다. 청소년들은 친구들과 함께 있는 것보다 기계와 있는 것이 더 편한 걸까? 새로운 연구들은 청소년들이 그들의 부모들이 그랬던 것보다 사생활 문제와 자신을 나타내는 방식에 더 영향을 받는다는 것을 보여 준다. 하지만 동시에 요즘 아이들도 부모가 그랬던 것과 똑같은 것들을 걱정한다. 그들도 학업과 우정, 가족, 미래에 가장 큰 중요성을 부여하는 것이다.

Q 연구에 의하면 오늘날의 청소년들에 관해 다음 중 옳은 것은?
(a) 휴대폰에 대한 의존이 그들을 사랑하는 사람들과 갈라놓는다.
(b) 소셜 미디어 사이트에 대한 관심이 위험한 행동으로 이어질 수 있다.
(c) 온라인에서 스스로를 보호할 유용한 방법들을 배우고 있다.
(d) 앞서 수십 년 전 10대들과 똑같은 것들을 걱정한다.

사람보다 기계와 더 친숙해 보이는 요즘의 청소년도 그들의 부모가 그랬던 것처럼 같은 것들에 대해 걱정하고 중요함을 부여한다고 하므로 (d)가 가장 알맞다.

readily 손쉽게 attachment 애착 fellow 동료의 young adult 청소년 privacy 사생활 present 나타내다, 표현하다 academics 학문 reliance on ~에 대한 의존 risky 위험한

28

몸이 안 좋다고 느낄 때 이제 자기 집에서 의사를 만날 수 있다. 화상 카메라를 이용해 인터넷으로 환자들을 만날 의사를 찾는 일은 쉽다. 이 서비스는 목이 아프거나 머리가 아픈 것 같은 가벼운 문제를 겪는 사람들만 이용한다. 확실히 꿰매거나 엑스레이 촬영이 필요할 때는 소용이 없다. 하지만 사이버 의료는 환자들이 보다 편하게 도움을 얻을 수 있게 하고, 건강 문제를 치료하는 것이 쉽고 더 저렴한 초기에 치료를 구하게끔 장려한다.

Q 이 글에 의하면 다음 중 옳은 것은?
(a) 병고를 겪는 사람은 누구나 온라인으로 의사를 만날 수 있다.
(b) 가상 의료는 사소한 건강상의 문제를 예방하는 데 도움이 된다.
(c) 웹 기반의 치료는 저소득 환자들을 위한 것이다.
(d) 오프라인으로 의료 도움을 받는 것은 매우 비싸다.

몸에 가벼운 문제가 있을 때 이용할 수 있는 사이버 의료 서비스에 관한 글이다. 글의 마지막에, 편하게 의료 서비스를 받을 수 있어서 치료하기 쉽고 가격도 적절한 초기에 치료를 받게 된다고 한다. 따라서 증세가 더 심각해지는 것을 예방할 수 있게 된다. 가벼운 질병만 가능하므로 병고를 겪는 모두에게 해당하는 것은 아니다.

under the weather 몸이 안 좋은 physician 의사, 내과의사 webcam 화상 카메라 sore 아픈 stitch 꿰매다 remedy 치료 virtual 가상의 low-income 저소득의

29

1982년 디즈니는 테마파크 컬렉션에 놀랍고 독특한 건물을 증축해 문을 열었다. 월트 디즈니 월드의 EPCOT 센터는 거대하고 하얀 18층 높이의 구체 외관으로 순식간에 유명해졌다. EPCOT 센터의 내부는 기술적 업적과 9개 국가들의 문화적 특징을 보여 주고 있어 실로 인상적이었다. 월트 디즈니는 원래 EPCOT가 2만 명의 사람들을 위해 잘 운영되는 도시가 되기를 원했지만, 이 야심찬 공동체를 탄생시키기 전에 세상을 떠났다. 대신 그 공원은 매년 수천 명의 여행객이 찾아오는 명소로 남아 있다.

Q 이 글에 의하면 EPCOT 센터에 대해 다음 중 옳은 것은?

(a) 매년 9개 국가에서 유명 인사들을 초대한다.
(b) 디즈니의 기술 발전을 보여 주기 위한 것이다.
(c) 그 놀이 문화 공간의 명소가 되었다.
(d) 원래 국제회의를 열기 위해 지어졌다.

매년 수천 명의 여행객들이 찾는 명소가 되었다고 하므로 놀이 문화 공간의 명소가 되었음을 알 수 있다. 9개 나라의 문화적 특징을 보여 주는 것이므로 (a)는 적합하지 않고, 기술적인 업적이 드러난 건물이기는 하지만 기술의 발전을 보여 주는 것이 원래 목적은 아니므로 (b)도 옳지 않다.

addition 추가(물) appearance 외관 sphere 구(체) showcase 전시하다, 소개하다 technological 기술적인 originally 원래, 본래 well-run 잘 운영되는 attraction 명소 celebrity 유명인 landmark 역사적 건물

30

넓은 의미에서 암은 몸에 위험한 종양들을 형성하는 모든 유형의 통제 불능의 세포 성장이다. 여러 가지 요소가 개입될 수 있기 때문에 대부분의 암이 발병하는 원인은 알기 힘들다. 유전은 적은 비율을 차지할 뿐이고 대다수의 경우가 생활 방식의 요인들 때문으로 본다. 어떤 나라로 간 이주민들이 그 새로운 환경에서 흔한 질병에 걸린다는 사실은 질병에 영향을 주는 생활 방식의 중요성을 나타낸다.

Q 이 글에 의하면 다음 중 옳은 것은?

(a) 이주민들의 건강은 새로운 환경에 영향을 받는다.
(b) 대부분의 암의 기원은 환자를 연구함으로써 알 수 있다.
(c) 유전은 의사들이 생각했던 것보다 더 큰 영향을 미칠 수 있다.
(d) 대부분의 치명적인 종양들은 공기와 물의 오염 탓이다.

암의 원인이 주로 생활 방식에 기인하며 다른 나라로 간 이주민들이 종종 그곳의 흔한 질병에 걸린다는 것은 새로운 환경이 건강에 영향을 미치는 것으로 볼 수 있다.

broad 폭넓은 uncontrolled 통제 불능의 tumor 종양 outbreak 발발 factor 요소, 원인 be involved 연루되다, 개입되다 genetics 유전학, 유전적 특징 develop (병을) 발병시키다 disease 병 surrounding 주변 환경 origin 발단, 기원 pollution 오염 blame ~을 탓하다 deadly 치명적인

31

우리는 유명 인사들이 특이하고 대담하기를 원한다. 그들이 우리를 즐겁게 하면서 현대 생활에 대한 예술적인 표현을 하기를 기대한다. 하지만 미국 가수인 레이디 가가는 이러한 면을 새로운 정점으로 끌어올렸는지도 모른다. 한 축제에서 보여 준 최근 공연에서 그녀는 돼지 가면에서부터 스프레이 페인트와 닌자 의상에 이르기까지 수도 없이 의상을 갈아입었다. 어떤 순간에는 로마의 여신인 비너스처럼 옷을 입었다. 전체적인 쇼는 진정한 목적이 없는 무작위적인 캐릭터들의 기이한 진열이 되었다.

Q 이 글에 의하면 이 가수에 관해 다음 중 옳은 것은?

(a) 시각적으로 독특한 공연을 한다.
(b) 홍보를 위해 자신의 의류 브랜드를 입는다.
(c) 의상비를 위해 티켓값을 더 부과한다.
(d) 관객들을 놀라게서 혼란스럽게 하는 것을 즐긴다.

돼지 가면에서 로마의 여신인 비너스까지 극에서 극으로 가는 수많은 의상을 선보이며 시각적으로 독특한 공연을 한다고 볼 수 있다.

statement 표현 height 높음, 절정, 극치 bizarre 기이한 random 무작위의 visually 시각적으로 charge 값을 매기다 confuse 어리둥절하게 하다

32

남아프리카공화국의 인카운터 페스티벌은 아프리카 대륙에서 가장 큰 영화제로 전적으로 다큐멘터리 영화만을 위한 축제다. 1999년에 시작한 이래로 영화제는 다큐멘터리 장르에 관심을 이끄는 데 도움이 되었고, 새로운 제작을 촉진했으며, 아프리카에 국제적인 영화를 들여왔다. 영화제는 신인 영화 제작자들을 고무시키는 데에도 지도된 노력을 한다. 신인 감독들은 경험이 많은 전문가 팀에 프로젝트를 제안할 수 있는데, 최고의 프로젝트들이 제작을 위한 자금을 따낸다. 영화제가 시작된 후로 거의 1,500편의 신작 다큐멘터리를 지원했다.

Q 이 글에 의하면 영화제에 관해 다음 중 옳은 것은?

(a) 다양한 종류의 영화를 소개한다.
(b) 모든 경력 수준의 영화 제작자들을 맞이한다.
(c) 다큐멘터리 영화계에 영향력이 거의 없다.
(d) 영화를 다른 국가에 보이기 위해 세계 투어를 한다.

신인 감독들이 경력이 많은 전문가들에게 프로젝트를 제안한다고 하므로 다양한 수준의 경력을 가진 제작자들이 이 행사에 참여하고 있는 것을 알 수 있다. 다큐멘터리 영화만을 위한 축제라고 하므로 (a)는 알맞지 않다.

continent 대륙 dedicate 헌신하다 first-time (무엇을) 처음으로 해 보는 production 제작 impact 영향

33

온라인 쇼핑몰은 오프라인 몰과 거의 똑같이 작용한다. 웹 사이트 하나만으로 소비자들은 주택 개조 용품들, 의류, 서적, 액세서리 등을 구매하며 여러 다양한 상점에서 쇼핑을 할 수 있다. 사이트들은 온라인 구매 경험을 더욱 편리하게 만듦으로써 쇼핑객들을 매료시키려 노력한다. 몇몇 회사들은 소비자의 후기를 온라인 쇼핑몰 콘셉트로 포함시키기 시작하고 있다. 예를 들어, 쇼핑몰은 각각 다른 상점 물건이더라도 최상위 순위에 오른 겨울 재킷들을 알아낼 수 있고, 소비자들이 자신에게 가장 잘 맞는 상품을 더 쉽게 찾을 수 있도록 도울 수 있는 것이다.

Q 이 글로부터 온라인 쇼핑몰에 관해 유추할 수 있는 것은?

(a) 소비자들이 요구한 상품만을 주문하고 있다.
(b) 사업 모델이 오프라인 몰의 사업 모델을 변화시켰다.
(c) 온라인 쇼핑몰의 성공으로 오프라인 몰이 망하고 있다.
(d) 쇼핑을 향상시킬 수 있는 서비스를 결합하고 있다.

웹 사이트 하나만으로 오프라인에서 쇼핑하는 것처럼 여러 가지 다양한 상점에서 쇼핑을 할 수 있다는 점을 강조하고 있고, 소비자들이 더 잘 선택할 수 있도록 순위를 보여 준다고 했으므로 (d)가 가장 적절하다.

function 작용하다 physical 물질의, 물리적인 home improvement product 주택 개조 용품 incorporate 포함하다 suit 어울리다 order 주문하다 out of business 파산한

34

옥시코돈은 1917년 이래로 암 환자들의 만성 통증을 치료하는 데 쓰였다. 그러나 1990년대 사람들은 통증 치료가 아닌 곳에 이 약을 쓰기 시작했고, 이 약이 주는 더없이 행복한 기분에 종종 중독되었다. 여러 사례에서 사람들은 더 빨리 약의 효과를 보기 위해 알약을 빻아 가루로 만들기도 했다. 제조업체는 알약을 물리적으로 바꾸는 것을 어렵게 바꾸었고, 입법자들도 변화를 꾀했다. 여러 국가에서 처방전 없이 옥시코돈을 소지하면 무거운 벌금을 내거나 감옥에 가게 된다.

Q 이 글로부터 유추할 수 있는 것은?

(a) 더 엄격한 법이 통과되어 옥시코돈 남용이 상당히 늘었다.
(b) 제조업체들은 이 약을 의학적 치료로만 쓰고자 했다.
(c) 현재 고통을 받는 암 환자들은 다른 형태의 약물을 선호한다.
(d) 현재 의사들로부터 옥시코돈 처방전을 받기가 어려워졌다.

제조업체는 중독을 막기 위해 가루로 빻기 어렵도록 만들었다고 했으므로 치료가 아닌 사용을 막으려 했고, 그것은 의학 치료로만 사용하도록 의도했음을 알 수 있다. 다른 형태를 사용한 것은 중독에 대한 사람들이므로 (c)는 적절하지 않다.

chronic 만성적인 blissful 더없이 행복한 crush 찧다 pill 알약 powder 가루, 분말 physically 물리적으로 lawmaker 입법자 possession 소유 prescription 처방전 passage 통과 significantly 상당히, 두드러지게 abuse 남용, 오용 medication 약물

35

뇌를 연구하는 과학자들이 최근 인생 후반기에 그 힘을 잃어버리는 특정한 유전자에 주목했다. 그 유전자는 사건과 세부적인 것들을 기억해 내는 개인의 능력을 지배한다. 연구원들은 실험용 쥐를 이용해 그 유전자를 변형시켜서 노화의 내적 영향을 늦추고, 쥐가 나이가 들어감에도 더 많은 정보를 계속 간직할 수 있다는 사실을 발견했다. 인간에게도 동일한 과정이 유사한 결과를 가져온다면, 이것으로 뇌의 힘을 몇 년간 연장시킬 수 있다. 게다가 동일하게 적용시켜서 인체의 다른 부위에 영향을 주는 유전자들도 향상시킬 수 있을 것이다.

Q 다음에 논의될 내용으로 가장 적절한 것은?

(a) 나이가 들면서 뇌에서 일어나는 일들
(b) 그 실험 뒤의 상세한 과학
(c) 노화 방지 치료를 위한 다른 가능성들
(d) 기억 손실의 원인이 되는 각종 인자들

특정 유전자를 변형시켜 정신적인 노화를 늦추는 방법을 알아냈다는 내용으로, 마지막 문장에서 인체의 다른 부위에 영향을 주는 유전자들도 향상시킬 수 있을 거라고 하므로, 신체의 다른 부분에서 노화를 늦출 가능성에 대해 설명하는 것이 가장 적절하다.

take note of ~에 주목하다, 알아채다 specific 특정한 lose one's strength 힘을 잃다 recall 기억해 내다 mental 마음의, 정신의 retain 간직하다, 보유하다 prolong 연장시키다 application 적용, 응용 anti-aging 노화 방지 contribute to ~에 기여하다

36

소말리아와 시리아 같은 나라에서 온 난민들은 대개 생활이 많이 다른 서구 국가로 이동한다. 이주는 난민들에게 훨씬 더 안전한 환경을 제공하는 반면, 그들은 종종 문화적 충격을 경험한다. 그들의 출신국에는 대개 서구 사회의 현대적인 사치품이 없다. 오히려 난민들은 자신의 소유지를 경작하고 스스로 옷을 지어 입고 도구를 만들면서 자랐다. 유럽과 미국에 있는 후원 기관들은 난민들이 전통적인 관습을 향유할 수 있는 프로그램을 제공하고 있다.

Q 이 글로부터 유추할 수 있는 것은?

(a) 난민이 자신의 문화 풍습과의 연결 고리를 갖는 것은 중요하다.
(b) 이주민들은 새로운 나라에 자신들의 예전 생활 방식을 가져올 수 있다.
(c) 다른 환경에 적응하는 데에는 상당한 위험을 감수한다.
(d) 이전 이후의 상태는 흔히 혼란스럽고 위험하다.

난민들이 문화적 충격을 겪게 되고, 후원 기관들은 그들이 전통 관습을 유지하도록 돕는다고 했으므로 (a)가 가장 적절하다. 이민자들이 문화 충격을 받는다고는 했으나 그들이 자신의 문화를 가져온다는 것과 관련된 내용은 없으므로 (b)는 적절하지 않다.

refugee 난민 relocate 이주하다 immigration 이주 lack ~이 없다 luxury 사치(품) practice 관습 ritual 의례, 풍습 considerable 상당한

37

컬러 프로젝트는 자원봉사 그림 그리기 프로젝트를 통해 볼티모어 시를 향상시키려는 지역적인 노력이다. 컬러 프로젝트는 거주자들과 사업주들이 집과 상점을 단장할 형편이 안 되는 이웃 지역의 건물을 단장한다. 어떤 곳은 간단히 페인트를 새로 칠하기만 하면 된다. 다른 사업을 위해서는 자원봉사자들이 벽화를 디자인해 전 공동체가 즐길 수 있는 예술 작품으로 몇 해 동안 외벽을 변화시킬 것이다. 3년 전에 그림 그리기를 시작한 이후로 저소득 지역의 부동산 가치가 이미 약간 상승하였다.

Q 컬러 프로젝트에 대해 이 글이 시사하는 것은?

(a) 다양한 소득 수준에 도움을 제공한다.
(b) 시의 망가진 건축물을 수리하는 것이 목표이다.
(c) 사람들이 자신의 집을 페인트칠하여 새롭게 하도록 고무한다.
(d) 예술적인 영향과 경제적인 영향 모두 갖고 있다.

건물 외벽을 새로 색칠함으로써 예술적으로 변모할 뿐 아니라 그곳의 부동산 가치가 조금 상승했다고 하므로 이 프로젝트가 예술적, 경제적으로 영향을 준다고 볼 수 있다.

resident 거주자 afford to ~할 형편이 되다 spruce up 단장하다 makeover 단장 coat (페인트 등의) 칠 mural 벽화 exterior 외관의 property value 부동산 가치 assistance 도움, 원조 varying 변화하는 run-down 망가진 structure 건축물

Part III

38

환경 학자들은 레이더를 이용해 그린란드 빙원에 아주 작은 변화들도 기록한다. (a) 전역의 상공을 날며 그 아래 빙하를 속속들이 포착해 작은 균열들을 확인할 수 있다. (b) 이는 안전하게 착륙할 위치를 찾는 데 도움이 될 뿐만 아니라, 빙하가 깨질 법한 지역도 예측할 수 있도록 한다. (c) 그들은 변화를 아주 면밀하게 관찰하며 시간이 지남에 따라 지구 온도 변화의 영향을 더 잘 이해할 수 있다. (d) 몇 년 전, 그린란드의 빙하에 착륙한 한 항공기가 빙하가 너무 얇았던 탓에 물속으로 가라앉았다.

레이더를 이용하여 빙원의 변화를 알아보고 기록하여 지구의 온도 변화를 이해할 수 있다는 내용이다. (d)도 그린란드와 빙하에 관해 이야기하지만 항공기가 침몰한 것에 관한 것이므로 글 전체의 흐름에서 벗어난다.

chart 기록하다 ice field 빙원 entire 전체의 capture 정확히 포착하다 crack 균열 locate 위치를 찾다 landing 착륙 closely 면밀하게 aircraft 항공기 sink 가라앉다

39

> 샌안토니오 시는 시의 비차별 정책에 동성애를 추가하는 조례를 최근 통과시켰다. (a) 이 조례는 출마 준비를 하고 있는 보수 의원들에 의해 강력한 비판을 받고 있다. (b) 이전에 이 법령은 인종과 성, 나이, 장애, 종교에 근거한 차별로부터 사람들과 고용인들을 보호했다. (c) 이 법령은 사업에서 성적 선호에 근거해 일자리 또는 서비스직에서 사람들을 쫓아내는 것을 불법으로 간주한다. (d) 조항은 8대3의 큰 격차로 통과되었지만 시에서 제한할 수 있는 것을 넘어 수많은 논의와 반발을 초래했다.

동성애 차별이 비차별 정책에 포함되면서 그 성격과 의미에 대해 이야기하고 있다. (a)는 여기에 반발하여 비판하는 사람들에 관한 것으로 흐름에 맞지 않으며, 첫 문장에 이어, 과거 법령의 속성에 대해 언급하는 (b)가 자연스럽게 연결된다.

ordinance 법령, 조례 sexual orientation 완곡한 성적 기호 discrimination 차별 criticize 비판하다 conservative 보수적인 gear up ~할 준비를 하다 fun for office 공직에 출마하다 disability 장애 turn away 쫓아내다 preference 더 좋아함 provision 조항 backlash 반발

40

> 유자차는 한국에서 감기를 치료하기 위해 마시는 것으로 인기 있는 허브차다. (a) 전통적으로 유자차는 유자 조각을 꿀에 절여서 준비한다. (b) 이 방법으로 과실의 시고 쓴 맛을 없애고 겨울 동안 썩지 않게 저장할 수 있다. (c) 유자청 한 스푼은 차가운 물보다 뜨거운 물에 더 쉽게 잘 녹는다. (d) 이것은 대부분의 사람들이 매년 겪는 질병에 대한 믿을 수 있는 자연식 치료법으로 간주된다.

감기에 효력이 있는 유자차의 특징에 관한 글이다. (a)와 (b)가 긴밀하게 연결되어 있고, (d)는 첫 문장의 감기 치료라는 내용과 연결된다. (c)도 유자차가 소재지만, 글의 전체적인 맥락에서 가장 벗어나 있다.ㄴ

citron 시트론, 유자 remedy 치료 marinate 절이다 get rid of ~을 제거하다 preserve 보존하다 dissolve 녹다 reliable 믿을 수 있는

Actual Test 5 p.212

Part I

01 (c) 02 (d) 03 (b) 04 (b) 05 (d) 06 (c)
07 (b) 08 (d) 09 (b) 10 (a) 11 (c) 12 (a)
13 (c) 14 (a) 15 (d) 16 (b)

Part II

17 (d) 18 (b) 19 (d) 20 (a) 21 (c) 22 (d)
23 (a) 24 (c) 25 (b) 26 (b) 27 (a) 28 (d)
29 (c) 30 (b) 31 (b) 32 (a) 33 (c) 34 (d)
35 (c) 36 (b) 37 (d)

Part III

38 (c) 39 (a) 40 (b)

Part I

01

> 공공 도서관은 무료 책을 제공할 뿐만 아니라 공동체에 중요한 서비스도 제공한다. 사회적으로 혜택을 받지 못하는 사람들에게 도서관은 무료 컴퓨터와 인터넷을 이용할 수 있는 장소이다. 또한, 도서관은 정보와 학습을 제공할 수 있는 전문가들과 사람들을 이어준다. 예를 들어, 이민자들은 무료 프로그램을 통해 새로운 언어를 공부할 수 있다. 몇몇 도서관은 사람들이 보험과 법적인 문제가 어떻게 돌아가는지 더 잘 이해할 수 있게 해주는 건강 또는 법률 프로그램을 주최한다. 민주주의 사회에서 도서관은 **우리의 가장 중요한 자원 중의 하나**이다.
>
> (a) 무료 교육에서 주된 장소
> (b) 영향력을 지닌 발상을 발견하는 장소
> (c) 우리의 가장 중요한 자원 중의 하나
> (d) 계속 운영하기 위해 고군분투하는 중

우리가 도서관에서 이용할 수 있는 여러 가지 프로그램과 서비스에 대한 글로, 결론은 도서관이 도서 대출뿐 아니라 공동체에 필요한 서비스를 제공하고 있으므로 중요한 자원이라는 것이다. (a)와 (b)는 서비스의 일부로 나온 것이므로 전체 내용을 담기에는 부족하다.

disadvantaged 혜택을 받지 못하는 insurance 보험 legal 법적인 issue 문제, 쟁점 democratic 민주주의의 prized 소중한 resource 자원, 재료

02

멸종 위기의 자이언트 판다를 걱정하는 사람들은 **이 동물이 잘 살도록 도울 방법을 논의하고** 있다. 동물원에서 판다를 사육하는 것은 개체 수를 증가시킬 뿐만 아니라, 일부는 이렇게 해서 사람들이 이 동물에 더 많은 관심을 갖게 한다고 생각한다. 이런 발상은 인식을 높임으로써 더 많은 사람들이 동물을 보호하는 데 힘을 보태리라는 것이다. 다른 사람들은 그 방법은 돈이 너무 많이 들어서, 그 돈이 대신 자연 서식지 보호에 이용될 수 있다면 판다가 자신의 환경에서 회복될 수 있다고 말한다.

(a) 우리가 그들에게 어떤 영향을 미칠지 걱정하고
(b) 손을 잡고 판다들을 야생으로 내보내려고
(c) 판다가 살 더 넓은 지역을 찾으려 노력하고
(d) 이 동물이 잘 살도록 도울 방법을 논의하고

멸종 위기의 판다들의 개체 수를 늘리고 사람들의 관심을 받게 하기 위해 동물원에 데려오는 한편, 한쪽에서는 자연에서 살도록 투자한다면 회복될 것이라고 한다. 따라서 자이언트 판다를 걱정하는 사람들이 이 동물이 잘 살도록 하는 방법을 논의한다는 내용이 가장 적절하다.

endangered 멸종 위기에 있는 breed 사육하다 awareness 인식 preserve 지키다, 보존하다 natural habitat 자연 서식지 cage 우리, 새장 wild 야생 (상태) thrive 잘 살다

03

아이들은 3살이 되면 유치원이나 운동장에서 또래 아이들과 더 적극적으로 어울리기 시작한다. 좀 더 발달이 빠른 친구들을 보면서 아이들은 뭔가 새로운 것을 하려는 용기와 영감을 갖게 된다. 동시에, 싹트기 시작하는 자아로 소유욕이 강해지고 타인의 행동에 민감하게 되어, 종종 울거나 감정을 다치게 된다. 이때가 아이들이 **자신의 확신에 관심을 돌리고 감정을 조절하는** 법을 배워야 하는 힘든 성장의 시기이다.

(a) 친구들과 더 효율적으로 의사소통하는
(b) 자신의 확신에 관심을 돌리고 감정을 조절하는
(c) 한계를 시험하고 자신에게 새로운 기술을 연습하는
(d) 더 두드러진 방식으로 가족들에게 헌신하는

유아기에 또래들과 어울리면서 용기와 영감을 얻게 된다고 한다. 자아가 발달하면서 감정적 상처를 받을 때 아이들이 성장하면서 배워야 하는 것은 자아를 형성하고 감정을 조절할 수 있는 법이라는 내용이 적절하다.

actively 활발히 peer 또래 advanced 상급의 courage 용기 budding 싹트기 시작하는 ego 자아 possessive 소유욕이 강한 sensitive 민감한, 예민한 toddler 걸음마를 배우는 아이 channel (어떤 방향으로) 돌리다, 보내다 confidence 확신, 자신 mood 기분, 감정 contribute to ~에 헌신하다 noticeable 뚜렷한

04

집단 따돌림은 오늘날의 학교에서 큰 문제이지만, **친구들이 때로 여러분을 괴롭힐 수 있음을** 인식하는 것이 중요합니다. 친구들이 서로에게 장난치는 것은 정상적인 일이지만 그 정도가 너무 지나치면 주의하세요. 여러분이 없을 때 친구들이 자신에 관해 나쁘게 말한 것을 안다면, 그것은 여러분이 잘못된 사람과 붙어 있는지도 모른다는 또 다른 신호입니다. 어울려 다니는 사람들이 여러분이 내키지 않는 것들을 하기 원한다면 그들은 자신의 편이 아님을 알게 됩니다. 바로 이때가 남에게 좌지우지되지 않고 혼자 설 때입니다!

(a) 여러분의 급우들에게 의지할 수 있음을
(b) 친구들이 때로 여러분을 괴롭힐 수 있음을
(c) 왕따가 많은 젊은이들에게 영향을 주지 않음을
(d) 여러분의 교우 관계가 도전해 올 것임을

함께 어울리는 사람들이 내가 없을 때 나의 험담을 한다거나, 내가 원하지 않는 것을 하기를 원한다면 그들에게서 벗어나야 한다는 내용이다. 따라서 친구라 하더라도 나를 괴롭힐 수 있다는 것을 인식하는 것이 중요하다는 (b)가 적절하다. (d)는 친구가 왕따를 시킬 것이라는 단정적인 어조이므로 글의 맥락에 어울리지 않는다.

bully (약자를) 괴롭히다 buddy 동료 tease 놀리다, 장난하다 take note ~에 주목하다 pal 친구 cuddle up to ~에 바짝 다가앉다 hang out 어울리다, 시간을 보내다 stand up for oneself 남에게 좌우되지 않다, 자립하다 count on 의지하다, 믿다 harass 괴롭히다, 희롱하다

05

눈사태는 많은 양의 눈과 얼음 조각들이 산 아래로 빠른 속도로 내려올 때 일어난다는 것은 상식이다. 하지만 많은 사람들이 언 물질이 젖은 상태인지 마른 상태인지, 얼마나 단단하게 뭉쳐져 있는지에 따라 다양한 유형의 눈사태가 있다는 사실을 모르고 있다. 이러한 눈사태는 매우 위험할 수 있다. 종종 사람들이 눈사태로 부상당하거나 죽는 것은 불안정한 눈의 상태를 건드렸기 때문이다. 그런 점에서 **자신들이 처한 위험을 아는 사람이 거의 없다고** 볼 수 있다.

(a) 눈사태는 가장 치명적인 재난 중 하나라고
(b) 눈은 대부분의 사람들이 인식하는 것보다 더 다용도로 쓰인다고
(c) 눈만큼이나 단순한 것이 매우 강력하다고
(d) 자신들이 처한 위험을 아는 사람이 거의 없다고

많은 사람들은 눈의 상태에 따라 다양한 유형의 눈사태가 있다는 사실을 모르는데, 이런 눈사태가 매우 위험할 수 있는데도 종종 사람들이 다치고 죽는 것을 보면, 그런 곳에 가는 사람들은 눈사태의 위험성을 거의 모르고 있는 것으로 볼 수 있다.

common knowledge 상식 avalanche 눈사태 ice slip 얼음 조각 frozen 언, 결빙한 tightly packed 꽉 찬, 단단하게 다져진 landslide (산)사태 injure 부상을 입히다 disturb 방해하다, 건드리다 unsteady 불안정한 deadly 치명적인 versatile 다용도인

06

사회진화론은 동물 세계에 대한 찰스 다윈의 진화론으로부터 발전되었다. 사회진화론은 어떤 사람들은 타인보다 생존에 더 적합함을 시사한다. 1800년대 후반과 1900년대 초반에는 개방 자본주의와 인종 차별, 큰 국가가 작은 나라를 탈취하는 것 등을 정당화하기 위해 사회진화론이 이용되었다. 우월한 그룹이 무력으로 자신들이 원하는 것을 얻는 게 허용되어야 한다는 생각이었다. 이제는 부정적인 용어로 간주되는 이 발상은 **생물학적 이론을 사회 구조에 적용하였다**.

(a) 자본주의자 사상의 기반이 되었다

(b) 사람들에게 유럽 진화론을 교육했다

(c) 생물학적 이론을 사회 구조에 적용하였다

(d) 사람들 사이의 관계를 묘사하는 데 도움이 되었다

첫 문장에서 사회진화론은 생물학적 이론인 진화론에서 비롯되었다고 하며, 자본주의와 인종 차별, 식민지 개척을 정당화하는 수단이 되었다고 한다. 따라서 이런 발상이 생물학적 이론을 사회적으로 적용했다고 볼 수 있다.

Social Darwinism 사회진화론 evolution 진화 justify 정당화하다 capitalism 자본주의 racism 인종 차별 superior 우월한 by force 무력으로 negative 부정적인 foundation 초석, 토대

07

친애하는 주민 여러분께

여러분께 곧 있을 **건물의 공사 프로젝트**에 관해 알리는 것은 중요한 일입니다. 월요일과 화요일에는 인부들이 주차장을 개선할 예정이니 거리에 주차하셔야 할 것입니다. 수요일과 목요일에는 엘리베이터를 교체할 예정이니 계단을 이용하셔야 합니다. 금요일과 토요일에는 배관공이 파이프를 수리할 예정이라 아파트가 일시적으로 단수될 것입니다. 일요일까지는 모든 프로젝트가 완료될 것입니다.

관리부 드림

(a) 방문객들을 위한 새로운 주차 절차

(b) 건물의 공사 프로젝트

(c) 여러분의 가전제품 향상

(d) 아파트의 관리 사무실에 있을 변화

주차장 공사, 엘리베이터, 파이프를 수리, 교체하는 것이므로 건물의 공사 프로젝트에 대한 공고이다.

alert 알리다 upcoming 다가오는, 곧 있을 plumber 배관공 be off 끊기다 temporarily 일시적으로 procedure 절차, 방법 construction 공사 improvement 개선, 향상 home appliance 가전제품

08

남부의 기질과 태도에 관한 연구로서, 〈뜨거운 양철 지붕 위의 고양이〉는 **갈등이 표면 아래에 놓여 있음**에도 평범한 삶에 대한 이야기를 보여 준다. 테네시 윌리엄스의 호평받는 이 희곡은 힘겹게 자기 자신을 잃지 않으면서도 겉으로 만사형통인 것처럼 행동하려는 옛날 미시시피 주의 한 가족을 보여 준다. 진실과 거짓에 대한 주제와 남부 사회의 겉치레가 극에 계속된다. 원작의 마지막 대사인 "그게 사실이라면 우습지 않을까?"는 예의 바른 행동과 감춰졌지만 실제인 상황 사이의 괴리를 표현한다.

(a) 유쾌한 많은 것들을 묘사하고 있음

(b) 평이함에 대한 비평이 있음

(c) 문화에 공허함이 있음

(d) 갈등이 표면 아래에 놓여 있음

이 희극이 옛 남부의 겉치레, 감춰진 진실과 겉으로 드러나는 거짓에 대해 다루고 있다는 것은 일상의 표면 아래에 놓인 갈등을 보여 준다고 정리할 수 있다.

character 기질, 특징 manner 태도, 관습 acclaimed 호평받는 keep up appearance 겉치레하다 portray 묘사하다 cheerfulness 쾌활함, 유쾌함 criticism 비평, 비난 simplicity 평이함, 단순함 emptiness 공허 conflict 충돌, 갈등 beneath the surface 표면 아래, 내막의

09

엄밀한 의미에서 라틴어에서 말하는 아기는 아직 말을 할 수 없는 존재다. 하지만 아기는 일반적으로 한 살이 되어 가면서 몇 단어로 말을 하기 시작한다. 몇 달이 채 되지 않아도 소리 내는 것을 좋아해 종종 부모의 즐거움이 된다. 아기는 처음부터 주변의 소리와 주위에서 하는 말을 들으며 미소와 웃음으로 화답한다. 아기는 우리의 말에 혼란스러워 하는 것처럼 보일 때조차도 **끊임없이 언어의 새로운 요소를 배우고 있다**.

(a) 기술 훈련에 도움이 되는 관찰을 하고 있다
(b) 끊임없이 언어의 새로운 요소를 배우고 있다
(c) 계속 부모의 말의 상당 부분을 이해하고 있다
(d) 주위의 보이는 것과 들리는 것에서 즐거움을 얻고 있다

아기는 태어난 지 몇 달이 안 되었어도 소리를 내기 시작하고 한 살이 되어 가면서 몇 단어로 말을 시작한다는 내용이다. 빈칸이 있는 마지막 문장에서 아기는 우리의 말에 혼란스러워 하는 것처럼 보여도, 말을 하기 위한 습득의 단계를 거치고 있다는 내용이 이어지는 것이 자연스럽다. 아기가 부모의 말을 잘 이해하고 있다는 언급은 없으므로 (c)는 적절하지 않다.

strict 엄격한 infant 유아, 아기 typically 보통, 대개 approach ~에 다가가다 observation 관찰 acquire 습득하다 constantly 끊임없이 entertain 즐겁게 해 주다

10

영화 〈엘리시움〉은 100년도 더 되는 미래를 배경으로 한다. 지구는 황무지가 되었고 빈민층은 살아남기 위해 고군분투한다. 지구의 부유층은 엘리시움이라는 호화로운 우주 정거장으로 이주했고, 그곳에서 편안하게 살며 최고의 건강 관리의 기술을 누린다. 영화의 줄거리는 지구에 있는 고통받는 사람들이 부유층의 세계에 밀고 들어가 더 나은 삶을 살려고 하면서 전개된다. 하지만 부자들은 지구 거주인들이 진입하는 것을 막기 위해 돈을 쓴다. 결론은 이 영화는 **인간이 계급의 차이에 어떻게 반응하는가를 탐구하는** 영화라는 것이다.

(a) 인간이 계급의 차이에 어떻게 반응하는가를 탐구하는
(b) 발전된 특수 효과를 곁들여 긴박한 상황을 만들어 낸
(c) 미래의 삶에 대해 일반적인 묘사를 보여 주는
(d) 현대 사회의 실제 경험을 상세히 설명하는

이 영화는 미래 사회에서 자본 계급에 의한 삶의 차이를 보여 주면서, 상황을 전복하려는 빈민층과 그들을 막으려는 부유층 간의 이야기라고 한다. 따라서 이 영화는 사람들이 각자의 처지에서 계급의 차이에 대해 반응하는 모습을 보여 준다고 할 수 있으므로 빈칸에는 (a)가 적절하다.

wasteland 황무지 space station 우주 정거장 health care 건강 관리 unfold (이야기가) 펼쳐지다 force one's way 밀고 나아가다 class 계급적인 high drama 긴박한 상황

11

새로운 연구는 재정적 압박 아래 사는 사람들이 IQ 테스트에서 더 안 좋은 성과를 낸다는 것을 보여 준다. 가난한 사람들이 덜 똑똑하다는 것은 아니다. 그보다, 돈 문제에 관한 끊임없는 걱정이 지적 능력의 많은 부분을 잡아먹는 것이다. 그들의 상황에 대한 스트레스가 밤잠을 잃는 것과 유사하여, 뇌가 점점 더 둔화되고 예리함이 줄어드는 것이다. 이 연구의 결과로 볼 때, 가난한 사람들은 **돈과 지적인 에너지의 공급이 부족하다고** 말하는 것이 타당하다.

(a) 지적 결핍이 그들의 환경으로 이어진다고
(b) 교육 자료들이 너무 비싸다고
(c) 돈과 지적인 에너지의 공급이 부족하다고
(d) 필요한 교육을 찾기 힘들다고

가난한 사람들이 갖는 돈 문제에 대한 걱정이 그들의 지적 능력에까지 부정적인 영향을 준다는 연구 결과이므로 빈칸에 가장 적절한 것은 (c)이다. (a)는 원인과 결과를 바꾸어 말하고 있으므로 적절하지 않다.

financial strain 재정적 부담 constant 거듭되는 eat up ~을 잡아먹다 brainpower 지적 능력 finding 결과 in poverty 가난한 intelligence 지능 educational resource 교육 자료 in short supply 공급이 딸리는

12

성장하고 있는 한국의 커피 시장에서 메트럴은 그 현장에 자리 잡으면서 색다른 접근법을 취했다. 서울의 한복판에 있는 메트럴의 새로운 매장은 흔해 빠진 또 다른 카페에 걸어 들어가는 것을 생각한 모든 이들을 놀랍게 만든 것으로 보인다. 내린 커피를 진정 감상하는 정신으로 조심스럽게 맛보는 고객들을 볼 수 있다. 고급스러운 체험에 전념한 부티크 공간에는 남다른 감각이 있다. 더욱 질이 좋은 제품을 향한 그 맛이 **세계 시장에 들어서면서 그 브랜드에 유리하게 작용하기**를 바란다.

(a) 세계 시장에 들어서면서 그 브랜드에 유리하게 작용하기
(b) 형편없이 관리되었던 서비스의 질을 향상시키기
(c) 그 나라에 국내 브랜드로서 존재감을 떨치기
(d) 한국에서 커피를 마시는 사람의 수를 극적으로 늘리기

한국 시장에 들어오면서 고급스러운 매장과 품질 좋은 커피 맛을 내세우는 매장에 관한 내용으로 빈칸에는 (a)가 적절하다. 국내 브랜드로 볼 근거는 없으며, 이 매장이 커피를 마시는 사람들의 수를 늘리기 위한 것이라는 언급도 없다.

amid ~중에 mature 성숙시키다 establish oneself 자리 잡다 on the scene 현장에, 그 자리에 appreciation 감상 brew 달인 차 distinct 별개의, 뚜렷한 dedicated to ~에 바치는 in favor of ~의 이익이 되도록, ~을 위하여 presence 존재 dramatically 극적으로 consume 마시다, 먹다

13

동방에 대한 프랑스의 교역을 보호하기 위한 시도로 나폴레옹은 정권을 잡자마자 자기 군대를 이집트와 시리아로 옮겼다. 이것은 영국이 지중해를 통해 인도와 교역하는 것을 막으려는 이차적인 목적도 있었다. 더불어, 그 원정대는 특별한 학문적인 목표도 갖고 있었다. 160명이 넘는 학자와 과학자가 그 지역의 문화와 기원을 연구하기 위해 함대에 동행했다. 그 결과로 발견된 것들은 오늘날에도 여전히 전 세계 수천 명의 사람들을 박물관으로 끌어들이고 있다. 이렇게 볼 때, 그 원정대는 **역사적 지식에 지속적인 영향을 미치고 있다고** 말할 수 있다.

(a) 중동의 문제에 관여했다고
(b) 프랑스와 영국의 경쟁을 부채질했다고
(c) 역사적 지식에 지속적인 영향을 미치고 있다고
(d) 작정했던 것보다 성과가 적었다고

프랑스의 원정대가 이집트와 시리아로 가면서 학자와 과학자가 그곳으로 가서 그 지역의 문화를 연구했다고 한다. 그때 발견한 것들이 프랑스의 박물관에 있어 여전히 수천 명의 사람들이 찾는다고 하므로, 원정대가 당시의 발견, 즉 역사적인 지식에 영향을 준다고 말할 수 있다. 국제 이권과 관련한 목적 외에 이차적인 목적들도 이룰 수 있었던 것이므로 (d)는 알맞지 않다.

take power 정권을 잡다 block 막다, 차단하다 via ~을 통해 expedition 원정대 extraordinary 특별한, 대단한 scholar 학자 accompany 동행하다 fleet 함대 origin 기원 resulting 결과로 초래된 get involved in ~에 관여하다 affair 문제, 일 add fuel 부채질하다 have effects on ~에 영향을 미치다 lasting 지속적인 accomplish 성취하다 propose 작정하다, (일을) 꾸미다

14

삼투란 구성 요소의 농도를 같게 하기 위한 액체의 자연적 성향이다. 그래서 담수와 해수가 만나면 삼투를 통해 염분이 담수에 퍼진다. 바다에서 마실 수 있는 물을 얻기 위해서는 역삼투의 방법이 사용된다. 해수에 압력이 가해지면, 해수는 얇은 막을 통과하는데, **물은 통과하지만 소금은 남아 있다**. 역삼투는 외딴 지역을 순찰하는 군인 같이 깨끗한 물이 필요한 사람은 누구라도 활용할 수 있다.

(a) 물은 통과하지만 소금은 남아 있다
(b) 중요 영양소는 더하지만 동시에 물의 순도에는 한계를 둔다
(c) 나중에 사용하기 위해 소금은 남겨 두고 마실 수 있는 물은 막는다
(d) 커다란 용기에 담아 반대 방향으로 돌린다

삼투와 역삼투의 원리에 관한 내용으로, 빈칸 앞 문장에서 소금물인 바닷물을 마실 수 있으려면 사용되는 방법이라고 하므로 문맥상 소금기는 남고 물이 통과한다는 것이 알맞다.

osmosis 삼투 natural tendency 자연적 성향 liquid 액체 equalize 동등[평등]하게 하다 concentration 농도 freshwater 담수 seawater 해수 saltiness 소금기 drinkable 마실 수 있는 reverse osmosis 역삼투 membrane (얇은) 막 patrol 순찰하다 remote 멀리 떨어진 hold back 제지하다 purity 맑음, 청결 simultaneously 동시에 reserve 남겨 두다 reverse 거꾸로의, 반대의

15

소비자들은 상품을 구입하는 데 있어 오프라인의 서점에 덜 의지하고, 중요한 구매를 위해 인터넷으로 눈을 돌리고 있다. 이에 대응하여 더 많은 기업이 웹을 통해 자사의 상품을 쇼핑객과 연결해 주는 법을 배우고 있다. **예를 들어**, 사람들은 이제 차량에서부터 화장실 휴지에 이르기까지 모든 것을 온라인으로 구매하고 자기 집 문 앞까지 배달시킬 수 있다. 개인들은 온라인 창고 세일을 개설해 이러한 디지털 시장에 참여할 수도 있다. 크레이그리스트 같은 웹 사이트들은 사람들이 물건을 올려 같은 도시에 사는 구매자들에게 직접 판매할 수 있게 해 준다.

(a) 그렇긴 하지만
(b) 상관하지 않고
(c) 그렇지 않으면
(d) 예를 들어

앞 문장에서 기업들이 점점 더 웹을 이용해 소비자들을 만나려는 노력을 한다고 했고, 뒤에서는 그러한 상황에 대해 구체적으로 사람들이 어떻게 웹을 이용해 기업들과 만나게 되는지를 보여 주고 있으므로 (d)가 적절하다.

consumer 소비자 purchase 구매 in response 이에 대응하여 corporation 기업 doorstep 문간 participate 참여하다 garage sale 창고 세일

16

1756년의 외교 혁명 당시 유럽의 오래된 힘의 균형이 급격하게 변화했다. 오스트리아와 프랑스는 오랜 경쟁국이었지만, 프로이센 왕국의 프리드리히 2세에 대항하여 힘을 합쳤다. 영국은 전통적으로 오스트리아의 동맹국이었다. **그러나** 영국은 유럽에서 자신들의 경쟁국인 프랑스에 대항하여 힘의 균형을 이루기 위해 프로이센 왕국의 부흥을 도왔다. 프로이센 왕국의 확장이 오스트리아 영토를 잠식하기에 이르자, 오스트리아와 영국의 관계는 자연스럽게 틀어졌다.

(a) 그에 따라
(b) 그러나
(c) 유사하게
(d) 게다가

앞 문장에서 영국은 오스트리아의 오랜 동맹국이었다고 설명하고 뒤에서는 오스트리아와의 관계가 틀어졌다고 했으므로 역접의 접속어가 오는 것이 가장 자연스럽다.

long-standing 오래된, 다년간의 join forces 힘을 합치다, 협력하다 ally 동맹국 favor 찬성하다, 돕다 at the expense of ~에 손해를 끼쳐 territory 영토 sour 불쾌해지다

Part II

17

1799년 로제타석의 발견은 최초로 이집트의 상형문자에 대한 이해를 가능케 했다. 로제타석은 처음에는 신전에 전시되어 있었으며, 3가지 언어로 쓰인 구절이 있는데, 그중 하나가 이집트 활자다. 각 구절들이 동일한 메시지를 전하고 있는 게 분명해지자, 그 구절들은 이집트 문자를 해독하는 데 사용될 수 있었다. 그런 다음 고고학자들은 무덤과 피라미드, 기타 사물들을 장식하는 기호에서도 배울 수 있었다. 이것으로 초기 시대의 생활을 알 수 있었다.

Q 이 글의 주제는?
(a) 불가사의한 사건을 이해하는 과정
(b) 다양한 언어들 사이의 관계
(c) 귀중한 물건의 소유를 놓고 벌이는 싸움
(d) 새로운 문화적 발견으로 이어진 인공 유물

로제타석의 발견으로 이집트의 상형문자에 대한 이해가 가능했다고 하면서 그 과정을 통해 초기 시대의 생활을 알 수 있었다고 하므로 이 글의 주제는 (d)가 가장 적절하다.

hieroglyphic 상형문자 script 필기 문자 passage 구절 decode 해독하다 archeologist 고고학자 adorn 장식하다 revelation 폭로 artifact 인공 유물

18

데이비스 고등학교가 올해 졸업반의 여행지를 정했습니다! 학생들은 각종 지질 형성과 서식지에 관해 공부하기 위해 코스타리카를 여행할 기회를 갖게 될 것입니다. 저희는 활화산과 열대 우림에 서식하는 곤충들을 발견하게 될 나비 보호 구역을 방문할 것입니다. 또한 멸종 위기의 바다거북을 보호하기 위한 해변 정화 활동에도 참여할 것입니다. 마셜 선생님이 이번 여행의 인솔자입니다. 더 많은 정보는 마셜 선생님의 교실을 방문하세요.

Q 주로 안내되고 있는 것은?
(a) 학교의 새로운 교육 과정
(b) 학생들을 위한 학습 휴가
(c) 환경 보호 활동들
(d) 코스타리카의 자연 경관

졸업반의 여행에 대한 설명을 하고 있다. (c)와 (d)는 여행의 일부로 언급되었으나 전체적인 내용은 아니다.

destination 목적지 senior 졸업반의 geological 지질학적인 formation 형성 active volcano 활화산 sanctuary 보호 구역 populate 살다, 거주하다 rainforest 열대 우림 endangered 멸종 위기의 brand new 완전 새로운 vacation (여행 등의) 휴가 natural landscape 자연 경관 environmental protection 환경 보호

19

〈미국 지질 조사〉의 한 보고서는 오염된 개울이 습지를 통해 여과되면서 분명 득을 본다는 걸 발견했다. 올바니 대학의 생물학과 교수진을 비롯한 조사팀은 습지 채널링 프로젝트의 경과를 확인했다. 프로그램은 작년 애디론댁 산맥에 있는 새러낵 호수에서 시작했다. 그곳의 개울은 산성비와 공업 유출로 인해 질산과 황, 알루미늄이 높은 수치를 보였다. 습지에서 채취한 물 샘플은 이런 유해 물질 수치가 낮아졌음을 보여 주는데, 아마도 유기물과 결합한 결과일 테다.

Q 다음 중 뉴스 보도에 가장 알맞은 제목은?
(a) 새러낵 호수 청결 평가를 받다
(b) 산성비가 애디론댁 산맥의 큰 문제가 되다
(c) 대학이 산업 오염 수치가 높다는 것을 발견하다
(d) 습지가 시냇물의 질에 도움이 되다

이 프로젝트로 오염된 개울이 습지를 통과하면서 여과되어 유해 물질의 수치가 낮아졌다는 내용이므로 뉴스의 제목으로 (d)가 적절하다.

polluted 오염된 stream 시내, 개울 benefit from ~로부터 이익을 얻다 filter 여과하다 wetland 습지 headed by ~을 비롯하여 faculty 교수진 biology 생물학 progress 경과, 추이 nitric acid 질산 sulfur 황 acid rain 산성비 industrial 공업의 runoff 유출 액체 toxin 유해 물질 bind 둘러 감다 organic matter 유기물 evaluate 평가하다

20

많은 선진국은 무기를 생산하지만 다른 국가에 무기를 직접 판매하는 것은 피하려 한다. 그러기 위해 선진국들은 종종 권력을 위해 파벌들이 서로 싸우는 아프리카와 라틴 아메리카 같은 지역의 정치 지도자나 군사 지도자와 타협하는 다른 중개인들을 활용한다. 예를 들어, 콩고의 반군은 중국이나 러시아에서 생산된 총을 사용해 왔다. 이런 시스템 속에서 자신들이 세금으로 낸 돈이 이러한 상호 작용을 자원하고 있는데도 불구하고, 국민들은 어떻게 무기가 국경을 건너는지 이해하기 힘들게 된다.

Q 이 글의 주된 내용은?

(a) 무기 거래의 복잡한 움직임

(b) 시간에 걸친 무기의 진화

(c) 다른 대륙들의 정치적 다툼

(d) 무기 거래상의 추적 불가능함

무기를 생산해도 다른 나라에 직접 팔기는 힘들다고 했고 중개인을 이용하여 팔고 있는 경우에는 국민들이 그런 과정을 이해하기 어렵다는 이야기를 하고 있으므로 무기 판매에 있어서 복잡한 과정들이 있음을 주제로 볼 수 있다.

advanced country 선진국 manufacture 생산하다 make arrangements 협의하다 faction 당파, 분파 rebel 반역자, 반군 international boundary 국경선 arms 무기 operation 작용, 움직임 evolution 진화 strife 투쟁, 다툼 inability 무능, 할 수 없음 trace 추적하다

21

때때로 의심에서 확인으로 이르는 길은 구름이 낀 것처럼 불확실하다. 뉴턴 시대의 과학자들은 하늘의 밝은 빛들에게는 우리의 태양과 같이 유사한 짝들이 있다고 추측할 뿐이었다. 당시 천문학자들은 이 오래된 발상에 대한 증거를 찾았지만, 확인하기까지는 오랜 세월을 기다렸어야만 했다. 오늘날 이 미스터리는 풀렸지만, 이제는 조사해야 할 새로운 의문들이 있다. 가스로 이루어진 거대한 행성들 외에 작은 고체 행성들의 수는 이제 별들의 수와 거의 같다고 생각하는 것이다.

Q 다음에 논의될 내용으로 가장 적절한 것은?

(a) 우주여행의 다음 단계

(b) 뉴턴의 결론 몇몇을 확인하는 것

(c) 새 이론에 대해 진행 중인 연구

(d) 망원경 기술의 진보

과거 천문학에서의 추측과 확인의 과정과 이제 새롭게 생긴 추측에 대해 이야기하고 있다. 따라서 이 새로운 의문에서 확인에 이르는 과정, 즉 진행하고 있는 연구가 다음에 논의될 내용으로 적절하다.

suspicion 의심 confirmation 확정, 확인 companion 동료 astronomer 천문학자 investigate 조사하다 gas giant (목성·토성 등) 가스로 이루어진 거대한 행성 solid 고체의 phase 단계 conclusion 결론, 단정 ongoing 진행 중의

22

중국 출신의 이 안 감독의 작품은 무술 서사 영화 〈와호장룡〉에서부터 현실적인 시대극인 〈센스 앤 센서빌리티〉까지 다양하다. 날아다니는 배우들로 관객을 매료시킨 작품이 있는가 하면, 오래된 소설을 전원적인 영국의 삶으로 가져온 작품도 있다. 그의 최신 작품은 새로운 방향으로 나가는데, 1960년대와 1970년대의 가장 위대한 권투 경기를 스크린 위 3D 역사로 만들어 냈다. 영화 제작에는 스크린으로 옮겨졌던 다른 어떤 작품들과 다른 영화를 만들기 위해 첨단 특수 효과를 쓸 거라는 얘기도 있다.

Q 이 뉴스 보도에 가장 적절한 제목은?

(a) 영화 제작자가 자신의 통상적인 주제에서 벗어나다

(b) 스크린에서 최초로 볼 수 있는 60년대 경기

(c) 이 감독의 최신작, 획기적인 특수 효과를 넣다

(d) 새로운 영화가 다양성이 있는 감독으로서 이 감독의 평판에 더해지다

무술 영화에서 영국 시골의 삶까지 다양한 영화를 만들 뿐 아니라 이제는 첨단 특수 효과를 이용해 또 다른 새로운 작품을 만들 거라고 하므로 (d)가 가장 알맞다. 새 영화에서 특수 효과를 이용한다는 소식이 핵심이 아니라 이 감독의 다양한 작품 세계가 주제이므로 (c)는 적절하지 않다.

epic 서사시, 대작 range ~의 범위에 이르다 period piece 시대물 stun 큰 감동을 주다 rural 시골의 rumor 소문을 내다 groundbreaking 획기적인 reputation 평판

23

1960년 댈러스는 워싱턴 D.C. 남부에서 프로 미식축구팀을 창단한 최초의 도시가 되었다. 카우보이스가 경기에서 이기는 데에는 두 번의 시즌을 겪어야 했지만, 그들은 곧 역사를 만들었다. 그 팀은 1966년부터 20년 연속 매 시즌을 지는 경기보다 이기는 경기가 더 많은 성적으로 마무리하는 영광을 누렸다. 미식축구 역사상 그 어떤 팀도 이 업적을 달성하지 못했다. 오늘날, 그들의 업적과 정신으로 인해 카우보이스는 '미국의 팀'으로 유명하다.

Q 이 글에 의하면 카우보이스에 관해 다음 중 옳은 것은?
(a) 그들의 이야기는 수년간 한 나라를 매료시켰다.
(b) 그들의 아주 초기 경기들은 기존의 기록들을 깼다.
(c) 그들의 특출한 재능이 팬들에 의해 간과되었다.
(d) 그들은 스포츠 팬들의 편견에 맞섰다.

20년 연속으로 이기는 경기가 더 많은 성적으로 시즌을 마무리하는 기록을 가지고 있고, 이 기록은 깨지지 않아, '미국의 팀'으로 유명하다고 하므로 옳은 것으로 (a)가 적절하다. 창단 후 두 번의 시즌을 겪고 나서 역사를 만들었다고 하므로 (b)는 적절하지 않다.

professional 프로의 make history 역사에 남을 일을 하다 streak 연속 feat 위업 performance 실적, 업적 enchant 매료시키다 existing 기존의 exceptional 특출한 talent 재능 overlook 간과하다 prejudice 편견

24

고블린 상어는 지구 상에서 가장 매력적이지 않은 바다 생물 중 하나일 것이다. 고블린 상어는 길고 납작한 코와 입술에 매달려 있는 못 같이 생긴 이빨이 있다. 다행히도 이 생물을 본 사람은 거의 없는데, 100미터 깊이의 수중 협곡에서 헤엄치기 때문이다. 고블린 상어의 불쾌한 외모의 또 다른 모습은 축 늘어진 몸과 짧은 지느러미인데, 이것으로 고블린 상어가 재빠르게 헤엄치지 않는다는 것을 알 수 있다. 고블린 상어의 보기 드문 몇 가지 외모들은 조상에서 기인한 것 같다. 고블린 상어는 약 1억 2500만 년 된 선사 시대의 상어의 계통이다.

Q 이 글에 의하면 고블린 상어에 대해 옳은 것은?
(a) 전 세계의 해변에서 발견되어 왔다.
(b) 보통의 다른 상어의 형태와 외모를 가진다.
(c) 과거 시대의 해양 생물과 가장 유사하다.
(d) 강력한 심해 포식자로 알려져 있다.

글의 마지막에 고블린 상어가 보기 드문 외모를 가진 것은 선사 시대의 상어의 계통이기 때문이라는 것으로 보아 (c)가 가장 적절하다. 수중 협곡의 심해에 산다고 하므로 (a)는 알맞지 않으며, 포식자로서의 고블린 상어에 대한 언급은 없으므로 (d)도 적절하지 않다.

unattractive 매력적이지 못한 marine species 해양 생물 flat 납작한 underwater canyon 수중 협곡 aspect 양상, 면모 unwholesome 건강해 보이지 않는, 불건전한 look 외모 flabby 축 늘어진 fin 지느러미 ancestry 조상, 혈통 descend 계통을 잇다, 자손이다 prehistoric 선사 시대의 spot 발견하다 feature 특징 deep sea 심해의 predator 포식자

25

흔히 생명체는 수십억 년 전 지구 상에 존재했던 유일한 화학 물질의 조합으로 형성된 것이라고 알려져 있다. 하지만 지구 화학자 스티븐 베너는 현재의 지구 생명체에 관한 이론이 사실 틀렸으며, 적어도 부분적으로 옳지 않다고 믿고 있다. 베너는 우리 지구에는 어떤 핵심적인 요소가 빠져 있었다고 말한다. 그는 이 필수 광물이 운석에 의해 화성으로부터 왔을 것이라고 생각한다. 이 광물을 몰리브덴이라고 부르는데, 이것이 없으면 대부분의 유기체가 탄소의 끈적한 혼합물인 타르로 변한다. 공교롭게도 수십억 년 전 화성에는 몰리브덴이 풍부했다.

Q 이 글에 의하면 스티븐 베너에 관해 다음 중 옳은 것은?

(a) 운석의 광물 구성에 대해 연구하고 기록한다.

(b) 화성이 없었더라면 지구에 생명체가 없었을 거라고 생각한다.

(c) 태양계의 다른 행성에서 생명체의 징후를 찾는다.

(d) 유기체가 지구에서 기인했다고 생각한다.

그는 지구에 빠져 있던 핵심 물질이 화성에서 온 몰리브덴이며, 이것이 없다면 유기체는 타르로 변할 거라고 생각한다. 따라서 (b)가 가장 적절하다.

form out of ~로 만들다 combination 결합 geochemist 지구 화학자 mineral 광물질 meteorite 운석 organic matter 유기물 sticky 끈적끈적한 mixture 혼합물 as it happens 마침, 공교롭게도 rich ~이 풍부한 solar system 태양계 organic 유기체의 neighboring 인근의

26

많은 단체들이 전 세계적으로 여성들의 평등을 옹호하고 있지만, 한 단체는 개발 도상국들에게 주어지는 재정적 지원인 대외 원조에서의 성별 차이에 주목한다. Women Thrive Worldwide는 여러 가지 프로젝트를 진행하고 있다. 그들은 국제 연합에 제3세계 국가의 젊은 여성들을 위한 교육 개선을 위해 도와줄 것을 요청하고 있다. 그들은 또한 여성에 가해지는 폭력에 맞서는 프로그램을 지지하는 미국 내 법안을 추진하고 있다. 이런 문제들에 보다 많은 관심을 이끌어 내는 것으로, 이 단체는 불평등으로 고통받는 여성들이 언젠가 더 나은 삶을 살게 되기를 희망한다.

Q 글에 의하면 Women Thrive Worldwide에 관해 다음 중 옳은 것은?

(a) 업무의 대부분을 미국의 여성 평등에 몰두한다.

(b) 더 가난한 나라에 사는 여성들의 환경 개선을 위해 활동한다.

(c) 근본적으로 여성들을 위한 더 나은 근로 환경을 만들어 낸다.

(d) 그들의 프로젝트 중 하나가 지도자들 간의 연계를 만들 것이다.

이 단체는 대외 원조에 있어서 성별의 차이에 주목하고, 제3세계 국가의 여성을 위한 교육 개선을 위해 도움을 요청하고 있다고 하므로 (b)가 적절하다. 미국뿐만 아니라 개발 도상국들의 여성 평등에 대해서도 활동하고 있다고 하므로 (a)는 적절하지 않다.

organization 기구, 단체 advocate 옹호하다 equality 평등 gender gap 성별 격차 foreign aid 대외 원조 developing country 개발 도상국 push for ~을 계속 요구하다, 촉구하다 favor 장려하다, 지지하다 violence 폭력 inequality 불평등 devote 헌신하다, 몰두하다 basically 근본적으로 working environment 근로 환경

27

많은 사람들은 감기가 올 것 같을 때 닭고기 수프나 오렌지 주스에 의존한다. 하지만 식물 화학 물질이 포함된 다른 음식들이 병을 퇴치하는 데 실로 도움이 될 수 있다. 이 화합물들은 당근과 피망 같은 식물에서 자연적으로 난다. 이것들은 필수 영양소로 간주되지는 않는다. 그보다 면역 체계를 강화시키고 박테리아와 바이러스의 공격을 늦추며, 세포 회복을 높일 수 있는 강한 생물학적 특성을 갖고 있다. 아플 때만 식물 화학 물질이 들어 있는 식물을 먹는 것으로 갑자기 병을 낫게 하지는 않을 것이다. 대신, 규칙적으로 식단에 이것들을 포함시키는 것이 중요하다.

Q 이 글에 의하면 식물 화학 물질에 관해 다음 중 옳은 것은?

(a) 자주 섭취했을 때 가장 도움이 된다.

(b) 그 효과는 체내에서 빠르게 느껴질 수 있다.

(c) 그 면역 체계가 증상을 줄여 준다.

(d) 실험실에서 쉽게 재생성 될 수 있다.

아플 때만 먹는 것보다는 식사할 때 규칙적으로 먹는 것이 중요하다고 하므로 가장 적절한 것은 (a)이다. 이 식물 화학 물질은 사람의 면역 체계를 강화시킨다고 하므로 (c)는 적절하지 않고, 당근과 피망 같은 식물에서 자연적으로 난다고 하므로 (d) 또한 적절하지 않다.

phytochemical 식물 화학 물질 fight off 퇴치하다 compound 화합물 bell pepper 피망 nutrient 영양소 biological 생물학적 property 특성, 성질 immune system 면역 체계 viral 바이러스성 repair 수리, 회복 consume 먹다, 섭취하다 symptom 징후, 증상 recreate 재생성하다, 다시 만들다 laboratory 실험실

28

대체로 젊은 사람들이 환경에 매우 잘 적응한다는 데 동의한다. 요즘 이런 얘기는 기술적으로 풍부한 시대에도 들어맞는데, 아이들이 오랜 시간을 컴퓨터와 휴대폰을 들여다보기 때문에 일반 국민들의 염려가 커지고 있다. 이런 경향은 '디지털 치매'라고 부르는데 아이들의 주의력이 집중되는 기간, 기억력, 감정 상태에 영향을 주기 때문이다. 이런 상황들은 영구적이지 않지만 젊은이들이 전자 기기에 많은 세월을 보낼 때 노인성 치매와 마찬가지로 그 영향력은 오래 간다.

Q 이 글에 의하면 디지털 치매에 관해 다음 중 옳은 것은?

(a) 노인성 치매와 매우 유사하다.

(b) 10대들의 학습 능력에 미미한 위험이 있다.

(c) 디지털 미디어 이용자들에게 매우 잘 적응한다.

(d) 오래 방치하면 영향력은 평생 갈 것이다.

디지털 치매는 오래 되면 영향력이 오래 간다고 하므로 (d)가 적절하다. 아이들의 주의력이 집중되는 시간, 기억력, 감정 상태에 영향을 주기 때문에 학습 능력에 많은 영향을 끼친다고 볼 수 있으므로 (b)는 적절하지 않다.

adaptable 적응할 수 있는 surroundings 주변, 환경 stare 응시하다, 빤히 보다 dementia 치매 span 기간 permanent 영구적인 persist 계속되다 endure 지속되다

29

우리 모두 시리아의 시민들에게 가해진 최근의 화학 무기 공격에 국제적인 대응이 필요하다는 점에 동의할지는 몰라도, 미국은 군사 행동을 취하기 위한 대의명분과 예상을 진지하게 고려해야 한다. 첫째로 우리는 왜 미국이 이번 일을, 예컨대 수천 명이 사망했지만 아무런 조치도 없었던 르완다 사태와는 다르게 취급하는지 반드시 물어야 한다. 그리고 우리는 미국이 이제 십 년 넘게 전쟁에 연루되었다는 점을 알아야 한다. 역사는 중동에서 군사적 노력이 절대로 간단하거나 쉽지 않음을 보여 준다.

Q 글쓴이에 대해 다음 중 옳은 것은?

(a) 강력한 조치가 신속히 취해져야 한다고 생각한다.

(b) 공격에 타당한 증거가 있다고 확신하지 않는다.

(c) 시리아 문제에 대응하는 것에 대해 조심스럽다.

(d) 더 많은 국제적인 원조를 보기를 원한다.

미국이 시리아 사태에 대해 군사 행동을 취하기 전에 신중한 고려가 있어야 하며, 역사적으로 이 문제가 간단하거나 쉽지 않다는 것을 알 수 있다고 말하고 있으므로 글쓴이는 이 문제에 대응하는 것에 조심스럽다는 것을 알 수 있다.

chemical weapon 화학 무기 military action 군사 행동[작전] conflict 투쟁, 충돌 be engaged in ~에 관여[참여]하다 brief 간단한, 짧은 swiftly 신속히, 빨리 cautious 조심스러운 assistance 도움, 시원

30

암흑 에너지 이론은 우주의 팽창에 관해 설명하려 한다. 중력은 60억 년 전 암흑 에너지와의 전쟁에서 졌던 것으로 생각된다. 하지만 암흑 에너지가 실제 존재한다고 모두가 확신하는 것은 아니고, 일부는 그저 추측일 뿐이라고 생각한다. 새로운 암흑 에너지 조사(DES)가 시작되어 지금까지 매우 정확하게 약 3억 개의 은하의 거리와 속도를 기록하고 있다. 그리고 DES 같은 프로그램들이 더 많이 생겨, 기존의 이론들을 시험할 더 많은 자료들이 생길 것이다.

Q 이 글에 의하면 DES에 관해 다음 중 옳은 것은?

(a) 이 프로젝트는 새 이론들을 만들어 내기 위한 것이다.

(b) 이 조사는 정확한 새로운 정보를 제공할 것이다.

(c) 이것은 단지 60억 년 전으로 시간만 거슬러 올라갈 것이다.

(d) 이로부터 얻은 데이터는 중력의 확장을 측정할 것이다.

새로운 암흑 에너지 조사가 새로운 기록과 자료들을 생기게 할 것이라고 하였으므로 가장 적절한 보기는 (b)이다. (a)는 새 이론을 만들어 내는 것이 아니라 기존 학설들을 시험해 볼 것이라 했으므로 적절하지 않다.

dark energy 암흑 에너지 expansion 팽창 gravity 중력 lose the war 전쟁에 지다 convinced 확신하는 hypothesis 가설, 추측 set out 시작하다, 나서다 record 기록하다 galaxy 은하계 accuracy 정확(도) precise 정확한, 정밀한 look back 되돌아보다 measure 측정하다, 판단하다

31

말라 존슨의 신작 판타지 소설은 뱀파이어가 대도시에 자기들만의 공동체를 형성한다면 어떤 일이 일어날지 상상한다. 그녀의 소설에서 인간은 피에 굶주린 뱀파이어를 그들이 해를 미치지 않을 분리된 지역에 강제로 거주하게끔 한다. 그럼에도 불구하고 뱀파이어들은 성공적인 사업을 일구고 TV에 방영되는 사치스러운 파티를 여는 데 돈을 쓴다. 인간들은 이를 지켜보면서 뱀파이어들의 생활 방식을 점점 질투하게 된다. 결과적으로 서로 다른 무리들 간의 복잡한 관계가 흥미롭고 훌륭하게 그려진다.

Q 리뷰에 의하면 책의 줄거리에 대해 다음 중 옳은 것은?

(a) 아득한 미래에 생활이 어떤 모습일지를 묘사한다.

(b) 등장인물 중 새로운 유형의 유명인도 포함한다.

(c) 인간이 타인에게 얼마나 잔인할 수 있는지 입증하려고 한다.

(d) 사람들이 TV 프로그램에 얼마나 집착하는지에 대해 지적한다.

인간에 의해 쫓겨난 뱀파이어들이 사업적으로 성공하고 파티를 열어 TV에 방영되어 인간이 점점 질투하는 복잡한 관계를 그리는 소설이라고 하므로, 새로운 형태의 유명인 즉, 뱀파이어가 나오는 소설이라고 할 수 있다. 미래의 이야기라는 언급은 없고 상상의 판타지 소설이라고 하므로 (a)는 적절하지 않다.

establish 설립하다 neighborhood 지역, 지방 extravagant 사치스러운 broadcast 방송하다 look on 지켜보다 fascinating 대단히 흥미로운 celebrity 유명인 demonstrate 입증하다 obsessed 집착하는

32

감정에 대한 호소인 파토스는 설득력이 있는 주장에 대한 아리스토텔레스의 이론에서 핵심적인 세 가지 요소 중 하나다. 각각 윤리와 논리를 의미하는 에토스와 로고스가 나머지 두 요소이다. 아리스토텔레스는 최고의 효과를 내기 위해서는 이 세 가지 기술이 모두 사용되어야 한다고 말했지만, 사람의 판단을 변화시키는 데 있어서 생각이나 이론에 대한 청자의 감정적인 반응이 결정적이라고 생각했다. 후대의 철학자들은 수사적 기교의 형태로서 파토스에 등을 돌리고 거의 전적으로 논리만을 강조했다. 그들은 사람의 마음을 변화시키려 할 때 파토스는 부당한 접근이라고 여겼다.

Q 이 글에 의하면 파토스에 대해 다음 중 옳은 것은?

(a) 좀 더 현대적인 환경에서는 덜 강조되었다.

(b) 타인이 행동하도록 설득하기 위해 논리에 의존한다.

(c) 생각을 정당화하기 위한 핑계로 사용된다.

(d) 다른 두 구성 요소와 모순되는 개념이다.

아리스토텔레스의 설득의 세 요소 중 하나인 파토스를 후대의 철학자들은 외면했다고 하므로 가장 옳은 것은 (a)이다. 파토스가 에토스나 로고스를 부정하는 개념이라는 언급은 없으므로 (d)는 옳지 않다.

appeal 호소 component 구성 요소 persuasive 설득력 있는 ethics 윤리 logic 논리 crucial 중대한, 결정적인 judgment 판단 philosopher 철학자 rhetoric 수사법, 웅변술 emphasize 강조하다 exclusively 오로지 unfair 불공평한 context 정황, 배경 contradict 부정하다, 모순되다

Actual Test 5

33

가족과 친구들에게

이제 결혼 50주년을 맞은 저희 부모님, 준과 루이스를 축하하기 위한 기념 파티에 저희와 함께 해 주세요. 6월 2일 브렉스톤 호텔에서 특별한 파티를 열 예정입니다. 저녁 식사가 제공되며, 부모님의 사랑 이야기의 중요한 순간들과 어린이 안전 네트워크의 공동 창립자로서의 두 분의 수많은 성취를 연대순으로 담은 영상물을 상영할 생각입니다. 어린이 안전 네트워크는 수천 명의 아동이 위험한 가정에서 탈출할 수 있도록 도왔습니다. 저희는 부모님이 무척 자랑스럽고, 여러분께서 오셔서 부모님을 성원해 주시기를 희망합니다.

제시카, 데이비드, 마크 드림

Q 편지로부터 이 부부에 관해 유추할 수 있는 것은?

(a) 그들의 사업은 가족의 부를 성공적으로 끌어올렸다.
(b) 자신들의 차이를 이해하기 위해 부단히 노력했다.
(c) 건강한 개인적인 관계와 직업적인 관계를 나눴다.
(d) 그들의 결혼 생활은 유머와 즐거움이 특징이었다.

부부로서 개인적인 관계뿐만 아니라, 어린이 안전 네트워크의 공동 설립자로서 직업적인 관계도 나눴다고 볼 수 있으므로 (c)가 가장 적절하다. 사업으로 인해 부를 쌓았다는 언급은 없으므로 (a)는 옳지 않다.

host 주최하다 chronicle 연대순으로 기록하다 accomplishment 성취 cofounder 공동 창립자 applaud 갈채를 보내다 wealth 부 characterize 특징지우다 playfulness 우스꽝스러움

34

〈심리학 저널〉의 연구에 의하면, 사람들은 보통 매우 충격적인 경험을 한 후에 공포와 슬픔, 불안감을 지속적으로 느낀다. 어린아이들은 어른과는 다른 증상이 나타나며, 부모가 주위에 없는 정신적 충격으로 잠자기나 배변 훈련에 문제가 있을 수 있다. 더 큰 아이들은 학교에서나 친구들과 함께할 때의 행동에서 외상 후 스트레스 장애를 표출할 수도 있다. 10대는 우울증이나 대인 기피, 약물 남용과 같이 어른들의 그것과 더욱 유사한 증상을 보인다.

Q 연구로부터 유추할 수 있는 것은?

(a) 생애의 어떤 시기든 치료가 항상 가능하다.
(b) 아이가 어릴수록 경험은 덜 충격적이다.
(c) 10대는 어른보다 그 증상들로 인해 더 위험하다.
(d) 다양한 연령의 사람들이 각기 다른 것에서 외상을 경험한다.

어린아이, 청소년, 어른이 각기 다른 종류의 정신적 외상을 드러낸다고 하므로 가장 적절한 것은 (d)이다. 10대와 어른의 증상이 유사하기 때문에 더 위험하다고 볼 근거는 없으므로 (c)는 적절하지 않다.

lasting 지속적인 anxiety 불안 traumatic 외상성의, 매우 충격적인 different than ~와 다른 toilet training 배변 훈련 trauma 정신적 외상[충격] post-traumatic stress disorder 외상 후 스트레스 장애 depression 우울증 withdraw 움츠러들다, 틀어박히다 substance abuse 약물 남용 stage 시기, 단계 at risk 위험한 various 다양한

35

인간은 수 세기 동안 근처에 있는 붉은 행성에 도취되었다. 현대에는 화성을 더 잘 이해하고 화성이 생명이 살 수 있는 행성인지 조사하기 위해 최첨단 탐사가 이루어졌다. 많은 사람들이 우리가 이런 탐사에 너무나 많은 돈을 소비하고 있다고 한다. 더 나은 사회 기반 시설을 개발하는 데 사용될 수 있는 돈을 말이다. 하지만 이러한 화성으로의 여행에는 다른 기능이 있다. 이것은 지구의 역사를 이해하는 데 도움이 되고, 미래 생존 방식에 더 많은 가능성을 제공하며, 어린이들의 과학에 대한 관심을 북돋우고 기른다.

Q 글쓴이가 가장 동의할 만한 것은?

(a) 인간의 더 큰 문제가 우리의 주된 관심사일 수 있다.
(b) 화성으로의 우주 비행은 유용한 정보를 거의 가져오지 않는다.
(c) 우주 연구에 대한 투자는 값어치를 한다.
(d) 다른 행성을 탐사하는 것은 지구 너머의 미래를 보장해 준다.

사람들은 화성 탐사에 돈을 너무 많이 쓴다고 말하지만, 글쓴이는 이러한 탐사가 지구의 역사를 이해하는 데 도움이 되고, 미래의 생존을 위해 필요할지도 모르며, 어린아이들이 과학에 관심을 갖게 한다고 하며 긍정적으로 보고 있다. 따라서 이런 투자가 값어치를 한다는 (c)가 적절하다. 다른 행성을 탐사하는 것이 미래의 다른 가능성이 될 수 있다고 하므로 미래 보장과는 거리가 멀다.

entrance 황홀하게 하다 exploration 탐사 sustain 유지하다 infrastructure 사회 기반 시설 function 기능 cultivate 양성하다, 함양하다 mission 임무 yield (이익을) 가져오다, 낳다 investment 투자 price tag 가격표 ensure 확실하게 하다, 보증하다

36

최근 미 대법원의 결정은 동성 결혼 금지법을 뒤집었다. 이것이 바로 동성 결혼을 합법화한 것은 아니다. 단지 전국적인 금지를 막았을 뿐이다. 그 결정 직후에 군이 뒤따랐다. 군은 성적 취향에 상관없이 결혼한 모든 커플에게 동일한 혜택을 주겠다고 발표했다. 하지만 이 문제가 종잡을 수 없게 되었는데, 동성 결혼이 몇몇 주에서만 합법인 반면, 군은 전국적으로 기지가 있기 때문이다. 동성 결혼을 반대하는 몇몇 주의 군 기지는 결혼한 모든 커플에게 혜택을 주는 전국적인 정책에 반발하고 있다.

Q 다음에 논의될 내용으로 가장 적절한 것은?
(a) 얼마나 많은 이들이 혜택을 받는지에 관한 세부 내용
(b) 군의 기지들이 새 정책을 무시할 수 있는지 여부
(c) 한 개 주의 결정에 대한 반응들
(d) 법원의 다음 평결에 관한 예측들

대법원에서 동성 결혼의 전국적인 금지를 막는 평결을 내렸고 군에서는 이 평결에 따른다고 했지만 기지가 전국적으로 있고, 각 주마다 관련 법이 다르기 때문에 일이 어떻게 진행될지 모른다는 내용이다. 마지막 문장에서 몇몇 주의 군 기지에서는 반발하고 있다고 했으므로, 그 다음에 이어질 내용은 그 기지들이 정책에 따르지 않을 수 있을지의 여부에 대해 논의하는 것이 자연스럽다.

Supreme Court 대법원 overturn 뒤집다 prohibit 금지하다 legalize 합법화하다 bar 막다, 금지하다 ban 금지 benefit 혜택 regardless of ~에 상관없이 sexual orientation 성적 취향 tricky 미묘한, 종잡을 수 없는 base (군사) 기지 oppose 반대하다 resist ~에 저항하다 nationwide 전국적인 reaction 반응 prediction 예측 verdict 평결, 판결

37

현재의 레바논 근처인 페니키아 도시 국가의 성장은 기원전 약 1200년경 뱃사람들의 침략 후에 이루어졌다. 상세히 기록된 것은 아니지만, 북쪽에서 온 이 공격은 이집트와 히타이트 제국을 상당히 약화시켰다. 이런 권력의 공백으로 인해 페니키아인들은 지중해 동쪽 끝에 자신들의 무역 제국을 건설했다. 그들은 도심지를 조직하고 믿을 만한 배를 건조하는 능력으로 빠르게 유명해졌다. 기원전 539년 키루스 대왕의 페르시아의 통치하에 놓이자, 그들의 몰락이 시작되었다.

Q 이 글로부터 페니키아인에 관해 유추할 수 있는 것은?
(a) 그들은 움직이면서 절대 한 곳에서 오래 살지 않았다.
(b) 바다의 침략자들이 공격해 오자 배로 도망쳤다.
(c) 그들의 종교적인 믿음은 이웃 나라들과 달랐다.
(d) 그들은 도시와 상업을 건설하는 데 유능했다.

도시를 구성하고 배를 건조하는 능력이 있는 등 무역 제국을 건설했다고 하므로 (d)가 가장 적절하다.

Phoenician 페니키아의 come along 생기다 invasion 침략 weaken 약화시키다 vacuum 진공, 공백 distinguish 두드러지게 하다 reliable 믿을 수 있는 invader 침략군 belief (종교·정치상의) 신조, 교의 effective 유능한, 인상적인 commerce 상업, 교역

Part III

38

공상 과학 소설에서 읽은 몇몇 발상들이 마침내 실현되고 있지만 '미래의 연구' 영역이 과학에만 한정되어야 할까? (a) 대답은 '아니다'이다. 미래 연구는 다양한 연구 분야를 이용해 앞으로의 일을 예측하기 때문이다. (b) 따라서 과학 및 기술의 발달과 함께 정치적, 사회적 동향도 고려된다. (c) 미래 연구에 의하면 과학적 진보는 세상의 변화의 핵심 원천이다. (d) 이런 이유로 '미래 연구'는 다양한 지식 분야의 전문가들을 결합하는 몇 안 되는 연구 영역 중 하나다.

미래 연구는 과학뿐 아니라 다양한 영역에서 이루어진다는 내용이다. (a)는 첫 문장에서의 질문에 대답하는 내용이고, (b)와 (d)는 각각 앞 문장과 연결하는 적절한 표현으로 시작하고 있다. (c)는 과학의 진보가 중요 원천이라고 하므로 전체 주제에서 벗어난다.

science fiction novel 공상 과학 소설 eventually 마침내 multiple 다양한, 복합적인 forecast 예측하다 political 정치적인 social 사회적인 along with ~와 함께 progress 진보 combine 결합하다 discipline 학문의 부문[분야]

39

서번트 증후군은 복잡한 방식으로 뇌에 영향을 미친다. (a) 이 증후군은 제대로 이해되지 않고, 그것이 어떻게 아기들에게 영향을 미치는지에 관해 충분히 설명한 이론이 없다. (b) 이러한 비정상을 경험하는 사람들은 종종 지능 검사를 형편없이 보며, 사회적으로 다른 사람들과 소통하는 데 문제가 있다. (c) 그래도 그들은 수학이나 음악, 미술, 암기 등 무엇이 되든 한 가지 특정한 기술에 특출 난 능력이 있다. (d) 또한, 어떤 물건이나 생각이 다른 것보다 더 중요한지를 알기 때문에 다른 사람들이 완전히 처리하지 못하는 복잡한 정치적, 법적인 문제를 해결할 수 있다.

서번트 증후군이 복잡한 방식으로 뇌에 영향을 미친다는 내용으로 서번트 증후군을 갖고 있는 사람들의 문제점이나 능력에 대해 이야기하고 있다. (a)는 서번트 증후군에 대한 이해가 없으며 아기들에게 미치는 영향에 관한 이론이 없다는 내용으로 글의 설명과 모순된다.

adequately 충분히 abnormality 이상, 기형
intelligence test 지능 검사 interact 소통하다
exceptional 특출 난 memorization 기억, 암기
navigate (힘들거나 복잡한 상황을) 다루다, 처리하다

40

직원을 고용할 때, 고용주들은 알맞은 능력을 찾을 뿐만 아니라 지원자가 거짓말을 하거나 자신의 능력을 과장하지는 않는지를 본다. (a) 첫 만남에서 누군가 진실한지 아닌지를 아는 것은 매우 힘든 일이지만, 분명 어떤 사람들은 다른 사람들보다 더 능하다. (b) 그 사람이 얼마나 자주 허위 진술을 하는지 판단할 방법은 거의 없다. (c) 실험을 통해 의심이 많은 사람들은 진실을 말하는 사람과 거짓말하는 사람을 골라내는 것을 가장 못하는 것으로 밝혀졌다. (d) 의심이 많은 사람들은 낯선 사람의 성격을 가늠하는 자신의 능력에 지나치게 자신만만하기 때문이라고 과학자들은 본다.

고용주가 직원을 뽑을 때는 지원자의 능력뿐만 아니라 그들의 도덕성도 살핀다면서, 진실한 사람과 거짓말하는 사람을 골라내는 한 실험에 대해 이야기하고 있다. (b)는 전체 맥락에서 벗어난다.

applicant 지원자 exaggerate 과장하다 truthful 정직한, 진실한 makes a false statement 허위 진술을 하다 suspicious 의심 많은 overconfident 지나치게 자신만만한 assess 가늠하다, 평가하다 personality 성격

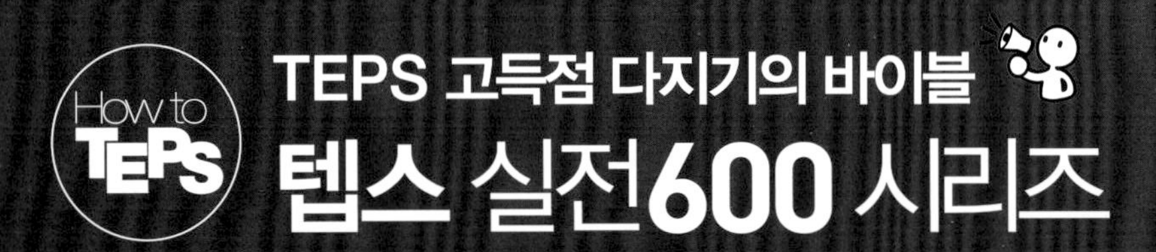

★ TEPS 영역별 최신 경향과 고득점 전략 분석

★ TEPS Actual Test 5회분으로 시험 전 완벽 준비

★ TEPS 고득점의 감을 확실하게 잡아 주는 상세한 해설

R

How to TEPS 200만부 돌파

서울대 텝스 관리위원회 최신기출 Listening | 서울대학교 TEPS관리위원회 문제 제공 · 넥서스 TEPS연구소 해설 | 320쪽 | 19,800원
서울대 텝스 관리위원회 최신기출 Reading | 서울대학교 TEPS관리위원회 문제 제공 · 넥서스 TEPS연구소 해설 | 568쪽 | 24,800원
서울대 텝스 관리위원회 최신기출 스피킹·라이팅 | 서울대학교 TEPS관리위원회 문제 제공 · 유경하 해설 | 340쪽 | 28,000원
서울대 텝스 관리위원회 최신기출 *i*-TEPS | 서울대학교 TEPS관리위원회 문제 제공 · 넥서스 TEPS연구소 해설 | 296쪽 | 19,800원

독해 · 청해 · 문법

How to **텝스 독해 기본편** | 양준희 · 넥서스 TEPS연구소 지음 | 312쪽 | 17,500원
How to **텝스 독해 중급편** | 장우리 지음 | 360쪽 | 17,500원
How to **텝스 독해 고난도편** | 넥서스 TEPS연구소 지음 | 324쪽 | 17,500원
How to **텝스 청해 중급편** | 양준희 지음 | 276쪽 | 18,500원
How to **텝스 문법 고난도편** | 테스 김 · 넥서스 TEPS연구소 지음 | 160쪽 | 12,500원

텝스 기출모의 1200 | 넥서스 TEPS연구소 지음 | 456쪽 | 18,500원
How to TEPS 실전력 500 · 600 · 700 · 800 · 900 | 넥서스 TEPS연구소 지음 | 308쪽 | 실전력 500~800: 16,500원, 실전력 900: 18,000원
서울대 텝스 관리위원회 텝스 실전 연습 5회+1회 | 서울대학교 TEPS관리위원회 문제 제공 | 200쪽 | 9,800원
텝스 기출모의 5회분 | 넥서스 TEPS연구소 지음 | 364쪽 | 14,500원

어휘

서울대 최신기출 TEPS VOCA | 넥서스 TEPS연구소 · 문덕 지음 | 544쪽 | 15,000원
How to TEPS VOCA | 김무룡 · 넥서스 TEPS연구소 지음 | 320쪽 | 12,800원
How to TEPS 넥서스 텝스 보카 | 이기헌 지음 | 536쪽 | 15,000원
How to **텝스 어휘 기본편** | 고명희 · 넥서스 TEPS연구소 지음 | 304쪽 | 15,500원
How to **텝스 어휘 고난도편** | 김무룡 · 넥서스 TEPS연구소 지음 | 296쪽 | 17,000원

How to TEPS 시크릿 청해편 · 독해편 | 유니스 정(청해), 정성수(독해) 지음 | 청해: 22,500원, 독해: 14,500원
텝스, 어려운 파트만 콕콕 찍어 점수 따기(청해 PART 4 · 문법 PART 3,4) | 이성희 · 전종삼 지음 | 176쪽 | 13,000원

고급 (800점 이상)

How to TEPS 실전 800 어휘편 · 청해편 · 문법편 · 독해편 | 넥서스 TEPS연구소(어휘, 청해, 독해), 테스 김(문법) 지음 | 어휘: 12,800원, 청해: 19,000원, 문법: 16,000원, 독해: 19,000원
How to TEPS 실전 900 청해편 · 문법편 · 독해편 | 김철용(청해), 이용재(문법), 김철용(독해) 지음 | 청해: 17,000원, 문법: 16,500원, 독해: 17,500원

How to TEPS L/C | 이성희 지음 | 400쪽 | 19,800원
How to TEPS R/C | 이정은 · 넥서스 TEPS연구소 지음 | 396쪽 | 19,800원

How to TEPS Expert L | 박영주 지음 | 340쪽 | 21,000원
How to TEPS Expert GVR | 박영주 지음 | 520쪽 | 28,000원
How to TEPS Expert 고난도 실전 모의고사 | 넥서스 TEPS연구소 지음 | 388쪽 | 21,500원